SIŁY
CIEMNOŚCI

NORA ROBERTS

SIŁY CIEMNOŚCI

PRZEŁOŻYŁA
XENIA WIŚNIEWSKA

Prószyński i S-ka

Tytuł oryginału
DARK WITCH

Projekt okładki
www.studio-kreacji.pl

Zdjęcie na okładce
© Paul Knight / Trevillion Images

Redaktor prowadzący
Katarzyna Rudzka

Redakcja
Ewa Witan

Korekta
Grażyna Nawrocka

Łamanie
Alicja Rudnik

ISBN 978-83-7839-725-0

Warszawa 2014

Wydawca
Prószyński Media Sp. z o.o.
02-697 Warszawa, ul. Rzymowskiego 28
www.proszynski.pl

Druk i oprawa
Drukarnia POZKAL Spółka z o.o.
88-100 Inowrocław, ul. Cegielna 10-12

Dla rodziny
– tych, którzy już są, i tych, którzy się narodzą.

Kiedy zejdziemy się z powrotem?
Gdy pierwszy grom zagłuszy grzmotem
Szum deszczu i wichury lament?

William Szekspir, *Makbet*

Rozdział pierwszy

Zima, 1263

W głębi zielonego lasu, w cieniu zamku, Sorcha prowadziła swoje dzieci przez mrok do domu. Dwoje młodszych jechało na krzepkim koniku, główka małej Teagan, która niedawno skończyła trzy lata, podskakiwała przy każdym kroku Alastara. Jest zmęczona, pomyślała Sorcha, po atrakcjach Imbolg*, ogniskach i ucztach.

– Uważaj na siostrę, Eamon.

Eamon miał pięć lat i jego „uważanie” ograniczyło się do szturchnięcia małej Teagan; gdy to zrobił, ponownie zajął się podpłomykiem, który jego matka upiekła rano.

– Zaraz będziemy w domu – powiedziała łagodnym głosem Sorcha, gdy Teagan zakwiliła. – Już blisko.

Zbyt długo szli przez polanę, pomyślała. I chociaż Imbolg było świętem ku czci pierwszych ruchów w łonie Matki Ziemi, zimą ciemność zapadała szybko i niespodziewanie.

---

* Imbolg – celtyckie święto, odbywające się 1 lutego, oznaczające oczyszczenie przez ogień i wodę, poświęcone bogini wiosny, poezji, lecznictwa i rzemiosła, Brighid.

Noc była zimna, świstał lodowaty wiatr, niosący śnieg i marznący deszcz. Mgła utrzymywała się przez całą zimę, skradała się i pełzła, przysłaniając słońce i księżyc. Zbyt często w tym wietrze, w tej mgle, Sorcha słyszała swoje imię – wezwanie, którego nie zamierzała słuchać. Zbyt często w tym świecie bieli i szarości widziała ciemność.

Nie chciała mieć z nią nic wspólnego.

Jej mężczyzna błagał, aby zabrała dzieci i zamieszkała u jego *fine**, gdy on toczył swoje bitwy przez całą bezkresną zimę.

Przed żoną *cennfine*** wszystkie drzwi stanęłyby otworem, a dzięki temu, kim była, wszędzie spotkałaby się z ciepłym przyjęciem.

Jednak nie chciała opuszczać swoich lasów, swojej chaty, gdyż tu było jej miejsce. Potrzebowała samotności tak jak powietrza.

Sama będzie dbała o to, co do niej należało, zawsze, o swój dom i ognisko, swój dar i obowiązki. A przede wszystkim o swe najdroższe dzieci, które spłodzili razem z Daithim. Nie lękała się nocy.

Nazywano ją Czarownicą z Ciemności, a jej moc była potężna.

W tamtej chwili jednak czuła się po prostu jak kobieta, która dotkliwie tęskni za swoim mężczyzną, pragnie jego ciepła, jego silnego, twardego ciała tuż obok, w zimnej, samotnej ciemności.

---

* *Fine* – wielka rodzina patriarchalna.

** *Cennfine* – głowa klanu.

Co ją obchodziła wojna? Co ją obchodziły ambicje i chciwość maluczkich władców? Ona chciała tylko, żeby jej mężczyzna wrócił do domu cały i zdrowy.

Kiedy wróci, będą mieli kolejne dziecko, a ona znowu poczuje w sobie życie. Wciąż nosiła żałobę po tym, które straciła pewnej okrutnej, czarnej nocy, gdy pierwszy zimowy wiatr przeszył lasy jak głuchy szloch.

Jak wielu ludzi wyleczyła? Ilu ocaliła? A mimo to, kiedy wypłynął z niej strumień krwi, gdy wypłynęło z niej to kruche życie, nie uratowała go żadna magia, żadna ofiara ani żadne błagania.

Sorcha bardzo dobrze wiedziała, że leczenie innych jest łatwiejsze niż uzdrowienie siebie. A bogowie byli równie niestali jak trzpiotowata dziewczyna w maju.

– Spójrz! Spójrz! – Brannaugh, jej najstarsza, siedmioletnia córka, zatańczyła na zmrożonej ziemi. Dziewczynce towarzyszył wielki pies. – Tarnina kwitnie! To znak.

Teraz Sorcha też to dostrzegła, delikatną zapowiedź kremowobiałych kwiatów wśród czarnych, poplątanych gałęzi. Bogini płodności Brighid błogosławiła ziemię, jej, Sorchy, łono było puste – taka pierwsza, gorzka myśl przyszła jej do głowy.

Lecz potem spojrzała na swoją pierworodną, pierwszą dumę, bystrooką dziewczynkę, o zarumienionych policzkach, obracającą się na śniegu. Została pobłogosławiona, upomniała samą siebie Sorcha. I to trzykrotnie.

– To znak, mamo. – Ciemne włosy Brannaugh wirowały przy każdym obrocie, córka uniosła twarz ku gasnącemu światłu. – Nadchodzi wiosna.

– Masz rację. To dobry znak. – Podobnie jak to, że dzisiejszy dzień był tak pochmurny, iż stara wiedźma

Cailleach nie mogła znaleźć drewna na opał*. Wiosna przyjdzie wcześnie, tak mówiła legenda.

Tarnina uginała się od pąków zwiastujących mnóstwo białych kwiatów.

Sorcha widziała nadzieję w oczach swoich dzieci, tę samą, co w oczach innych, zgromadzonych wokół ognisk, tę, którą słyszała w ich głosach. I której szukała w sobie.

Ale znajdowała tylko strach.

On znów przyjdzie dziś w nocy – już go wyczuwała. Będzie krążył, czekał, kusił. Ale Sorcha zamknie się w swojej chacie, zaryguje drzwi i rozłoży amulety, by chroniły dzieci. By ją także chroniły.

Cmoknęła na konia, by przyspieszył kroku, gwizdnęła na psa.

– Chodź, Brannaugh, twoja siostra już prawie śpi.

– Wiosną tata wróci do domu.

Choć nadal było jej ciężko na sercu, Sorcha uśmiechnęła się i wzięła córkę za rękę.

– To prawda, wróci przed Beltane** i wydamy wielką ucztę.

– Mogę go dziś z tobą zobaczyć? W ogniu?

– Mamy jeszcze dużo pracy. Przed snem trzeba oporządzić zwierzęta.

– Tylko na chwilę? – Brannaugh uniosła twarz i spojrzała błagalnie na matkę oczami szarymi jak dym. – Popatrzę

---

* Irlandzka legenda głosi, że 1 lutego wiedźma Cailleach zbiera drewno na resztę zimy. Jeśli chce, aby zima trwała jeszcze długo, sprawia, że ten dzień jest ciepły i jasny, aby zdążyła nazbierać jak najwięcej opału.

** Beltane – celtyckie święto rozpoczynające lato, przypadające w nocy z 30 kwietnia na 1 maja, podczas którego gaszono stare ogniska i rozpalano nowe.

na niego tylko przez chwilę, żebym potem mogła śnić, że wrócił do domu.

Tak jak ja sama, pomyślała Sorcha i teraz jej uśmiech pochodził z głębi serca.

– Ale tylko na chwilę, córko, jak już wszystko będzie zrobione.

– A ty weźmiesz swoje lekarstwo.

Sorcha uniosła brwi.

– Doprawdy? Czy wyglądam, jakbym go potrzebowała?

– Wciąż jesteś blada, mamo. – Brannaugh ściszyła głos.

– Tylko odrobinę zmęczona, a ty nie masz się czym martwić. Eamon, trzymaj siostrę! Alastar już czuje zapach domu i Teagan zaraz spadnie.

– Ona jeździ lepiej niż Eamon i ja.

– To prawda, koń jest jej talizmanem, ale mała prawie śpi na jego grzbiecie.

Ścieżka skręciła, końskie kopyta zadźwięczały na zamarzniętej ziemi, gdy Alastar potruchtał do szopy obok chaty.

– Eamon, zadbaj, żeby Alastar dostał dzisiaj dodatkową porcję owsa. Ty się najadłeś, prawda? – dodała, kiedy chłopiec zaczął mamrotać.

Uśmiechnął się do niej szeroko, śliczny niczym letni poranek i chociaż potrafił zeskoczyć z konia zwinnie jak królik, wyciągnął ramiona do matki.

Zawsze uwielbiał pieszczoty, pomyślała Sorcha, tuląc chłopca i stawiając na ziemi.

Nie musiała mówić Brannaugh, by wzięła się do swoich zajęć. Dziewczynka prowadziła dom niemal równie sprawnie jak jej matka. Sorcha wzięła Teagan na ręce i mrucząc uspokajająco, zaniosła córeczkę do chaty.

– Pora śnić piękne sny, moja ukochana.

– Jestem konikiem i galopuję przez cały dzień.

– Och tak, najpiękniejszym z koników, i najszybszym.

Wygasłe po wielu godzinach palenisko nie mogło odgonić chłodu. Niosąc dziecko do łóżka, Sorcha wyciągnęła dłoń w stronę ognia. Płomienie skoczyły w górę, rozjarzyły w popiołach.

Otuliła Teagan do snu, wygładziła jej włosy – jasne niczym promienie słońca, jak u jej ojca – i odczekała, aż dziewczynka zamknie oczy – głębokie i ciemne, jak jej samej.

– Miej tylko słodkie sny – szepnęła, dotykając talizmanu, który powiesiła nad łóżkami dzieci. – Przejdź cała i zdrowa przez noc. To, kim jesteś, i wszystko, co widzisz, niech cię przeprowadzi przez ciemność ku światłu.

Pocałowała miękki policzek córeczki i prostując się, syknęła, czując ukłucie w brzuchu. Ból pojawiał się i znikał, ale przybierał na sile przy ciągnącej się bez końca zimie. Dlatego posłucha rady córki i przygotuje napar.

– Brighid, w dniu twojego święta pomóż mi ozdrowieć. Mam trójkę dzieci, które mnie potrzebują. Nie mogę pozostawić ich samych.

Zostawiła śpiącą Teagan i poszła pomóc pozostałej dwójce w domowych obowiązkach.

Gdy zapadła noc, zbyt szybko, zbyt wcześnie, zamknęła starannie drzwi i powtórzyła wieczorny rytuał z Eamonem.

– Nie jestem śpiący, ani trochę – protestował, a oczy same mu się zamykały.

– Och, właśnie widzę, jesteś zupełnie rześki i pełen wigoru. Czy dziś w nocy znowu będziesz fruwał, skrzacie?

– Tak, będę, wysoko na niebie. A jutro nauczysz mnie więcej? Będę mógł rano zabrać Roibearda na dwór?

– Nauczę cię i będziesz mógł. Sokół jest twój, musisz o niego dbać i dobrze go poznać. A teraz odpoczywaj. – Potargała jego brązowe włosy, pocałowała powieki, gdy zamknął oczy – bezkreśnie błękitne jak jego ojca.

Kiedy zeszła ze stryszku, Brannaugh siedziała przy ogniu razem ze swoim psem.

Jaśniała zdrowiem, pomyślała Sorcha – dzięki, bogini – i mocą, nad którą jeszcze w pełni nie panowała ani której nie pojmowała. Ma na to czas, powtarzała sobie w duchu Sorcha, ma czas.

– Przygotowałam napar – powiedziała Brannaugh. – Tak jak mnie uczyłaś. Poczujesz się lepiej, kiedy go wypijesz.

– Teraz ty się mną opiekujesz, *mo chroi*? – Sorcha z uśmiechem wzięła kubek, powąchała, skinęła głową. – Masz do tego talent, bez wątpienia. Moc uzdrawiania to wielki dar. Dzięki niemu będziesz mile widziana tutaj i wszędzie tam, dokąd pójdziesz.

– Nie chcę nigdzie iść. Chcę być tutaj z tobą i tatą, z Eamonem i Teagan, na zawsze.

– Pewnego dnia możesz chcieć wyjrzeć poza nasz las. Pojawi się mężczyzna.

Brannaugh prychnęła.

– Nie chcę mężczyzny. Co ja bym z nim robiła?

– No cóż, to opowieść na inny dzień. – Usiadła z córką przy ogniu, otuliła je obie szerokim szalem i wypiła napar. A kiedy Brannaugh dotknęła jej dłoni, obróciła rękę i splotły palce.

– No dobrze, ale tylko na chwilę. Pora spać.

– Mogę ja to zrobić? Przywołać wizję?

– Zobaczymy, co potrafisz. Spróbuj. Ujrzyj go, Brannaugh, mężczyznę, od którego pochodzisz. To miłość go przywoła.

Sorcha patrzyła, jak dym zawirował, płomienie podskoczyły i przygasły. Całkiem dobrze, pomyślała zdumiona. Córka tak szybko się uczy.

Obraz powoli formował się w głębinach i dolinach płomieni. Ogień w ogniu. Cienie, ruch i, przez chwilę, pomruk głosów dolatujących z tak daleka.

Sorcha widziała skupienie na twarzy córki i lśniące krople potu na jej czole. Zbyt duży wysiłek dla tak młodej dziewczyny, uznała.

– Poczekaj – powiedziała cicho. – Zrobimy to razem.

Zebrała całą swą moc, połączyła z siłą Brannaugh.

Trzask, wir dymu, taniec iskier. I cisza.

I oto był tam, mężczyzna, za którym obie tak bardzo tęskniły.

Siedział przy innym ogniu, w kręgu z kamieni. Jasny warkocz opadał na jego szerokie ramiona, okryte peleryną. *Dealg* oznaczający rangę lśnił w świetle płomieni.

Zobaczyła broszę, którą dla niego wykuła z ognia i magii – pies, koń, sokół.

– Wygląda na zmęczonego – zauważyła Brannaugh i wsparła głowę na ramieniu matki. – Ale jest taki przystojny. Najprzystojniejszy z mężczyzn.

– To prawda. Przystojny, silny i odważny. – I och, tak bardzo za nim tęskniła.

– Możesz zobaczyć, kiedy wróci do domu?

– Nie wszystko można ujrzeć. Może dostanę znak, jak będzie bliżej. Jednak dziś wieczorem widzimy, że jest bezpieczny i w dobrym zdrowiu, i to musi wystarczyć.

– On myśli o tobie. – Brannaugh spojrzała jej w twarz.
– Czuję to. Czy on czuje, że o nim myślimy?

– On nie ma daru, jednak ma serce, miłość. Więc być
może tak. A teraz do łóżka. Niedługo przyjdę.

– Tarnina kwitnie, a stara jędza nie widziała dziś słońca.
On wkrótce wróci. – Brannaugh pocałowała matkę i wstała. Pies podreptał za nią do drabiny.

Sorcha została sama i patrzyła na swoją miłość w ogniu.
Zaczęła szlochać.

Usłyszała to, gdy ocierała łzy. Nawoływanie.

On ją pocieszy, ogrzeje – takimi kłamstwami ją kusił.
Da jej wszystko, czego mogłaby zapragnąć, i jeszcze więcej.
Tylko musi mu się oddać.

– Nigdy nie będę twoja.

*Będziesz. Jesteś. Chodź i poznaj wszystkie rozkosze, całą
chwałę. Całą moc.*

– Nigdy nie dostaniesz ani mnie, ani tego, co mam
w sobie.

Obraz w ogniu zmienił się i w płomieniach pojawił się
on. Cabhan. Czarnoksiężnik, którego moc i zamiary były
mroczniejsze niż zimowa noc. Który pragnął Sorchy – jej
ciała, duszy i magii.

Pragnął jej, Sorcha czuła jego pożądanie niczym spoco-
ne dłonie na skórze. Jednak, co gorsze, o wiele gorsze, on
pożądał jej daru. Jego chciwość unosiła się ciężko w powietrzu.

Uśmiechał się w płomieniach, taki przystojny, tak ok-
rutny.

*Będę cię miał, Sorcho z Ciemności. Ciebie i wszystko to,
czym jesteś. Zostaliśmy sobie przeznaczeni. Jesteśmy tacy
sami.*

Nie, pomyślała, nie jesteśmy tacy sami, różnimy się jak dzień i noc, jak światło i ciemność, które łączą się jedynie w cieniu.

Jesteś taka samotna i zmęczona. Twój mężczyzna pozostawił cię w zimnym łożu. Przyjdź, ogrzej się przy mnie, poczuj żar. Rozpal ten żar ze mną. Razem zapanujemy nad całym światem.

Sorcha zaczęła tracić odwagę, kłucie w brzuchu przechodziło w ból.

Dlatego wstała, pozwoliła, by ciepły wiatr rozwiał jej włosy, by wypełniła ją moc, dopóki cała nią nie zajaśniała. I ujrzała, nawet w płomieniach, pożądanie i chciwość na twarzy Cabhana.

Wiedziała, że tego właśnie pragnął, chwały, która płynęła w jej krwi. I właśnie tego nigdy nie dostanie.

– Poznaj mój umysł i poczuj mą moc, w każdą godzinę, w dzień i w noc. Dajesz mi ciemne swe pragnienia, przyjdź do mnie z dymu i z płomienia. Zdradzę me dzieci, mężczyznę, krew, zawładnę światem, gdy przyjmę twój zew. Moją odpowiedź niesie ci wiatr i fale, powstań, panno, matko, staruszko w trójjedynej chwale. I ja powstanę, więc niech tak się stanie.

Rozpostarła ramiona i uwolniła swą wściekłość, którą zwinęła w kłąb, i cisnęła w sam środek jego serca.

Poczuła czystą, dziką rozkosz, gdy usłyszała jego krzyk wściekłości i bólu, gdy zobaczyła tę wściekłość i ból na jego twarzy.

A potem ogień znów był tylko ogniem, pełgającymi płomieniami, niosącymi ciepło w zimną noc. Jej chata była tylko chatą, cichą, pogrążoną w półmroku, a ona jedynie samotną kobietą, czuwającą nad śpiącymi dziećmi.

Sorcha opadła na ławę i otoczyła ramionami pulsujący bólem brzuch.

Cabhan zniknął, na razie. Jednak jej lęk pozostał: strach przed napastnikiem, a także obawa, że jeżeli żaden napar ani modlitwa nie uleczą jej ciała, jej dzieci zostaną same.

Bezbronne.

Obudziła się; najmłodsza córka leżała obok wtulona w nią tak mocno, że nie chciała jej puścić, nawet gdy Sorcha zaczęła wstawać, by rozpocząć dzień.

– Mamo, mamo, zostań.

– No już, mój promyczku, mam dużo pracy. A ty powinnaś spać we własnym łóżku.

– Przyszedł tamten zły pan. Zabił moje kucyki.

Panika ścisnęła Sorchę za serce. Cabhan dotknął jej dzieci – ich ciał, umysłów, dusz. Poczuła niewypowiedziany strach i niewypowiedzianą wściekłość.

– To tylko sen, maleńka. – Przytuliła Teagan mocno, ukołysała, uspokoiła. – Tylko sen.

Jednak sny miały moc i niosły ryzyko.

– Moje kucyki krzyczały, a ja nie mogłam ich uratować. Ten zły pan je podpalił, a one krzyczały. Alastar przyszedł i go przewrócił. Odjechałam na Alastarze, ale nie mogłam ocalić kucyków. Boję się złego pana ze snu.

– On cię nie skrzywdzi. Nigdy nie pozwolę mu cię skrzywdzić. Może zrobić krzywdę tylko kucykom ze snu.

– Sorcha zacisnęła mocno powieki i ucałowała jasne, potargane włosy Teagan, jej policzki. – Wyśnimy ich więcej. Zielone i niebieskie.

– Zielone kucyki!

– O tak, zielone jak wzgórza. – Tuląc małą, Sorcha uniosła dłoń, zakreśliła palcem koło i kręciła nim długo, aż kucyki – niebieskie, zielone, czerwone i żółte – zaczęły tańczyć nad ich głowami. Wsłuchana w śmiech najmłodszej córki opanowała strach i gniew, przygniotła je determinacją.

Cabhan nigdy nie skrzywdzi jej dzieci. Prędzej ujrzy go martwego i siebie razem z nim, niż na to pozwoli.

– Teraz wszystkie kucyki idą na owies. A ty idziesz ze mną, też zjemy śniadanie.

– Będzie miód?

– Będzie. – Dziecięcy apetyt na smakołyk wywołał uśmiech na twarzy Sorchy. – Będzie miód dla grzecznych dziewczynek.

– Ja jestem grzeczna!

– Jesteś moim najsłodszym i najczystszym serduszkiem.

Sorcha wzięła Teagan na ręce, a mała przytuliła się do niej mocno i szepnęła do ucha:

– Zły pan powiedział, że zabierze mnie pierwszą, bo jestem najmłodsza i słaba.

– Nigdy cię nie zabierze, przysięgam na swoje życie. – Odsunęła Teagan od siebie, żeby córeczka mogła zobaczyć prawdę w jej oczach. – Przysięgam ci. I, moja najdroższa, nie jesteś słaba i nigdy nie będziesz.

W kuchni dołożyła drew do ognia, polała chleb miodem, przygotowała gorący napój i owsiankę. Wszyscy będą potrzebowali siły na to, co czeka ich tego dnia. Co muszą zrobić.

Jej synek zszedł ze strychu, włosy miał potargane od snu. Potarł oczy i powąchał powietrze jak ogar.

– Walczyłem ze złym czarnoksiężnikiem. Nie uciekłem.

Serce Sorchy załomotało gwałtownie.

– Śniłeś. Opowiedz mi o tym.

– Byłem na zakręcie rzeki, gdzie trzymamy łódź, a on tam przyszedł i wiedziałem, że to czarnoksiężnik, od czarnej mocy, bo miał czarne serce.

– Serce.

– Widziałem jego serce, chociaż uśmiechał się do mnie, jakby był moim przyjacielem, i częstował mnie miodowym ciastkiem. „Weź, chłopcze – powiedział – mam dla ciebie pyszne łakocie". Ale w środku ciastko było pełne robaków i czarnej krwi. Wiedziałem, że jest zatrute.

– Widziałeś we śnie jego serce i to, co było w środku ciastka?

– Widziałem, przysięgam.

– Wierzę ci. – A zatem jej mały mężczyzna miał większy dar, niż przypuszczała.

– Powiedziałem do niego: „Sam sobie zjedz to ciastko, bo trzymasz w ręku śmierć". Ale rzucił je na bok i wtedy wypełzły z niego robaki i spaliły się na popiół. On chciał utopić mnie w rzece, ale zacząłem rzucać w niego kamieniami. A potem przyleciał Roibeard.

– Czy we śnie wzywałeś sokoła?

– Chciałem, żeby tam był, a on przyfrunął i wystawił szpony. Zły czarnoksiężnik zniknął jak dym na wietrze. A ja się obudziłem we własnym łóżku.

Sorcha przyciągnęła syna do siebie, pogłaskała go po włosach.

Okazała Cabhanowi wściekłość, a on zaczął nękać jej dzieci.

– Jesteś odważny i lojalny, Eamonie. A teraz posil się. Musimy się zająć obrządkiem.

21

Sorcha podeszła do Brannaugh, która stała przy drabinie.

– Ty także go widziałaś.

– Przyszedł do mnie we śnie. Powiedział, że uczyni mnie swoją oblubienicą. On... próbował mnie dotknąć. Tu. – Na samo wspomnienie zbladła i przykryła piersi dłońmi. – I tu. – Wskazała między nogi.

Roztrzęsiona Brannaugh przycisnęła twarz do ramienia matki, która ją objęła.

– Oparzyłam go. Nie wiem jak, ale sprawiłam, że jego palce stanęły w ogniu. Przeklął mnie, zacisnął pięści. A wtedy Kathel wskoczył na łóżko, warczał, kłapał zębami. I ten mężczyzna zniknął. Ale próbował mnie dotknąć i powiedział, że uczyni mnie swoją panną młodą, ale...

Wściekłość Sorchy wyparła strach.

– Nigdy tego nie zrobi. Ja ci to przysięgam. Nigdy cię nie dotknie. A teraz siadaj i jedz. Mamy dużo pracy.

Po śniadaniu wysłała dzieci, żeby nakarmiły i napoiły zwierzęta, posprzątały zagrody, wydoiły tłustą krowę.

Sama zaś zaczęła się przygotowywać. Zebrała narzędzia: misę, dzwonki, świece, święty nóż i kociołek. Wybrała zioła, które sama wyhodowała i ususzyła. I wzięła trzy miedziane bransolety, kupione jej przez Daithiego dawno temu na letnim jarmarku.

Wyszła na zewnątrz, zaczerpnęła powietrza, uniosła ramiona, by wzbudzić wiatr. I zawołała sokoła.

Przyfrunął z krzykiem, który poniósł się echem nad drzewami i odległymi wzgórzami, aż słudzy w zamku unieśli wzrok do nieba. Na szeroko rozpostartych skrzydłach zabłysnął promień słońca. Sorcha uniosła rękę, a ptak zacisnął groźne szpony na skórzanej rękawicy.

Spojrzała mu prosto w oczy, a Roibeard odwzajemnił jej spojrzenie.

– Jesteś szybki i mądry, silny i odważny. Należysz do Eamona, ale do mnie także. Będziesz służył tym, którzy pochodzą ode mnie. Ci, którzy pochodzą ode mnie, będą służyli tym, którzy pochodzą od ciebie. Potrzebuję twojej pomocy i proszę cię o nią dla mojego syna, dla twego pana i sługi.

Pokazała mu nóż, a ptak nawet nie drgnął.

– Roibeardzie, proszę, podaruj mi trzy krople twojej krwi. I pióro jedno chciej mi pozostawić, a ja cię zawsze będę błogosławić. Daru twego ta przyczyna, uchronić mego syna.

Ukłuła go, podstawiła buteleczkę na trzy krople. Wyrwała mu jedno pióro.

– Przyjmij moją wdzięczność – szepnęła. – Pozostań blisko.

Odfrunął z jej ręki, ale podleciał tylko na pobliską gałąź, złożył skrzydła i patrzył.

Sorcha gwizdnęła na psa. Kathel spojrzał na nią z miłością i zaufaniem.

– Należysz do Brannaugh, ale do mnie także – zaczęła i powtórzyła rytuał, zebrała trzy krople psiej krwi i kępkę sierści z boku.

W końcu poszła do szopy, gdzie jej dzieci śmiały się przy pracy. Zaczerpnęła siłę z ich głosów i pogłaskała Alastara po pysku.

Gdy tylko Teagan dostrzegła nóż w jej dłoni, natychmiast podbiegła.

– Nie!

– Nie zrobię mu krzywdy. On należy do ciebie, ale do mnie także. Będzie służył tym, którzy pochodzą ode mnie, a ty będziesz służyła tym, którzy pochodzą od niego. Potrzebuję twojej pomocy, Alastarze, i proszę cię o nią dla mojej córki, dla twojej pani i sługi.

– Nie rań go, proszę!

– Tylko ukłucie, drapnięcie i tylko jeżeli pozwoli. Alastarze, proszę, podaruj mi trzy krople twojej krwi. Włos z pięknej grzywy chciej mi pozostawić, a ja cię zawsze będę błogosławić. Jeśli to zrobimy, mą córkę ochronimy. Tylko trzy krople – powiedziała Sorcha cicho, kłując kucyka nożem. – I jeden włos z grzywy. O już. – I chociaż stał spokojnie, patrząc na nią łagodnie mądrymi oczami, położyła dłonie na małej, płytkiej rance i użyła magii, by ją zagoić. Dla wrażliwego serca córki.

– Chodźcie ze mną. – Posadziła sobie Teagan na biodrze i poprowadziła dzieci do domu. – Wiecie, kim jestem. Nigdy tego nie ukrywałam. Wiecie, że otrzymaliście dar, każde z was. Zawsze wam o tym mówiłam. Wasza magia jest młoda i niewinna, lecz pewnego dnia będzie silna i gwałtowna. Musicie ją szanować. Nigdy nie możecie nią nikogo skrzywdzić, ponieważ czyjaś krzywda wróci do was w trójnasób. Magia to broń, ale nie wolno używać jej przeciwko prostodusznym, słabym i niewinnym. To dar i ciężar, a wy będziecie nieść przez życie i jedno, i drugie. I przekażecie jedno i drugie tym, którzy przyjdą po was. Dzisiaj nauczycie się więcej. Uważajcie na to, co robię. Patrzcie uważnie, słuchajcie i uczcie się.

Najpierw podeszła do Brannaugh.

– Twoja krew i moja, zmieszane z krwią psa. Krew to życie. Jej strata to śmierć. Trzy krople od ciebie, trzy krople ode mnie, trzy krople ogara i czar zacznie działać.

Brannaugh bez wahania wsunęła dłoń w rękę matki i ani drgnęła, kiedy Sorcha ukłuła ją nożem.

– Mój synku – zwróciła się do Eamona. – Trzy krople od ciebie, trzy krople ode mnie, trzy od sokoła, niech moc przywoła.

Chociaż wargi mu drżały, Eamon wyciągnął rękę.

– I ty, moja maleńka. Nie lękaj się.

W oczach Teagan błysnęły łzy, ale spojrzała z powagą na matkę i wyciągnęła rękę.

– Trzy krople od ciebie, trzy krople ode mnie, trzy od ogiera, niech magia wzbiera.

Zmieszała ich krew, pocałowała rączkę Teagan.

– No już, gotowe.

Wzięła kociołek, wsunęła buteleczki do sakiewki przy pasku.

– Weźcie resztę. Najlepiej zrobić na zewnątrz.

Wybrała miejsce na twardej ziemi, dookoła płaty śniegu bieliły się w zimnym cieniu drzew.

– Czy powinniśmy przynieść drewna? – zapytał Eamon.

– Nie będzie nam potrzebne. Ustawcie się tutaj, razem. – Stanęła za nimi i wezwała boginię, ziemię, wiatr, wodę i ogień. Zakreśliła krąg i z ziemi wystrzelił niski płomień, zatoczył koło, aż koniec spotkał się z końcem. W środku zrobiło się ciepło jak wiosną.

– Oto znak ochrony i szacunku. Zło nie może wkroczyć do środka, ciemność nie może pokonać światła. A to, co zostanie dokonane w tym kręgu, zrobione będzie dla dobra, dla miłości.

– Najpierw woda, z morza, z nieba. – Stuliła dłonie, a kiedy je otworzyła nad kotłem, wypłynęła z nich woda, błękitna niczym jezioro całowane słońcem. – I ziemia, nasza ziemia, nasze serca.

Strzepnęła najpierw jedną dłoń, a potem drugą i do kotła posypał się żyzny czarnoziem.

– I powietrze, pieśń wiatru, oddech ciała. – Rozpostarła ramiona, dmuchnęła. A powietrze, jak muzyka, zasnuło ziemię i wodę w kotle.

– Teraz ogień, płomień i żar, początek i koniec.

Sorcha zajaśniała, powietrze wokół niej zaczęło lśnić, jej oczy zamigotały błękitem, gdy wyrzuciła ręce w górę, obróciła dłonie grzbietem do góry.

Z kotła wystrzelił ogień, zatańczyły płomienie i iskry. Sorcha uniosła trzy bransolety.

– Dostałam je od waszego ojca. Są symbolem jego i mojej miłości. Wy, wszyscy troje, zrodziliście się z tej miłości.

Cisnęła w ogień trzy miedziane kółka i obchodząc kocioł wokół, dorzuciła futro, włos, pióro i krew.

– Bogini dała mi ten dar, bym stała tu, wznieciła żar. Dziś rzucam czar, co dzieci me ochroni i tych, co z nich przyjdą, obroni. Koń, sokół, pies po wsze czasy będą chronić i służyć tym, co przybędą, w radości, smutku, gdy zdrowie, gdy gniew, na to oddały swoją krew. Na ziemi, w powietrzu, w ogniu, oceanie, na mój rozkaz niech tak się stanie.

Sorcha uniosła wysoko ramiona, zwróciła twarz ku niebu.

Ogień wystrzelił czerwono-złotym słupem z błękitnym rdzeniem, wił się, kołował, ulatując w zimowe niebo.

Ziemia zadrżała. Lodowata woda w strumieniu ryknęła, wiatr zawył niczym wilk na łowach.

Potem wszystko znieruchomiało, zamarło i pozostało tylko troje dzieci, trzymających się mocno za ręce. Nagle zobaczyły, jak ich matka, blada teraz jak śnieg, chwieje się na nogach.

Brannaugh ruszyła ku niej pierwsza, ale Sorcha potrząsnęła głową.

– Jeszcze nie. Magia to praca. Daje siłę i zabiera. Muszę dokończyć. – Sięgnęła do kotła i wyjęła trzy miedziane amulety. – Dla Brannaugh pies, dla Eamona sokół, dla Teagan koń. – Powiesiła każdemu z dzieci amulet na szyi. – To wasze znaki, wasze tarcze. Będą was chronić. Zawsze musicie mieć je przy sobie. Zawsze. On nie może was dotknąć, dopóki macie te tarcze, dopóki wierzycie w ich moc, w siłę moją i swoją. Pewnego dnia każde przekaże amulet jednemu, zrodzonemu z was. Będziecie wiedzieli któremu. Opowiecie swoim dzieciom tę historię i będziecie śpiewać stare pieśni. Przyjmiecie dar i sami nim kogoś obdarujecie.

Teagan podziwiała swój amulet; uśmiechnęła się, obracając w słońcu mały owal.

– Jaki śliczny. Wygląda jak Alastar.

– Jest z niego, z ciebie, ze mnie i twojego ojca, z twego brata i siostry. Dlaczego więc nie miałby być śliczny? – Pochyliła się, żeby pocałować córeczkę w policzek. – Mam takie śliczne dzieci.

Ledwo trzymała się na nogach i z trudem opanowała jęk, kiedy Brannaugh pomogła jej wstać.

– Muszę zamknąć krąg. I musimy wnieść wszystko do środka.

– Pomożemy ci – powiedział Eamon i wziął matkę za rękę.

Razem z dziećmi zamknęła krąg, a potem pozwoliła im wnieść wszystkie narzędzia do chaty.

– Musisz odpocząć, usiądź przy ogniu. – Brannaugh posadziła matkę na ławie. – Przygotuję ci napar.

– O tak, i to mocny. Pokaż bratu i siostrze, jak się go przyrządza.

Uśmiechnęła się, gdy Teagan otuliła jej ramiona szalem, a Eamon przykrył kolana kocem. Wyciągnęła rękę po napój, który przyniosła Brannaugh, lecz wtedy córka cofnęła dłoń, po czym ścisnęła skórę wokół nacięcia i wycisnęła do kubka trzy krople krwi.

– Krew to życie.

Sorcha westchnęła.

– Tak, to prawda. Dziękuję.

Wypiła napar i zasnęła.

Rozdział drugi

Przez cały tydzień, a potem drugi, Sorcha była silna, jej moc trwała. Cabhan atakował, uderzał, robił podchody, ale udawało jej się trzymać go na dystans.

Tarnina kwitła, a przebiśniegi i słońce zapowiadały rychłą wiosnę.

Każdej nocy Sorcha patrzyła w ogniu na Daithiego. Kiedy mogła, rozmawiała z nim, ryzykowała, posyłając mu swego ducha, by przyniósł jego zapach, głos, dotyk – i aby też jemu pozostawił cząstkę jej.

Aby dodać siły im obojgu.

Nie powiedziała mu o Cabhanie. Magia stanowiła wyłącznie jej świat. Miecz i pięść Daithiego, a nawet jego serce wojownika, nie mogły pokonać takich jak Cabhan. To jej zadaniem była obrona chaty należącej do niej, jeszcze zanim przyjęła Daithiego, to ona musiała chronić dzieci, które razem mieli.

A jednak nadal odliczała dni do Beltane, do chwili, kiedy ujrzy, jak jej mężczyzna wraca do domu.

Jej dzieci rozkwitały i uczyły się. Jakiś głos w głowie Sorchy nakazywał, by przekazała im wszystko, co mogła, tak szybko, jak zdoła. Nie kwestionowała tego rozkazu.

Całe noce spędzała przy łojowej świecy i ogniu, spisując zaklęcia, przepisy, nawet własne myśli. A gdy słyszała wycie wilka lub podmuch wiatru, ignorowała je.

Dwukrotnie została wezwana do zamku, by leczyć chorych, i zabrała dzieci z sobą, aby mogły pobawić się z innymi malcami, by mieć je przy sobie i aby zobaczyły, jakim poważaniem cieszy się Czarownica z Ciemności.

Ponieważ dostaną w spadku to imię i wszystko, co z sobą niosło.

Lecz za każdym razem, kiedy wracali do domu, musiała pić napar, by odzyskać siły, nadszarpnięte leczniczą magią, którą ratowała będących w potrzebie.

Chociaż tęskniła za swoim mężczyzną i lękała się, że nigdy już w pełni nie wróci do zdrowia, codziennie uczyła dzieci tego, co sama umiała. Patrzyła, jak Eamon przyzywa Roibearda – teraz bardziej jego przewodnika niż jej, jak powinno być. Przyglądała się z dumą, jak jej maleńka jeździ na Alastarze równie odważnie jak doświadczony wojownik.

I wiedziała – co wzbudzało w niej jednocześnie dumę i smutek – jak często Brannaugh i jej wierny Kathel patrolują lasy.

Miały dar, ale były też dziećmi. Dlatego dbała także, aby miały również muzykę, zabawę i tyle niewinności, ile tylko udało jej się zachować.

Miewali gości, którzy przychodzili po amulety lub zaklęcia, szukali odpowiedzi na pytania w nadziei na miłość lub szczęście. Pomagała tym, którym mogła pomóc, przyjmowała ich dary. I patrzyła na drogę, ciągle patrzyła na drogę – chociaż wiedziała, że jej miłość jeszcze długo nie wróci do domu.

Pewnego dnia, gdy wiał lekki wietrzyk, a niebo było bardziej błękitne niż szare, zabrała dzieci na małą łódkę, którą zrobił ich ojciec.

– Powiadają, że czarownice nie mogą pływać po wodzie – obwieścił Eamon.

– Tak powiadają? – Sorcha roześmiała się i zwróciła twarz do wiatru. – A jednak tu jesteśmy, płyniemy cali i zdrowi.

– Donal tak mówi, ten z zamku.

– To, że ktoś coś mówi, a nawet w to wierzy, nie oznacza, że taka jest prawda.

– Eamon kazał latać żabie, przechwalał się przed Donalem.

Eamon spojrzał na młodszą siostrę spode łba i gdyby matka nie patrzyła, pewnie dałby małej kuksańca lub ją uszczypnął.

– Latające żaby są zabawne, ale marnowanie magii na rozrywki nie jest zbyt mądre.

– Ćwiczyłem.

– Możesz poćwiczyć, łapiąc nam ryby na kolację. Nie w ten sposób – powstrzymała syna, który uniósł dłonie nad wodą.

– Magia nie jest sposobem na wszystko. Ciało też musi umieć o siebie zadbać. Nie powinieneś nigdy trwonić daru na to, co możesz osiągnąć za pomocą umysłu, dłoni lub pleców.

– Lubię łowić ryby.

– A ja nie. – Brannaugh siedziała nadąsana, gdy mała łódka cięła wodę. – Siedzisz i siedzisz, czekasz i czekasz. Wolałabym polować. Mielibyśmy dla siebie cały las i królika na kolację.

– Jutro będzie na to równie dobry dzień. A dziś zjemy rybę, jeśli twojemu bratu dopisze szczęście i talent. I może zapiekankę z ziemniaków.

Znudzona Brannaugh podała linkę siostrze i spojrzała nad wodą na wysokie, szare mury zamku.

– Mamo, dlaczego nie chciałaś tam zamieszkać? Słyszałam, jak kobiety mówiły, że wszyscy jesteśmy tam mile widziani.

– Mamy nasz własny dom i chociaż to tylko chata, stoi dłużej niż te kamienne mury. Stała już wtedy, gdy zamkiem władali O'Connorowie, przed Burke'ami. Królowie i książęta przychodzą i odchodzą, kochanie, a dom pozostaje.

– Podoba mi się zamek, jest taki potężny i wysoki, alc wolę nasze lasy. – Brannaugh oparła czoło na ramieniu matki. – Czy Burke'owie mogli zabrać nasz dom?

– Mogli próbować, ale byli na tyle mądrzy, by szanować magię. Nie mamy z nimi żadnej zwady ani oni z nami.

– Gdyby spróbowali, tata by z nimi walczył. I ja też. – Spojrzała na matkę. – Derla z zamku powiedziała mi, że Cabhan ma zakaz wstępu za mury.

– Przecież o tym wiesz.

– Tak, ale Derla powiedziała, że on wraca i obcuje z kobietami. Szepcze im do ucha i one myślą, że to ich prawowity mąż. Jednak rano dowiadują się prawdy. Płaczą. Powiedziała, że dałaś kobietom amulety, by trzymał się od nich z daleka, ale... zwabił jedną z podkuchennych na bagna. I nie udało się jej odnaleźć.

Sorcha wiedziała o tym, tak jak wiedziała, że podkuchenna nigdy nie zostanie odnaleziona.

– On się nimi bawi, prześladuje słabych, by się nimi żywić. Jego moc jest czarna i zimna. Światło i ogień zawsze go zwyciężą.

– Ale on wraca. Drapie w okna i drzwi.

– Nie może tam wejść. – Jednak przeszedł ją zimny dreszcz.

W tej chwili Eamon krzyknął i poderwał linkę, na której końcu zalśniła w promieniach słońca srebrna ryba.

– Szczęście i talent – powiedziała ze śmiechem Sorcha, biorąc sieć.

– Ja też chcę taką złapać. – Teagan pochyliła się nisko nad wodą, jakby szukała chętnych ryb.

– Miejmy nadzieję, że złapiesz, bo potrzebna nam więcej niż jedna, nawet tak okazała. Świetnie się spisałeś, Eamon.

Złapali jeszcze trzy i nawet jeśli Sorcha pomogła odrobinę swojej najmłodszej, to użyła magii z miłości.

Popłynęli z powrotem wśród migotania słońca, tańczącej bryzy i muzyki dziecięcych głosów.

Dobry, udany dzień, pomyślała Sorcha. Wiosna była już tak blisko, że prawie czuła jej smak.

– Biegnij do domu, Eamon, i wyczyść ryby. Brannaugh, możesz obrać ziemniaki. Ja się zajmę łodzią.

– Zostanę z tobą. – Teagan wzięła matkę za rękę. – Pomogę ci.

– Dobrze, zwłaszcza że musimy przynieść trochę wody ze strumienia.

– Czy ryby lubią, kiedy je łapiemy i jemy?

– Nie wydaje mi się, ale po to są.

– Dlaczego?

Dlaczego, pomyślała Sorcha, mocując łódź, było pierwszym słowem Teagan.

– Czyż moce nie umieściły ryb w wodzie, a nam nie dały rozumu, byśmy robili sieci i wędki?

– Ale one muszą bardziej lubić pływanie niż ogień.

– Tak sądzę. Dlatego jedząc je, powinniśmy być tego świadomi i wdzięczni.

– A gdybyśmy ich nie łapali i nie jedli?

– To chodzilibyśmy głodni.

– Czy one mogą mówić pod wodą?

– Cóż, nigdy nie rozmawiałam z żadną rybą. No dobrze. – Otuliła córeczkę mocniej opończą. – Robi się zimno. – Podniosła wzrok na chmury przysłaniające słońce. – Wieczorem może przyjść burza. Lepiej wracajmy do domu.

Gdy się wyprostowała, nadeszła mgła. Szara i brudna, pełzła po ziemi niczym wąż i dusiła blask dnia.

To nie burza nadchodzi, zrozumiała Sorcha. Zagrożenie już tu było.

Gdy Cabhan wyłonił się z mgły, popchnęła Teagan za siebie.

Był ubrany w czarną szatę, przetykaną srebrem, które lśniło jak gwiazdy na nocnym niebie. Włosy spływały mu na ramiona, obramowując hebanem jego surową i piękną twarz. W oczach, czarnych jak jego serce, błyszczała moc i zadowolenie, gdy przesuwał nimi po ciele Sorchy.

A ona czuła jego wzrok jak bezwstydne dłonie na skórze.

Na szyi miał duży wisior w kształcie słońca, z wielkim klejnotem, lśniącym czerwonym okiem, w środku. To coś nowego, pomyślała, czując jego czarną moc.

– Pani – powiedział i skłonił się przed nią.

– Nie jesteś tu mile widziany.

– Chadzam tam, gdzie chcę. A tu widzę samotną kobietę z małym, ślicznym dzieciątkiem. Cóż za łakomy kąsek dla rozbójników i wilków. Nie masz mężczyzny, który by o ciebie zadbał, Sorcho z Ciemności. Odprowadzę cię.

– Sama dbam o siebie. Odejdź, Cabhanie. Tracisz tutaj swój czas i moc. Nigdy nie poddam się takim jak ty.

– Ależ się poddasz. Zjednoczenie ze mną jest twoim przeznaczeniem. Widziałem to w szkle.

– Widzisz kłamstwa i pragnienia, a nie prawdę czy przeznaczenie.

Tylko się uśmiechnął, równie uwodzicielsko, jak brzmiał jego głos.

– Razem będziemy władać tą ziemią i każdą inną, jeśli zapragniemy. Będziesz nosiła piękne szaty w bajecznych kolorach, ozdobisz się klejnotami.

Machnął rękami, a Teagan aż sapnęła, gdy zobaczyła matkę odzianą w królewską czerwień, lśniącą od klejnotów i w złotej, wysadzanej koronie na głowie.

Sorcha równie szybko strzepnęła dłońmi i znowu stała ubrana w swoją prostą, czarną wełnę.

– Nie potrzebuję ani nie chcę twoich kolorów i blasku. Zostaw mnie i moją rodzinę w spokoju albo poczujesz mój gniew.

Ale on tylko się roześmiał, serdecznie i z potworną rozkoszą.

– Czyż to dziwne, moje serce, że nie chcę żadnej innej oprócz ciebie? Twój ogień, twoja piękność, twoja moc, to wszystko ma być moje.

– Jestem kobietą Daithiego i zawsze nią będę.

Cabhan mruknął z obrzydzeniem i strzelił palcami.

– Jego obchodzą bardziej najazdy, walki i śmieszne wojenki niż ty czy szczenięta, które mu zrodziłaś. Ile razy księżyc był w pełni i w nowiu, odkąd Daithi po raz ostatni dzielił z tobą łoże? Marzniesz w nocy, Sorcho. Czuję to. Ja pokażę ci rozkosze, jakich nigdy nie zaznałaś. I uczynię cię kimś więcej, niż jesteś. Uczynię cię boginią.

Strach próbował wpełznąć w nią, jak mgła pełzała po ziemi.

– Prędzej zginę z własnej ręki, niż oddam ci swoje ciało. Jedyne, czego pragniesz, to zdobyć większą moc.

– A ty jesteś głupia, że tego nie pragniesz. Razem zmiażdżymy każdego, kto powstanie przeciw nam, będziemy żyli jak bogowie, będziemy bogami. A ja podaruję ci to, czego twe serce najbardziej pragnie.

– Nie znasz mojego serca.

– Dziecko w twoim łonie, które wynagrodzi ci utratę poprzedniego. Mój syn, zrodzony z ciebie. Potężniejszy niż ktokolwiek, kogo kiedykolwiek znałaś lub kiedykolwiek poznasz.

Sorchę zalał nagły żal z powodu utraconego maleństwa, zmieszany z lękiem, z potwornym strachem, ponieważ poczuła kiełkujące w sobie pragnienie tego, co oferował. Życia, rosnącego w niej, silnego i prawdziwego.

Cabhan, wyczuwając to, podszedł bliżej.

– Syn – kusił. – Żywy w twoim łonie. Rosnący tam, zrodzony w sile i chwale, jak żaden inny. Podaj mi dłoń, Sorcho, a ja dam ci to, czego pragnie twoje serce.

Drżała przez chwilę, tylko przez chwilę, ponieważ, och, na wszystkich bogów, tak bardzo pragnęła tego życia.

A gdy tak stała, zza jej spódnicy wyskoczyła Teagan i rzuciła kamieniem w skroń Cabhana. Cienka strużka ciemnoczerwonej krwi spłynęła po bladej skórze.

Jego oczy zapłonęły, gdy wymierzał cios. Zanim jednak dosięgnął celu, Sorcha odepchnęła go siłą woli.

Pochyliła się i wzięła Teagan na ręce.

Teraz wokół nich rozpętał się wiatr, zrodzony z jej wściekłości.

– Jeśli dotkniesz mojego dziecka, zabiję cię tysiąc razy, skażę cię na dziesięć tysięcy lat agonii. Przysięgam na wszystko, czym jestem.

– Grozisz mi? Ty i twój bachor? – Cabhan wbił wzrok w twarz Teagan, a jego uśmiech rozszerzał się, straszliwy niczym powolna śmierć. – Śliczny bachorek. Zwinny jak ryba w wodzie. Mam cię złapać i zjeść?

Teagan trzymała się mocno mamy, drżała, ale nie cofnęła się.

– Idź sobie!

Jej młoda, niedoświadczona moc, pełna wściekłości i strachu, uderzyła napastnika równie dotkliwie jak kamień. Teraz krew trysnęła z ust Cabhana, a jego uśmiech zmienił się w grymas.

– Najpierw ty, potem twój brat. Twoja siostra... wpierw musi trochę dojrzeć, bo ona także zrodzi mi synów. – Czubkiem palca rozsmarował krew na twarzy, na amulecie. – Oszczędziłbym je dla ciebie – zwrócił się do Sorchy – ale teraz ujrzysz ich śmierć.

Sorcha przycisnęła usta do ucha córeczki.

– On nie może cię skrzywdzić – szepnęła, patrząc ze zgrozą, jak Cabhan się przemienia.

Jego ciało uniosło się, skręciło niczym mgła. Amulet zamigotał, klejnot wirował, aż oczy Cabhana zaiskrzyły się czerwienią kamienia.

Czarne futro pokryło jego korpus, z palców wystrzeliły pazury. I gdy wydawał się rozpływać po ziemi, odrzucił głowę. I zawył.

Powoli, ostrożnie, Sorcha znowu schowała Teagan za siebie.

– On cię nie może skrzywdzić. – Modliła się, aby to była prawda, aby magia, którą napełniła miedziany amulet, okazała się skuteczna także przeciwko tej jego postaci.

Ponieważ Cabhan bez wątpienia uzbroił swą duszę, szykując się do tej ciemnej sztuki.

Wilk wyszczerzył kły i skoczył.

Odepchnęła go – wyrzuciła ramiona w górę, zebrała wszystkie siły, aż z jej dłoni wystrzeliło czyste, białe światło. Gdy dosięgło wilka, ten wrzasnął, prawie jak człowiek. Lecz mimo to zaatakował jeszcze raz, i jeszcze, skakał, kłapiąc zębami, a w jego potwornie ludzkich oczach widać było żądzę mordu.

Zabójcze pazury dosięgły spódnic Sorchy, podarły je. Lecz wtedy powietrze przeciął krzyk Teagan.

– Idź sobie, idź sobie! – Bombardowała wilka kamieniami, które zmieniały się w kule ognia, dookoła we mgle rozszedł się smród płonącego ciała i futra.

Wilk zawył i skoczył znowu. Kiedy Sorcha wymierzyła w niego cios, Teagan upadła do tyłu. Peleryna dziewczynki rozchyliła się i z miedzianego amuletu wystrzelił błękitny płomień, prosty i ostry jak strzała, który trafił bestię w bok, wypalając znak w kształcie pentagramu.

Napastnik z dzikim rykiem poleciał w tył. Wymachiwał łapami w powietrzu, kłapał zębami, a Sorcha zebrała wszystko, co jej pozostało, i cisnęła w niego całe swoje światło, nadzieję, moc.

Świat zalała biel, oślepiając ją. W desperacji chwyciła Teagan za rękę i opadła na kolana.

Mgła zniknęła. Jedyne, co pozostało po wilku, to ziemia wypalona w kształt jego ciała.

Teagan, szlochając, wczepiła się w matkę, wtuliła w nią – teraz już była tylko dzieckiem przerażonym potworami, które okazały się zbyt prawdziwe.

– Już, już go nie ma. Jesteś bezpieczna. Musimy wracać do domu. Musimy iść do domu, maleńka.

Ale nawet nie miała siły, żeby wstać. Chciało jej się płakać z powodu własnej słabości. Kiedyś potrafiła zebrać taką moc, by fruwać po lesie z dziećmi w ramionach, a teraz drżała, każdy oddech palił ją żywym ogniem, a serce waliło tak szybko i mocno, że czuła jego łomot w skroniach.

Jeśli Cabhan się pozbiera, jeśli wróci...

– Biegnij do domu. Znasz drogę. Biegnij. Ja pójdę za tobą.

– Zostanę z tobą.

– Teagan, rób, co mówię.

– Nie. Nie. – Trąc pięściami oczy, mała z uporem pokręciła głową. – Ty chodź. Chodź.

Sorcha zacisnęła zęby i dała radę wstać, jednak po dwóch krokach znowu opadła na kolana.

– Nie dam rady, kochanie. Nogi nie chcą mnie nieść.

– Alastar cię uniesie. Zawołam go i zaniesie nas do domu.

– Możesz go zawołać z tak daleka?

– On przybiegnie bardzo szybko.

Teagan stanęła na swoich pulchnych nóżkach, uniosła ramiona.

– Alastarze, Alastarze, usłysz me wołanie i przybądź szybko na me wezwanie. Biegnij prędko tu do mnie, potrzebuję cię ogromnie.

Teagan przygryzła wargę i odwróciła się do matki.

– Brannaugh pomogła mi ułożyć słowa. Dobre są?

– Bardzo dobre. – Świeże, pomyślała Sorcha, proste i czyste. – Wypowiedz zaklęcie jeszcze dwa razy. Trójka to silna magia.

Dziewczynka posłuchała, po czym pogładziła matkę po włosach.

– Poczujesz się lepiej, kiedy wrócimy do domu. Brannaugh zrobi ci napar.

– Tak, na pewno. W domu poczuję się lepiej. – Po raz pierwszy w życiu okłamała swoje dziecko. – Znajdź mi długi, mocny kij. Jeśli się na nim oprę, może ujdę kilka kroków.

– Alastar przybiegnie.

Sorcha wątpiła w to, ale pokiwała głową.

– Spotkamy go po drodze. Znajdź mi mocny kij, Teagan. Musimy zdążyć do domu przed zmrokiem.

Mała nie zdążyła jeszcze wstać, gdy usłyszały tętent kopyt.

– Biegnie! Alastar! Tu jesteśmy, tutaj!

Wezwała swojego przewodnika, pomyślała Sorcha, mimo zmęczenia czując ogromną dumę. Teagan wybiegła konikowi na spotkanie, a ona jeszcze raz z mozołem podniosła się na nogi.

– Jesteś, mój koński książę. – Z wdzięcznością przytuliła twarz do pyska Alastara, który szturchał ją nosem. – Pomożesz mi wsiąść? – poprosiła córeczkę.

– On pomoże. Nauczyłam go sztuczki. Miałam ją pokazać, dopiero jak tata wróci do domu. Uklęknij, Alastarze. Klęknij. – Teagan z chichotem opuściła dłoń.

Koń pochylił łeb, zgiął przednie nogi i przyklęknął.

– Och, moja mądra, mądra dziewczynka.

– Czy to dobra sztuczka?

– Doskonała. Naprawdę wspaniała. – Sorcha schwyciła go za grzywę i z trudem podciągnęła się na grzbiet. Zwinna jak świerszcz Teagan wskoczyła przed nią.

– Trzymaj się mnie, mamo! Razem z Alastarem zaprowadzimy cię do domu.

Sorcha objęła córkę w pasie, zaufała dziecku i konikowi. Każdy krok wierzchowca sprawiał jej ból, ale też z każdym krokiem byli bliżej domu.

Kiedy dotarli na polanę, zobaczyła starsze dzieci pędzące w ich stronę – Brannaugh ściskała w rękach miecz dziadka, Eamon biegł ze sztyletem w dłoni.

Tacy dzielni, zbyt dzielni.

– Wracajcie do domu, natychmiast! Biegnijcie z powrotem!

– Przyszedł ten zły – krzyknęła Teagan. – I zamienił się w wilka. Rzucałam w niego kamieniami, tak jak Eamon.

Dziecięce głosy – pytania, podniecenie podszyte strachem – odbijały się echem w głowie Sorchy. Zalewał ją pot. Znowu złapała Alastara za grzywę, zsiadła. I zachwiała się, gdy świat zasnuł szary dym.

– Mama jest chora. Musi wypić napar.

– Do domu – wydyszała z trudem Sorcha. – Zaryglujcie drzwi.

Słyszała, jak Brannaugh wydaje polecenia, bez wahania, jak prawdziwy przywódca – „przynieś wodę, rozpal ogień" – i czuła się tak, jakby frunęła do chaty, na ławę, na którą opadło jej ciało.

Chłodna szmatka na jej czole. Ciepły, mocny napar, spływający do gardła. Przygasający ból, rozwiewająca się mgła.

– Teraz odpoczywaj. – Brannaugh pogłaskała matkę po włosach.

– Już mi lepiej. Masz silny dar uzdrawiania.

– Teagan powiedziała, że wilk się spalił.

– Nie. Zraniłyśmy go, to prawda, ale przeżył. Nadal żyje.

– Zabijemy go. Zastawimy pułapkę i go zabijemy.

– Może tak się stanie, kiedy nabiorę sił. Ma więcej mocy niż kiedyś, nauczył się zmieniać postać. Nie wiem, jaką cenę zapłacił za tę umiejętność, ale na pewno wysoką. Twoja siostra go naznaczyła. Tutaj. – Zacisnęła dłoń na lewym ramieniu. – Teagan wypaliła mu znamię w kształcie pentagramu. Uważajcie na nie, strzeżcie się każdego, kto nosi ten znak.

– Będziemy. Nie martw się tym teraz. Zrobimy kolację, kiedy zjesz i odpoczniesz, nabierzesz sił.

– Zrobisz dla mnie amulet. Dokładnie tak, jak ci powiem. Zrób amulet i mi go przynieś. Kolacja może poczekać, dopóki nie skończysz.

– Czy on doda ci sił?

– Tak.

Brannaugh zrobiła amulet, który Sorcha powiesiła na szyi tak, by znalazł się blisko serca. Wypiła jeszcze trochę naparu i chociaż nie miała apetytu, zmusiła się, by coś zjeść.

Potem zasnęła i śniła, a kiedy się obudziła, zobaczyła czuwającą obok Brannaugh.

– Idź do łóżka. Jest późno.

– Nie zostawimy cię. Pomogę ci się położyć.

– Posiedzę tutaj, przy ogniu.

– W takim razie ja posiedzę z tobą. Będziemy się zmieniać. Obudzę Eamona, kiedy nadejdzie jego kolej, a rano Teagan przyniesie ci napój.

Zbyt wyczerpana, by się spierać, zbyt dumna z dzieci, by je zbesztać, Sorcha tylko się uśmiechnęła.

– Tak to sobie wymyśliliście?

– Dopóki w pełni nie wyzdrowiejesz.

– Czuję się lepiej, naprawdę. Jego magia była taka silna, tak czarna. Musiałam zebrać wszystko, co miałam, i jeszcze więcej, żeby ją powstrzymać. To mnie wyczerpało. Nasza Teagan, gdybyś mogła ją zobaczyć. Była taka dzielna i szybka. I ty, biegnąca do nas z mieczem dziadka.

– Jest bardzo ciężki.

Śmiech przyniósł jej ulgę.

– Twój dziadek był potężnym mężczyzną z rudą brodą, równie długą jak twoje ramię. – Z westchnieniem pogłaskała Brannaugh po głowie. – Jeśli nie chcesz iść do łóżka, zrób sobie posłanie tutaj, na podłodze. Obie trochę się prześpimy.

Kiedy jej dzieci spały, Sorcha rzuciła czar, by Brannaugh miała tylko dobre, słodkie sny.

Potem odwróciła się do ognia. Już najwyższa pora – o ile nie za późno – by wezwać Daithiego do domu. Potrzebowała jego miecza, jego siły. Potrzebowała jego.

Otworzyła umysł przed ogniem, a serce przed miłością.

Jej duch przefrunął nad wzgórzami i polami, przez noc, przez lasy i skąpaną w świetle księżyca wodę. Pokonał wiele mil, które dzieliły ją od obozowiska ich klanu.

Daithi spał przy ogniu, otulony blaskiem księżyca jak kocem.

Gdy usiadła obok niego, uśmiechnął się i objął ją ramieniem.

– Pachniesz domowym ogniskiem i leśną polaną.

– Musisz wrócić do domu.

– Wkrótce, *aghra*. Najpóźniej za dwa tygodnie.

– Musisz wyruszyć jutro i gnać, co koń wyskoczy. Moje serce, mój wojowniku. – Ujęła jego twarz w dłonie. – Potrzebujemy cię.

– A ja was. – Położył się na niej, zbliżył wargi do jej ust.

– Nie do łoża, chociaż, och, tęsknię za tobą aż do bólu. Każdego dnia, każdej nocy. Potrzebuję twojego miecza, musisz stanąć przy moim boku. Cabhan dzisiaj nas zaatakował.

Daithi gwałtownie usiadł i chwycił za rękojeść miecza.

– Jesteś ranna? A dzieci?

– Nie, nie. Ale mało brakowało. On jest coraz silniejszy, a ja coraz słabsza. Obawiam się, że nie dam rady go powstrzymać.

– Nikt nie jest silniejszy od ciebie. Cabhan nigdy nie tknie Czarownicy z Ciemności.

Serce jej krwawiło, gdy pokładał w niej ufność, na którą już nie zasługiwała.

– Nie jestem w pełni sił.

– Co się stało?

– Nie chciałam cię obciążać i… nie, to przez moją dumę. Ceniłam ją zbyt wysoko, ale teraz ją odrzucam. Boję się tego, co będzie, Daithi. Boję się jego. Bez ciebie nie dam rady go powstrzymać. Wróć do domu dla naszych dzieci, aby ocalić im życie.

– Zaraz wyruszam w drogę. Zbiorę ludzi i ruszam.

– O pierwszym brzasku. Poczekaj na światło, gdyż ciemność należy do niego. I wracaj prędko.

– Dwa dni. Będę z wami w domu za dwa dni. A Cabhan pozna smak mojego miecza, przysięgam.

– Będę nad tobą czuwać i czekać na ciebie. Jestem twoja w tym życiu i każdym, jakie nas czeka.

– Zdrowiej, moja czarownico. – Uniósł jej dłoń do ust.

– Tylko o to cię proszę.

– Wróć do domu, a wyzdrowieję.

– Dwa dni.

– Dwa dni. – Pocałowała go, mocno tuląc. I uniosła pocałunek z sobą, gdy leciała z powrotem nad lustrem księżyca i zielonymi wzgórzami.

Wróciła do swojego ciała zmęczona, wręcz wyczerpana, ale silniejsza. Magia, która istniała między nimi, była ożywcza i prawdziwa.

Dwa dni, pomyślała i zamknęła oczy. A gdy on będzie jechał, ona będzie odpoczywała i pozwoli, by jej magia znowu rosła w siłę. Będzie trzymała dzieci blisko siebie, nabierała światła.

Znowu zasnęła i śniła.

We śnie ujrzała, że Daithi nie poczekał na światło dnia. Wsiadł na konia przy blasku księżyca, pod zimnymi gwiazdami. Minę miał zaciętą, gdy jego wierzchowiec tańczył na twardej ziemi.

Ruszył z kopyta, wyprzedzając trzech mężczyzn, których zabrał z sobą.

Kierując się światłem księżyca i gwiazdami, pędził do domu, do rodziny, do swej kobiety. Do Czarownicy z Ciemności, którą kochał bardziej niż własne życie.

Gdy z mroku wyskoczył wilk, Daithi ledwo zdążył dobyć miecza z pochwy. Zaatakował, ale koń stanął dęba, tak że przeciął ostrzem jedynie powietrze. Mgła uniosła się niczym szary mur, zamykając go w potrzasku, odcinając od jego ludzi.

Walczył, ale wilk przeskakiwał przez miecz tam i z powrotem, kłapiąc szczękami, szarpiąc wściekle pazurami, i znikał we mgle. Tylko po to, by zaatakować znowu.

Sorcha pofrunęła, by być przy Daithim, leciała znowu nad wzgórzami, przez wodę.

Widziała, jak wilcze szczęki dosięgły celu, jak krew trysnęła z serca wojownika – i z jej serca. Jej łzy spływały niczym deszcz, zmywając mgłę. Wołając imię ukochanego, upadła obok niego na kolana.

Próbowała najsilniejszych zaklęć, najpotężniejszych czarów, lecz jego serce nie zaczęło znowu bić.

Gdy ściskała rękę Daithiego w dłoniach, błagając boginię o łaskę, usłyszała, jak wilk śmieje się w ciemnościach.

Brannaugh zadrżała we śnie. Prześladowały ją koszmary, pełne krwi, obnażonych wilczych kłów i śmierci. Próbowała je odpędzić, uwolnić się od nich. Chciała do matki, do ojca, pragnęła jasności słońca i ciepła wiosny.

Jednak otaczały ją chmury i zimno. Wilk wyłonił się z mgły i stanął na jej drodze, jego mokre kły ociekały czerwienią.

Ze zduszonym okrzykiem usiadła na posłaniu i ścisnęła w dłoni amulet. Podciągnęła kolana do piersi i obejmując się mocno, wytarła zapłakaną twarz o uda. Nie była dzieckiem, żeby płakać z powodu złego snu.

Najwyższa pora obudzić Eamona i spróbować przespać się spokojniej we własnym łóżku.

Najpierw jednak odwróciła głowę, żeby sprawdzić, jak czuje się matka, ale ława była pusta. Brannaugh potarła pięściami oczy i wstała, wołając cicho matkę.

Dostrzegła Sorchę, leżącą na ziemi obok paleniska, nieruchomą jak śmierć.

– Mamo! Mamo! – Przerażona skoczyła na równe nogi i opadła na kolana przy matce. Roztrzęsionymi rękami obróciła Sorchę, oparła sobie jej głowę na kolanach. Raz za razem powtarzała jej imię jak zaklęcie.

Zbyt blada, zbyt nieruchoma, zbyt zimna. Kołysząc matkę, Brannaugh działała bez zastanowienia czy planu. Gdy poczuła przeszywający ją żar, przelała go prosto w matkę. Drżącymi rękami dziewczynka uciskała mocno, mocno serce Sorchy, aż głowa Brannaugh opadła w tył, a oczy zasnuła mgła. Z ich czarnej głębi wystrzeliło światło, wbiło się strzałami w matkę.

Żar ją opuścił, zastąpiło go lodowate zimno, aż wstrząsana dreszczami Brannaugh opadła do przodu. Niebo i morze obróciły się, światło i ciemność zawirowały. Ból, jakiego nigdy nie doświadczyła, przeszył jej brzuch, wbił się w serce.

Po czym zniknął, pozostawiając tylko wyczerpanie.

Gdzieś z daleka słyszała ujadanie swojego psa.

– Już nie, już nie – zaprotestowała Sorcha ochrypłym, słabym głosem. – Przestań. Brannaugh, musisz przestać.

– Potrzebujesz więcej. Znajdę w sobie więcej.

– Nie. Rób, co mówię. Spokojny oddech, spokojny umysł, spokojne serce. Oddech, umysł, serce.

– Co się dzieje? Co się stało? – Eamon zbiegł po drabinie. – Mamo!

– Znalazłam ją tu. Pomóż mi położyć ją do łóżka.

– Nie, nie do łóżka. Nie ma na to czasu – wyszeptała Sorcha. – Eamon, wpuść Kathela i obudź Teagan.

– Ona już nie śpi, jest tutaj.

– Ach, moja maleńka. Nie bój się.

– Krew. Masz na rękach krew.

– Tak. – Walcząc z rozpaczą, Sorcha spojrzała na swoje dłonie. – To nie jest moja krew.

– Przynieś ścierkę, Teagan, zmyjemy ją.

– Nie, nie ścierkę. Kocioł. Przynieście też moje świece, księgę i sól. Całą sól, jaką mamy. Rozpal ogień, Eamonie, a ty, Brannaugh, zrób mi napar, tylko mocny.

– Już robię.

– Teagan, bądź grzeczną dziewczynką i spakuj całe jedzenie, jakie mamy.

– Jedziemy na wycieczkę?

– Tak, na wycieczkę. Eamon, nakarm zwierzęta, wiem, że jest wcześnie, ale je nakarm i naszykuj dla Alastara tyle owsa, ile zdołasz.

Wzięła od Brannaugh kubek i wypiła całą zawartość.

– A teraz idź i spakuj wszystkie wasze rzeczy, ubrania i koce. Weźmiecie miecz, sztylet, wszystkie monety i klejnoty, które zostawiła mi babcia. Wszystko, Brannaugh. Nie zostawiaj niczego wartościowego. Spakuj wszystko, i to prędko. Szybko! – krzyknęła i Brannaugh zniknęła.

Czas, pomyślała Czarownica z Ciemności, przychodził i odchodził. A teraz zostało jej go tak niewiele. Jednak wystarczy. Ona sprawi, że wystarczy.

Siedziała w ciszy, podczas gdy dzieci wykonywały jej polecenia. I zbierała siły, gromadziła całą moc.

Gdy Brannaugh zeszła na dół, Sorcha stała wyprostowana. Twarz miała ciepłą i zaróżowioną, oczy skupione i pełne energii.

– Wyzdrowiałaś!

– Nie, kochanie, nie wyzdrowiałam i już nie wyzdrowieję. – Uniosła dłoń, zanim córka zdążyła coś powiedzieć. – Jednak jestem silna, ponieważ tego nam teraz potrzeba. Zrobię to, co muszę, i wy także. – Spojrzała na syna, na małą córeczkę. – Wszyscy zrobimy to, co należy. Zanim wstanie słońce, odejdziecie. Będziecie trzymać się lasu i podążycie na południe. Nie wychodźcie na drogę, dopóki nie będziecie naprawdę daleko. Znajdziecie moją kuzynkę Ailish z klanu O'Dwyer i wszystko jej opowiecie. Ona zrobi, co będzie mogła.

– Odejdziemy razem.

– Nie, Eamonie. Ja zostanę tutaj. Musisz być silny i odważny, troszczyć się o siostry, a one będą się troszczyły o ciebie. Ja nie wytrzymałabym podróży.

– Ja cię uzdrowię – nalegała Brannaugh.

– To zbyt wiele na twoje siły. Taki los został nam przeznaczony. Ale nie zostawię was samych ani bezbronnych. To, kim jestem, co mam, będzie w was żyło. Pewnego dnia powrócicie tutaj, ponieważ tu jest wasz dom, a dom to źródło. Nie mogę wam dać niewinności, ale dam wam moc. Stańcie ze mną, ponieważ jesteście moim sercem i duszą, moją krwią i kością. Jesteście dla mnie wszystkim. A teraz zakreślę krąg, w który nie wkroczy żadna ciemność.

Płomień zatoczył koło na podłodze, rozjarzył się pod kotłem. Patrząc na swoje dłonie, Sorcha znowu westchnęła i postąpiła krok naprzód.

– To krew waszego ojca. – Rozpostarła dłonie nad kotłem, do którego spłynęła krew. – A to łzy moje i wasze. Jechał, by nas ochronić, wracał do domu, jak go o to prosiłam. Cabhan zastawił pułapkę, wykorzystując mój strach, moją słabość. Zabrał życie waszego ojca, tak jak zabierze moje. Weźmie życie, ale nie ducha, nie moc.

Uklękła i objęła szlochające dzieci.

– Będę was pocieszać w każdej chwili, jaka nam pozostała, ale nie ma czasu na żałobę. Pamiętajcie o tym, który was spłodził, który was kochał. Wiem, że dołączę do niego i razem będziemy was strzec.

– Nie odsyłaj nas. – Teagan zanosiła się płaczem, twarz ukryła w ramieniu matki. – Chcę zostać z tobą. Chcę do taty.

– Weźmiesz z sobą moje światło. Zawsze będę z tobą. – Białymi i czystymi już dłońmi Sorcha otarła łzy z policzków córki. – Ty, moje jasne światło, moja nadziejo. Ty, mój dzielny synu. – Pocałowała palce Eamona. – Moje serce. I ty, moja niewzruszona, poszukująca. – Ujęła twarz Brannaugh w dłonie. – Moja siło. Unieście mnie z sobą. A teraz razem rzucimy czar. Stańcie ze mną! Mówcie i róbcie to co ja.

Wyciągnęła ręce.

– Wraz z krwią i łzami żegnamy się z lękami. – Machnęła dłonią nad kotłem, którego zawartość zaczęła bulgotać. – Szczypty soli trzy, by zaryglować drzwi. Ziele sczepi, jagoda oślepi. Dzieci moje, których on nie zobaczy, będą żyły bezpieczne i wolne od rozpaczy. Śliczne płatki z nienawistną duszą pięknym zapachem ofiarę skuszą. Gotujcie się w ogniu i dymie, niech od tego naparu Cabhan zginie. Gdy stawi się na me wezwanie, niech tak się stanie.

Błysnęło światło, od którego zapłonął cały krąg.

Sorcha wezwała Hekate, Brighid, Morrigan i Babd Cathę, łącząc moc wszystkich bogiń. Powietrze zadrżało, zdawało się pękać, rozpadać. Wypełniło się głosami, a Sorcha stała, unosząc wysoko ramiona w geście modlitwy i żądania.

Dym nabrał czerwieni krwi, zasnuł izbę, po czym, jak w wodnym wirze, zniknął w kotle.

Sorcha z błyszczącymi oczami przelała napar do buteleczki, którą zamknęła pieczęcią i wsunęła do kieszeni.

– Matko – westchnęła Brannaugh.

– Jestem nią i zawsze będę. Nie lękajcie się o mnie ani nie bójcie się tego, co teraz wam dam. Moja maleńka. – Wzięła Teagan za ręce. – To będzie rosło w tobie razem z tobą. Zawsze będziesz miła, zawsze będziesz pytała „dlaczego". Zawsze staniesz w obronie tych, którzy nie będą mogli walczyć o siebie. Weź to.

– Gorące – powiedziała Teagan, kiedy jej ręce zajaśniały w dłoniach matki.

– Będzie gorące tylko wtedy, gdy będziesz tego potrzebowała. Mój synu. Będziesz unosił się w powietrzu i walczył. Zawsze będziesz lojalny i szczery. Weź to.

– Ja wezmę ciebie. Będę cię strzegł.

– Strzeż swoich sióstr. Brannaugh, moja pierworodna. Proszę cię o tak wiele. Twój dar już jest silny, lecz teraz dam ci więcej. Więcej niż dostali Teagan i Eamon, tak musi być. Będziesz budować i tworzyć. Kiedy raz pokochasz, nigdy nie przestaniesz. Zawsze będziesz tą, do której pierwszej zwrócą się o pomoc, i zawsze będziesz dźwigała ciężar. Wybacz mi i weź to.

Brannaugh gwałtownie chwyciła powietrze.

– Parzy!

– Tylko przez chwilę. – I przez tę chwilę Sorcha czuła żałobę tysięcy lat. – Otwórz. Weź. Żyj.

Zatrzymała dla siebie tylko odrobinę, a gdy skończyła, upadła na podłogę. Już nie była Czarownicą z Ciemności.

– Staliście się mną, Czarownicą z Ciemności, jedną w trzech postaciach. To mój dar i przekleństwo. Każde z was jest silne, lecz razem będziecie jeszcze silniejsi. Pewnego dnia powrócicie. A teraz jedźcie, szybko. Nadchodzi dzień. Pamiętajcie, że moje scrce podąża z wami.

Jednak Teagan uczepiła się jej, kopała i krzyczała, kiedy Eamon próbował ją oderwać.

– Zabierz ją do Alastara – poleciła bratu cicho Brannaugh.

Ale on najpierw ukląkł przy matce.

– Pomszczę mojego ojca i ciebie, mamo. Zawsze będę chronił moje siostry, oddam za nie własne życie, przysięgam.

– Jestem z ciebie dumna, mój synu. Kiedyś znowu się zobaczymy. Moja maleńka – zwróciła się do Teagan. – Wrócisz tu. Obiecuję ci.

Brannaugh odwróciła się do siostry i przesunęła ręką nad jej głową. Teagan zapadła w sen.

– Zanieś ją, Eamon, i weź wszystkie pakunki, jakie zdołasz unieść. Ja przyniosę resztę.

– Pomogę ci. Mam dość sił – nalegała Sorcha. Nie zamierzała wpuścić Cabhana do własnego domu.

Gdy ładowały sakwy na Alastara, Brannaugh popatrzyła matce w oczy.

– Ja rozumiem.

– Wiem.

– Nie pozwolę, aby stała się im jakakolwiek krzywda. Jeśli tobie nie uda się zniszczyć Cabhana, zrobi to twoja krew. Nawet jeśli miałoby to potrwać tysiąc lat, twoja krew tego dokona.

– Noc blednie, jedźcie szybko. Alastar uniesie was wystarczająco daleko, zanim wstanie dzień. – Usta Sorchy drżały, dopóki nie znalazła sił, by je zacisnąć. – Ona ma takie wrażliwe serce, nasza maleńka.

– Zawsze będę się o nią troszczyć. Obiecuję ci.

– To mi wystarczy. Jedźcie, jedźcie, inaczej wszystko pójdzie na marne.

Brannaugh wsiadła na Alastara za bratem i uśpioną czarem siostrą.

– Jeżeli ja jestem twoją siłą, matko, ty jesteś moją. Wszyscy, którzy z nas się zrodzą, będą znali imię Sorchy. Wszyscy będą darzyli szacunkiem Czarownicę z Ciemności.

Spojrzała przed siebie oczami pełnymi łez i ruszyli galopem.

Sorcha patrzyła za dziećmi, chciała zatrzymać ich widok w pamięci, gdy znikali w ciemnym lesie, odjeżdżali daleko od niej. Ku życiu.

A gdy wstał dzień, wyjęła buteleczkę z naparem i wypiła. Potem czekała, aż nadejdzie ciemność.

Cabhan przyniósł mgłę, ale przybył jako człowiek, oszołomiony jej zapachem, blaskiem jej skóry. Jej mocą, fałszywą teraz, lecz potężną.

– Mój mężczyzna nie żyje – powiedziała głuchym głosem.

– Twój mężczyzna stoi przed tobą.

– Ale ty nie jesteś takim mężczyzną jak inni.

– Jestem kimś więcej. Wzywałaś mnie, Sorcho z Ciemności.

– Nie jestem taką kobietą jak inne, lecz kimś więcej. Pragnienia muszą zostać zaspokojone. Moc przyciąga moc. Czy uczynisz mnie boginią, Cabhanie?

Oczy mu pociemniały od chciwości i pożądania, które go zaślepiły.

– Pokażę ci więcej, niż potrafisz sobie wyobrazić. Razem zdobędziemy wszystko, staniemy się wszystkim. Musisz tylko połączyć się ze mną.

– Co z moimi dziećmi?

– Co z nimi? – Spojrzał na dom. – Gdzie one są? – spytał, próbując przecisnąć się obok Sorchy.

– Śpią. Jestem ich matką i chcę dostać twoje słowo, że będą bezpieczne. Nie możesz wejść do środka, dopóki mi go nie dasz. Nie mogę połączyć się z tobą, dopóki nie złożysz mi tej przysięgi.

– Z mojej strony nie spotka ich nic złego. – Znowu się uśmiechnął. – Przysięgam ci.

Kłamiesz, pomyślała. Nadal widzę twoje myśli, czarną otchłań twojego serca.

– W takim razie chodź i pocałuj mnie. Uczyń mnie swoją, tak jak ja uczynię cię moim.

Przycisnął ją mocno do siebie, pociągnął brutalnie za włosy, by odchylić jej głowę. I przywarł wargami do jej ust.

Sorcha rozchyliła wargi i ze śmiercią w sercu pozwoliła, by wsunął język do jej ust. Pozwoliła truciźnie działać.

Nagle Cabhan cofnął się gwałtownie, podniósł dłoń do gardła.

– Coś ty zrobiła?

– Pokonałam cię. Zniszczyłam. I z ostatnim tchnieniem cię przeklinam. W tym dniu, o tej porze wzywam mą siłę, co wiele może. Spłoniesz i umrzesz w mękach, wiedząc, że Czarownicy z Ciemności zgładziła cię ręka. Moja krew przeklina twoją krew, na wieki wieków rozbrzmiewa ten zew. Na me wezwanie niech tak się stanie.

Cisnął w nią swoją moc, choć jego ciało zaczęło już dymić, czernieć. Sorcha upadła w agonii, lecz wciąż rozpaczliwie trzymała się życia. Tylko po to, by ujrzeć jego śmierć.

– Niech będzie przeklęte wszystko, co z ciebie zrodzone – jęknęła, gdy wystrzeliły z niego płomienie, kiedy jego krzyki rozdarły świat. – Moja śmierć za jego – szepnęła, a czarne popioły pozostałe po czarnoksiężniku dogasały na ziemi. – Tak miało być. To jest sprawiedliwość. Dokonało się.

Wtedy jej duch się uwolnił i pozostawiła swe ciało przed chatą w głębi gęstych, zielonych lasów.

Lecz gdy mgła się uniosła, wśród czarnych popiołów coś drgnęło.

ROZDZIAŁ TRZECI

Hrabstwo Mayo, 2013

Przenikające aż do kości zimno i podmuchy lodowatego wiatru, które niosły ulewny deszcz, spływający z sinego, nabrzmiałego nieba.

Tak Irlandia powitała Ionę Sheehan.

Iona była wniebowzięta.

Czyż mogłaby czuć się tu inaczej?, zapytała samą siebie, obejmując się ramionami i chłonąc dziki, przemoczony krajobraz za oknem. Tej nocy będzie spała w zamku. W najprawdziwszym irlandzkim zamku w samym sercu zachodniej części kraju.

Niektórzy z jej przodków tu pracowali i pewnie też sypiali. To, czego się dowiedziała, świadczyło, że jej rodzina, w każdym razie ze strony matki, pochodziła z tej cudownej części świata, magicznej krainy tego magicznego kraju.

Iona zaryzykowała właściwie wszystko, by tu przyjechać, żeby odnaleźć swoje korzenie i – jak miała nadzieję – połączyć się z nimi. A przede wszystkim wreszcie je zrozumieć.

Spaliła mosty, pozostawiła je dymiące za sobą, w nadziei, że zbuduje nowe, mocniejsze. Takie, które zawiodą ją tam, dokąd chciała dojść.

Matka była tym lekko poirytowana. Ale w końcu jej matka nigdy nie wpadała w autentyczną złość, tak jak nigdy nie okazywała prawdziwego smutku, radości czy entuzjazmu. Jakże trudno musiało jej być z córką, której emocje miały siłę dzikiego konia. Ojciec Iony tylko poklepał ją po głowie i z nieobecnym wyrazem twarzy życzył jej szczęścia tonem równie niezobowiązującym, jakim mógłby zwrócić się do goszczącego przejazdem krewnego.

Iona podejrzewała, że nigdy nie była dla niego nikim więcej. Dziadkowie ze strony ojca uznali wycieczkę za wspaniałą przygodę i obdarowali wnuczkę mile przyjętym czekiem.

Iona była im wdzięczna, chociaż wiedziała, że jako wyznawcy zasady „Co z oczu, to z serca" zapewne nie poświęcą jej już ani jednej myśli.

Natomiast babka ze strony matki, jej najdroższa babcia, przekazała jej dar wzbudzający tak wiele pytań.

Dlatego Iona była tutaj, w tym pięknym zakątku Mayo, otoczonym wodą, zacienionym pradawnymi drzewami – aby znaleźć odpowiedzi.

Powinna poczekać do jutra, rozgościć się, zdrzemnąć, w końcu prawie nie zmrużyła oka podczas lotu z Baltimore. A przynajmniej powinna się rozpakować. W zamku Ashford miała spędzić tydzień, to dosyć niemądry wydatek z praktycznego punktu widzenia, tak bardzo jednak pragnęła chociaż raz w życiu sprawić sobie taką przyjemność.

Otworzyła walizki i zaczęła wyjmować ubrania.

Kiedyś Iona marzyła, aby być wyższa niż jej mikre metr sześćdziesiąt i mieć bujniejsze kształty niż chłopięce ciało, którym obdarował ją los. Potem jednak przestała marzyć i zaczęła kompensować sobie owe braki garderobą w jaskrawych kolorach i niebotycznymi szpilkami, które nosiła, kiedy i gdzie tylko mogła.

Iluzja, jak mawiała babcia, jest równie dobra jak rzeczywistość.

Kiedyś chciała być piękna jak jej matka, ale w końcu zadowoliła się tym, że jest urocza. I jedyny raz zobaczyła matkę bliską prawdziwego przerażenia nie dalej jak tydzień temu, kiedy obcięła swoje długie blond włosy na króciutką czuprynkę skrzata.

Ponieważ sama jeszcze się do niej nie przyzwyczaiła, przeczesała włosy palcami. Dobrze jej w tej fryzurze, prawda? Czyż nie podkreślała jej kości policzkowych?

Nie szkodzi, jeśli żałowała tego impulsu, innych też żałowała. Próbować nowych rzeczy, podejmować ryzyko – takie teraz miała priorytety. Nie będzie już więcej siedzieć i czekać – to była mantra jej rodziców, odkąd tylko Iona sięgała pamięcią. Teraz było teraz.

Wiedziona tą myślą postanowiła, że do diabła z rozpakowywaniem, do diabła z czekaniem do jutra. A jeśli umrze we śnie?

Wyjęła buty, szalik i nowy płaszcz przeciwdeszczowy – cukierkoworóżowy – rzeczy kupione specjalnie na wyjazd. Wcisnęła na głowę czapkę w różowo-białe paski, przerzuciła przez ramię wielką torbę.

Nie myśl, tylko działaj, rozkazała sobie i wyszła z ciepłego, przytulnego pokoju.

Niemal natychmiast źle skręciła, dzięki temu jednak mogła pospacerować po zamkowych korytarzach. Robiąc rezerwację, poprosiła o pokój w najstarszej części budowli i teraz wyobrażała sobie służących, którzy spieszyli ze świeżym sitowiem, i kobiety siedzące przy kołowrotkach. Albo wojowników w zakrwawionych zbrojach, wracających z bitwy.

Miała całe dnie na zwiedzenie zamku, otaczających go terenów oraz pobliskiej wioski Cong i zamierzała w pełni wykorzystać ten czas.

Lecz jej głównym celem było odnalezienie i skontaktowanie się z Czarownicą z Ciemności.

Kiedy wyszła prosto w gwiżdżące podmuchy wiatru i ulewny deszcz, doszła do wniosku, że to doskonały dzień dla czarownic.

W torbie niosła narysowaną przez babcię mapę, ale każdą jej linię miała wyrytą w pamięci. Odwróciła się plecami do szarych murów i ruszyła ścieżką prowadzącą do lasu. Minęła uśpione na zimę ogrody i mokre łąki. Trochę zbyt późno przypomniała sobie o parasolce i wyjęła ją z torby, wchodząc w pełen różnych dźwięków mrok chłostanego deszczem lasu.

Nigdy nie widziała tak wielkich drzew, z tak szerokimi pniami i fantastycznie powyginanymi konarami, pełnymi sęków. Las z bajki, pomyślała, człapiąc po błocie.

Przez szum deszczu słyszała westchnienia i jęki wiatru, huk przypominający rwącą rzekę.

Ścieżka wiła się, rozdzielała, jednak Iona miała mapę w głowie.

Wydawało się jej, że usłyszała nad głową czyjś krzyk, że przez chwilę widziała jakieś skrzydła. Potem nagle pomimo huku, westchnień i jęków wszystko wydało się jej nieruchome. Ścieżka stawała się coraz węższa i bardziej nierówna, a Iona słyszała bicie serca w uszach, zbyt szybkie, zbyt głośne.

Po prawej stronie zobaczyła przewrócone drzewo, z grubymi korzeniami sterczącymi wyżej niż wzrost przeciętnego człowieka, na których splątane pnącza, szersze od jej nadgarstka, tworzyły gęstą ścianę. Iona poczuła dziwne przyciąganie, musiała rozgarnąć dzikie wino, przedrzeć się przez nie i zobaczyć, co się za nimi kryje. Myśl, że się zgubi, przeleciała jej przez głowę, lecz natychmiast zniknęła.

Chciała tylko zobaczyć.

Postąpiła krok naprzód, potem drugi. Poczuła woń dymu i koni; oba zapachy jeszcze mocniej wabiły ją ku splątanej ścianie dzikiego wina. Lecz kiedy wyciągnęła rękę, z gąszczu nagle coś wyskoczyło. Czarny kształt sprawił, że Iona cofnęła się gwałtownie, krzycząc w myślach: niedźwiedź!

Ponieważ parasolka wypadła jej z ręki, rozpaczliwie rozglądała się w poszukiwaniu jakiejś broni – patyka czy kamienia – aż zobaczyła, że stoi oko w oko z największym psem, jakiego kiedykolwiek w życiu widziała.

To nie niedźwiedź, pomyślała, ale zwierzę mogło się okazać równie niebezpieczne, jeśli nie było niczyim ukochanym pupilem.

– Cześć… piesku.

Olbrzym nie odrywał od niej spojrzenia brązowozłotych oczu. Podszedł do Iony, by ją powąchać, i miała ogromną nadzieję, że nie przygotowywał się w ten sposób do wbicia w nią kłów. Pies szczeknął ostro dwa razy, a potem odbiegł truchtem.

– Już dobrze. – Iona zgięła się wpół, żeby złapać oddech. – Wszystko dobrze.

Eksploracja terenu stanowczo będzie musiała poczekać na jasny, słoneczny dzień. A przynajmniej choć trochę jaśniejszy i bardziej suchy. Iona podniosła przemoczoną, ubłoconą parasolkę i ruszyła dalej.

Należało się z tym wstrzymać, ganiła samą siebie. A tak była mokra, zdenerwowana i, z czego dopiero teraz zdała sobie sprawę, bardziej zmęczona podróżą, niż przypuszczała. Powinna była teraz drzemać, otulona kocem, w ciepłym, hotelowym łóżku, słuchając deszczu, zamiast się po nim szwendać.

I jeszcze – doskonale – zaczęła nadciągać mgła, pochłaniając ziemię jak fale brzeg. Z każdą chwilą gęstniała niczym bluszcz, deszcz przypominał mamroczące głosy.

A może to były mamroczące głosy?, zastanowiła się Iona. Mówiące w języku, którego nie powinna rozumieć, ale prawie go rozumiała. Przyspieszyła kroku, równie gorąco pragnąc wydostać się z lasu, jak wcześniej chciała do niego wejść.

Robiło się coraz zimniej, jej oddech zamienił się w parę, a głosy powtarzały teraz w głowie: zawróć, zawróć.

Jednak upór na równi ze strachem pchał ją do przodu, aż prawie zaczęła biec po śliskiej ścieżce.

W końcu dotarła na polanę.

Deszcz był tylko deszczem, wiatr tylko wiatrem. Ścieżka przeszła w drogę, przy której stało kilka domów, z kominów leciał dym, w oddali majaczyły piękne wzgórza osnute mgłą.

– Zbyt bogata wyobraźnia, za mało snu – stwierdziła głośno Iona.

Widziała ogródki z roślinami czekającymi na wiosnę, samochody zaparkowane na poboczu i na krótkich podjazdach.

Według mapy babci ten dom był już niedaleko, więc ruszyła przed siebie, licząc budynki.

Stał dalej od drogi niż pozostałe, jakby potrzebował przestrzeni, by zaczerpnąć tchu. Śliczny domek, kryty strzechą, z błękitnymi ścianami i jaskrawoczerwonymi drzwiami wyglądał jak z bajki – choć na małym podjeździe parkował srebrny mini. Budynek miał kształt litery L i przeszkloną werandę. Pomimo zimy na schodach stały donice pełne kolorowych bratków, zwracających twarzyczki do góry, by pić deszcz.

Nad werandą wisiał szyld ze starego drewna, a wyrzeźbione litery tworzyły napis: „Czarownica z Ciemności".

– Znalazłam ją. – Iona przez chwilę stała z zamkniętymi oczami na deszczu. Każda decyzja, jaką podjęła przez ostatnie sześć tygodni – a może i przez całe życie – prowadziła ją tutaj.

Nie była pewna, czy podejść do drugich drzwi – wiodących do warsztatu, jak mówiła babcia – czy też tych do domu. Jednak gdy się zbliżyła, dostrzegła blask światła na szybie. A kiedy podeszła jeszcze bliżej, zobaczyła półki pełne butelek z kolorowymi płynami, pęki suszonych ziół, moździerze i tłuczki, miski i… kociołki?

Z tego, który stał na kuchence, unosiła się para; przy blacie kuchennym stała kobieta i ucierała coś w moździerzu.

Jakie to niesprawiedliwe, że niektóre kobiety mogą tak wyglądać zupełnie bez wysiłku, pomyślała Iona. Wysoko upięte, ciemne włosy w seksownym nieładzie, policzki zaróżowione od wysiłku i ciepła. Mocno zarysowane kości policzkowe, oznaczające piękność od dnia urodzin do śmierci, i rzeźbione usta, delikatnie wygięte w pełnym satysfakcji uśmiechu.

Geny czy magia?, zastanawiała się Iona. Dla niektórych jedno nie różniło się od drugiego.

Zebrała się na odwagę, odłożyła parasolkę i sięgnęła do kołatki.

Ledwo zdążyła jej dotknąć, gdy kobieta podniosła wzrok. Uśmiechnęła się uprzejmie na powitanie, więc Iona otworzyła drzwi i weszła do środka.

Nagle uśmiech gospodyni znikł. Szare niczym dym oczy wpatrywały się w nią z taką intensywnością, że Iona zatrzymała się tam, gdzie stała, zaraz za progiem.

– Czy mogę wejść do środka?

– Już jesteś w środku.

– Ja… chyba tak. Powinnam była zapukać, przepraszam, ja… Boże, jak tu cudownie pachnie. Rozmaryn i bazylia, i lawenda, i… wszystko. Przepraszam – powtórzyła.

– Czy pani jest Branna O'Dwyer?

– Tak. – Kobieta wyjęła ścierkę spod blatu i podeszła do Iony. – Jesteś przemoczona do suchej nitki.

– Och, przepraszam, kapie ze mnie na podłogę. Przyszłam pieszo z zamku. Z hotelu. Zatrzymałam się w zamku Ashford.

– Szczęściara z ciebie, to wspaniały zamek.

– Jak ze snu, w każdym razie to, co widziałam. Niedawno przyjechałam. Dokładnie kilka godzin temu i natychmiast chciałam do ciebie przyjść. Chciałam się z tobą spotkać.

– Dlaczego?

– Och, przepraszam, ja…

– Bez przerwy przepraszasz.

– Och. – Iona wykręciła ścierkę w rękach. – Tak, na to wygląda. Jestem Iona. Iona Sheehan. Jesteśmy kuzynkami. To znaczy moja babcia Mary Kate O'Connor jest kuzynką twojej babci Ailish, uhm… Ailish Flannery. Dlatego my jesteśmy kuzynkami… gubię się, w czwartej czy trzeciej linii.

– Kuzynka to kuzynka i już. W takim razie zdejmij te zabłocone buty i napijemy się herbaty.

– Dziękuję. Wiem, że powinnam była napisać albo zadzwonić, ale obawiałam się, że zabronisz mi przyjechać.

– Doprawdy? – mruknęła Branna, stawiając czajnik na gazie.

– Kiedy już podjęłam decyzję, od razu musiałam wprowadzić ją w życie. – Iona postawiła buty przy drzwiach, powiesiła płaszcz na wieszaku. – Zawsze chciałam zobaczyć Irlandię, odnaleźć swoje korzenie i zawsze mówiłam: „kiedyś". Aż w końcu… cóż, z „kiedyś" zrobiło się „teraz". Natychmiast.

– Usiądź przy stole, przy ogniu. Wieje dziś zimny wiatr.

– O Boże, nawet mi nie mów! Słowo daję, im głębiej wchodziłam w las, tym robiło się zimniej, a potem… Jezu, niedźwiedź!

Stanęła jak oniemiała, a ogromny pies podniósł łeb z legowiska przy kominku i posłał jej równie niewzruszone spojrzenie jak wcześniej w lesie.

– Mówię o psie. Przez chwilę myślałam, że to niedźwiedź, kiedy przedzierał się przez las. To naprawdę wielki pies. Jest twój?

– Tak, on jest mój, a ja jego. Nazywa się Kathel i nie zrobi ci krzywdy. Boisz się psów, kuzynko?

– Nie, ale on jest ogromny. Co to jest?

– Masz na myśli rasę? Jego ojciec był wilczarzem irlandzkim, a matka mieszanką doga irlandzkiego i szkockiego charta.

– Wygląda jednocześnie na groźnego i pełnego godności. Mogę go pogłaskać?

– To zależy od ciebie i od niego – powiedziała Branna, stawiając na stole herbatę i ciastka z cukrem. Milczała, kiedy Iona ukucnęła, wyciągnęła dłoń grzbietem do góry, żeby pies mógł ją powąchać, po czym pogłaskała go delikatnie po łbie.

– Witaj, Kathel, wcześniej nie zdążyłam się przedstawić. Wystraszyłeś mnie na śmierć.

Wstała, uśmiechając się do Branny.

– Tak się cieszę, że cię poznałam, że tu jesteś. Wszystko działo się w takim szalonym tempie, że w ogóle nie mogę pozbierać myśli. Ledwo mogę uwierzyć, że tu stoję.

– W takim razie usiądź i napij się herbaty.

– Prawie nic o tobie nie wiem – zaczęła Iona, siadając i grzejąc dłonie o kubek. – Babcia opowiadała mi trochę o rodzinie, o tobie i twoim bracie.

– Connorze.

– Tak, Connorze, i innych, którzy mieszkają w Galway albo w Clare. Chciała mnie tu przywieźć całe lata temu, ale nic z tego nie wyszło. Moi rodzice, głównie matka, tak naprawdę tego nie chcieli, a potem się rozeszli i krążyłam między nimi. Oboje założyli nowe rodziny i, co naprawdę dziwne, moja matka uparła się przy unieważnieniu małżeństwa. Podobno to wcale nie czyni ze mnie bękarta, ale właśnie tak się czułam.

Branna uniosła lekko brwi.

– Zapewne tak właśnie się czułaś.

– Potem była szkoła i praca, zaczęłam się z kimś spotykać. Jednak pewnego dnia popatrzyłam na tego mężczyznę i pomyślałam: Dlaczego? Nic nas nie łączyło poza nawykiem i wygodą, a ludzie potrzebują czegoś więcej, prawda?

– Bez wątpienia.

– Ja potrzebuję więcej, w każdym razie czasami. Zawsze czułam się niedopasowana. Gdziekolwiek byłam, zawsze czułam się nie do końca na swoim miejscu. Potem zaczęłam miewać sny albo po prostu zaczęłam je pamiętać i zwróciłam się do babci. To, co mi powiedziała, brzmiało jak szaleństwo, nie powinno mieć sensu, alc miało. Właściwie nadało sens wszystkiemu. Paplę jak katarynka, jestem taka zdenerwowana. – Wzięła ciastko i wepchnęła je do ust. – Jakie smaczne. Ja…

– Tylko już mnie nie przepraszaj. To się robi żałosne. Opowiedz mi o tych snach.

– On chce mnie zabić.

– Kto?

– Nie wiem. A raczej nie wiedziałam. Babcia mówi, że on się nazywa, to znaczy nazywał, Cabhan i był czarnoksiężnikiem. Złym czarnoksiężnikiem. Wieki temu nasza przodkini, pierwsza Czarownica z Ciemności, zniszczyła go, ale jakaś jego część przetrwała. On wciąż chce mnie zabić. Nas. Wiem, że to brzmi jak szaleństwo.

Branna spokojnie popijała herbatę.

– Czy wyglądam na zdumioną?

– Nie, wyglądasz na bardzo spokojną. Też chciałabym czuć taki spokój. I jesteś piękna. Zawsze chciałam być piękna. I wyższa. Ty jesteś wyższa. Gadam bez przerwy. Nie mogę przestać.

Branna wstała i wyjęła z szafki butelkę whisky.

– W taką pogodę dobrze robi odrobina whisky do herbaty. A zatem usłyszałaś historię Cabhana i Sorchy, pierwszej Czarownicy z Ciemności, i postanowiłaś przyjechać do Irlandii, żeby się ze mną spotkać.

– Mniej więcej. Zrezygnowałam z pracy, sprzedałam wszystkie rzeczy.

– Ty... – Po raz pierwszy Branna wyglądała na autentycznie zaskoczoną. – Sprzedałaś swoje rzeczy?

– W tym dwadzieścia osiem par markowych butów, kupionych na wyprzedażach, ale zawsze. Trochę bolało, jednak chciałam wszystko zacząć od nowa. I potrzebowałam pieniędzy na przyjazd tutaj, na życie. Mam wizę z pozwoleniem na pracę, więc znajdę sobie jakieś zajęcie, mieszkanie.

Wzięła następne ciastko z nadzieją, że zatamuje potok słów, ale płynęły nieprzerwanym strumieniem.

– Wiem, że to szaleństwo, wydawać takie pieniądze na pobyt w Ashford, ale tak bardzo tego pragnęłam. Tak naprawdę w domu nie mam nikogo oprócz babci. A ona tu przyjedzie, jeśli ją poproszę. Czuję, że tutaj mogłabym pasować, mogłabym odnaleźć równowagę. Jestem zmęczona zastanawianiem się, dlaczego nigdzie nie pasuję.

– Gdzie pracowałaś?

– Byłam instruktorką jazdy konnej. Trenowałam konie, pomagałam w stajni. Kiedyś chciałam zostać dżokejem, jednak za bardzo kocham konie i nie miałam serca do wyścigów i treningów.

Branna skinęła głową, nie spuszczając wzroku z Iony.

– Konie, oczywiście.

– Tak, świetnie się z nimi dogaduję.

– Nie wątpię. Znam jednego z właścicieli tutejszej stadniny, hotel podsyła im gości. Organizują przejażdżki po lesie, oferują lekcje jazdy konnej i tak dalej. Myślę, że Boyle mógłby mieć dla ciebie pracę.

– Żartujesz? Nawet nie przypuszczałam, że od razu uda mi się znaleźć zajęcie w stajni. Myślałam, że zacznę jako kelnerka albo ekspedientka. Byłoby wspaniale, gdybym mogła tam pracować.

Niektórzy by powiedzieli, że to zbyt pomyślny zbieg okoliczności, by był prawdziwy, ale Iona nigdy w to nie wierzyła. To, co dobre, powinno być prawdziwe.

– Posłuchaj, będę wynosiła gnój ze stajni, czyściła konie. Będę robiła wszystko, co on każe.

– Zamienię z nim słowo.

– Nie wiem, jak ci dziękować – powiedziała Iona i sięgnęła po rękę Branny. Gdy ich dłonie się zetknęły, splotły, błysnęło światło i buchnął żar.

Iona zadrżała, ale nie cofnęła dłoni, nie odwróciła wzroku.

– Co to oznacza?

– To oznacza, że może wreszcie nadszedł czas. Czy kuzynka Mary przekazała ci dar?

– Tak. Wtedy, kiedy do niej poszłam, gdy mi opowiedziała. – Wolną dłonią Iona wyciągnęła zza swetra łańcuszek, a na nim miedziany amulet ze znakiem konia.

– Zrobiła go Sorcha dla swojej najmłodszej córki…

– Teagan – dokończyła Iona. – By chronić ją przed Cabhanem. Do Brannaugh należał pies, powinnam była się domyślić, kiedy zobaczyłam twojego. A do Eamona sokół. Babcia opowiadała mi te historie, odkąd tylko sięgam pamięcią, ale myślałam, że to tylko bajki. Moja matka tak twierdziła. Nie lubiła, kiedy babcia mi je opowiadała. Więc przestałam jej o tym mówić. Moja matka woli płynąć z wiatrem, że tak powiem.

– Dlatego amulet został przekazany tobie, nie jej. Nie była właściwą osobą. Ty jesteś. Kuzynka Mary mogła tutaj przyjechać, ale wiedzieliśmy, że to też nie ona, że jest tylko strażniczką amuletu, dziedzictwa. Przekazali jej go inni, którzy też strzegli i czekali. Teraz nadeszła twoja kolej.

A ty, dodała w myślach Branna, przyszłaś do mnie.

– Czy ona powiedziała ci, kim jesteś?

– Powiedziała... – Iona wypuściła głośno powietrze.

– Powiedziała, że jestem Czarownicą z Ciemności. Ale ty...

– Są trzy. Trzy to magia. A zatem teraz jest nas troje. Ty, ja i Connor. Każde z nas musi zaakceptować całość, siebie samego i dziedzictwo. Czy ty akceptujesz?

Próbując odzyskać spokój, Iona łyknęła herbaty z whisky.

– Pracuję nad tym.

– Co potrafisz? Kuzynka Mary nie przekazałaby ci amuletu, gdyby nie miała pewności, że jesteś właściwą osobą. Pokaż mi, co potrafisz.

– Słucham? – Iona wytarła wilgotne dłonie o dżinsy. – Jak na przesłuchaniu?

– Ja ćwiczyłam przez całe życie, ty nie. Ale jesteśmy z jednej krwi. – Branna przechyliła głowę i popatrzyła sceptycznie na Ionę. – Nie posiadasz jeszcze żadnych umiejętności?

– Jakieś tam mam. Tylko ja nigdy... tylko przy babci. – Zdenerwowana i zakłopotana Iona przysunęła bliżej stojącą na stole świecę. – Czuję się, jakbym była na przesłuchaniu do sztuki w szkole. Wtedy go nie przeszłam.

– Oczyść umysł. Otwórz się.

Iona wzięła kolejny oddech, powoli i spokojnie, skupiła całą uwagę i energię na knocie. Czując, jak narasta w niej ciepło i światło, dmuchnęła delikatnie.

Płomień zamigotał, zgasł, po czym zapłonął jasnym blaskiem.

– Ale super – wyszeptała Iona. – Nigdy się do tego nie przyzwyczaję. Ja po prostu… mam w sobie magię.

– Moc. Którą trzeba ćwiczyć, dyscyplinować i szanować.

– Mówisz jak babcia. Pokazała mi to, kiedy byłam mała, i uwierzyłam. Ale potem uznałam, że to tylko sztuczki, moi rodzice tak mówili. I myślę, wiem, że moja matka kazała babci przestać albo babcia miała już nigdy mnie nie zobaczyć.

– Twoja matka ma zamknięty umysł. Jest taka jak wielu. Nie powinnaś się na nią złościć.

– Odgradzała mnie od tego. Od tego, kim jestem.

– Teraz już wiesz. Potrafisz coś jeszcze?

– Kilka rzeczy. Mogę unosić przedmioty w powietrze, ale tylko nieduże i mam pięćdziesięcioprocentową skuteczność. Konie. Wiem, co czują. Zawsze je rozumiałam. Próbowałam czarów upiększających, ale poniosłam sromotną klęskę. Oczy zrobiły mi się purpurowe, nawet białka, a zęby świeciły jak neony. Musiałam wziąć dwa dni wolnego, zanim znowu wyglądałam jak człowiek.

Rozbawiona Branna dolała do kubków herbaty i whisky.

– A ty co potrafisz? – chciała wiedzieć Iona. – Ja ci pokazałam moje umiejętności. Teraz ty pokaż mi swoje.

– Dobrze. – Branna wyciągnęła rękę i na jej dłoni wykwitła kula białego ognia.

– Jasna dupa. To... – Iona ostrożnie przysunęła palce do kuli, by poczuć żar. – Ja też tak chcę.

– W takim razie będziesz ćwiczyć i się uczyć.

– Ty mnie nauczysz?

– Ja cię poprowadzę. To już jest w tobie, tylko potrzebujesz wskazówek, finezji. Dam ci kilka książek, z których będziesz mogła zdobywać wiedzę. Spędź tydzień w zamku i pomyśl, czego pragniesz, Iono Sheehan. Zastanów się dobrze, ponieważ kiedy już podejmiesz decyzję, nie będzie odwrotu.

– Nie chcę wracać.

– Nie mam na myśli Ameryki ani twojego poprzedniego życia. Mówię o drodze, na którą wszyscy wstąpimy.

– Znowu machnęła dłonią, a gdy kula zniknęła, sięgnęła po kubek. – Cabhan, a w każdym razie, to, co z niego zostało, może okazać się groźniejszy niż kiedyś. I nadal pragnie tego, co masz, co my wszyscy mamy. Chce naszej krwi. Stawką w tej grze będzie zarówno twoja moc, jak i życie, dlatego dobrze się zastanów, to nie jest zabawa.

– Babcia mówiła, że to musi być wybór, mój wybór. Powiedziała, że on, Cabhan, pragnie tego, co mam, kim jestem, i zrobi wszystko, żeby to dostać. Płakała, kiedy powiedziałam, że tutaj przyjeżdżam, ale była też ze mnie dumna. Gdy tylko tu dotarłam, wiedziałam, że dokonałam właściwego wyboru. Nie chcę ignorować tego, kim jestem. Chcę to zrozumieć.

– Pozostanie tutaj to również wybór. A jeśli tak zdecydujesz, zamieszkasz w tym domu, ze mną i Connorem.

– Tutaj?

– Najlepiej, żebyśmy się trzymali razem. Daj sobie tydzień. Connor i ja złożyliśmy przysięgę, że przyjmiemy

71

trzecią, jeśli się pojawi. Ale ty nie miałaś całego życia na oswojenie się z tym, co cię czeka, dlatego przemyśl swoją decyzję, żebyś miała pewność. Decyzja musi pochodzić od ciebie.

I jakakolwiek ona będzie, dokończyła w myślach Branna, wszystko odmieni.

Rozdział czwarty

W drodze powrotnej Iona znów przemokła do suchej nitki, ale nic nie mogło popsuć jej humoru. Najpierw rozgrzała się pod prysznicem, potem włożyła flanelowe spodnie i termoaktywną koszulkę, zrzuciła walizkę na podłogę – później się rozpakuje – i wskoczyła do łóżka.

Spała jak zabita przez pełne cztery godziny.

Obudziła się w ciemności, zupełnie zdezorientowana i głodna jak wilk.

Chociaż porozrzucane w nieładzie ubrania jawnie z niej drwiły, wygrzebała ze stosu rzeczy dżinsy, sweter i ciepłe skarpety. Wzięła jedną z książek, pożyczoną od Branny, i ruszyła do hotelowej restauracji w poszukiwaniu jedzenia oraz towarzystwa.

Ogień trzaskał w kominku, gdy pogrążona w lekturze z apetytem zajadała zupę warzywną. Kojąco działał na nią szum głosów, mówiących po irlandzku, amerykańsku, niemiecku i chyba szwedzku. Zamówiła rybę z frytkami i, ponieważ to był jej pierwszy wieczór, kieliszek szampana.

Ognistoruda kelnerka dolała jej wody i obdarzyła Ionę olśniewającym uśmiechem.

– Smakuje pani jedzenie?

– Jest przepyszne. – Iona objęła się ramionami, uśmiechając się równie promiennie. – Wszystko tu jest cudowne.

– Czy to pani pierwsza wizyta w Ashford?

– Tak. Zamek jest niesamowity. Czuję się jak we śnie.

– Podobno jutro ma być lepsza pogoda, jeśli chce pani rozejrzeć się po okolicy.

– Chciałabym. – Czy powinna wynająć samochód? Zmierzyć się z tutejszymi drogami? Może na razie wystarczy spacer do wioski. – Właściwie już dziś byłam na przechadzce w lesie.

– W taką ulewę?

– Nie mogłam się oprzeć. Chciałam się spotkać z kuzynką. Mieszka niedaleko.

– Doprawdy? Miło podczas wakacji odwiedzić rodzinę. Czy mogę spytać, jak się nazywa kuzynka?

– Jest ich dwoje, choć dziś poznałam tylko Brannę. Brannę O'Dwyer.

Dziewczyna nadal uśmiechała się szeroko, ale w jej oczach zabłysło szczere zainteresowanie.

– Jest pani kuzynką O'Dwyerów?

– Tak. Zna ich pani?

– Wszyscy znają Brannę i Connora O'Dwyerów. On jest sokolnikiem. Można sobie zarezerwować w jego szkółce spacer z sokołami. A Branna… ma sklep w Cong. Robi mydła, balsamy, toniki i tym podobne rzeczy. Sklep nazywa się Czarownica z Ciemności, to taka miejscowa legenda.

– Widziałam dziś jej pracownię. Muszę zobaczyć ten sklep i szkółkę.

– Do obu miejsc można się wybrać na spacer. Już nie przeszkadzam i życzę smacznego.

Kelnerka odeszła, ale Iona zauważyła, że dziewczyna przystanęła przy koledze, zamienili kilka słów, po czym oboje spojrzeli w jej stronę. A zatem O'Dwyerowie byli lokalną sensacją. I nic dziwnego, jednak czuła się nieswojo, kiedy tak sobie siedziała i jadła rybę z frytkami, będąc tematem rozmów i domysłów tutejszych ludzi.

Czy oni wszyscy wiedzieli, że Branna nie tylko ma sklep o nazwie Czarownica z Ciemności, lecz także sama jest czarownicą?

Tak jak ja, pomyślała Iona. Teraz tylko muszę się dowiedzićć, co to oznacza. Zdeterminowana, by jak najszybciej wszystko to zrozumieć, otworzyła następną książkę i nie oderwała się od niej aż do końca posiłku.

Deszcz zelżał, ale wiatr dmuchał nadal, wróciła więc prosto do głównego budynku, chociaż miała ochotę na spacer nad rzeką Cong.

Gdy przecinała hol, personel witał ją licznymi „dobry wieczór" i „witamy z powrotem". Zaciekawiona wzięła ze stojaka ulotki na temat szkółki sokołów i stadniny, a potem – co tam, w końcu była na swego rodzaju wakacjach – zamówiła herbatę do pokoju.

Kiedy zamknęła za sobą drzwi, zmusiła się do odłożenia na bok folderów i książek i nakazała sobie, by wreszcie skończyć rozpakowywanie.

Mimo brutalnych czystek w garderobie i sprzedania wszystkiego, co wydawało się zbędne, nadal miała mnóstwo ubrań. I przywiozła wszystkie, które uznała za potrzebne na nowej drodze życia.

Akurat kiedy wypełniła szafę i szuflady i spakowała z powrotem rzeczy, które mogły poczekać, przyniesiono herbatę i talerz smakowicie wyglądających ciastek. Usatysfakcjonowana wykonaniem niewdzięcznej pracy Iona przebrała się w spodnie od piżamy, ułożyła wysoko poduszki i siedząc w łóżku, napisała e-mail do babci, by ją zawiadomić, że dojechała bezpiecznie i spotkała się już z Branną.

Irlandia jest dokładnie taka, jak mówiłaś, i jeszcze piękniejsza, nawet ten skrawek, który dziś widziałam. I Branna też. To takie miłe z jej strony, że zaprosiła mnie do siebie. Zamek jest po prostu fantastyczny i zamierzam cieszyć się każdą spędzoną tu minutą, ale już nie mogę się doczekać, kiedy wprowadzę się do Branny i Connora. Mam nadzieję, że wkrótce go poznam. Jeśli dostanę pracę w stadninie, wszystko ułoży się wprost idealnie, więc posyłaj mi dobre myśli.

Babciu, siedzę w cudownym starym łóżku w zamku w Irlandii, piję herbatę i myślę o tym wszystkim, co się wydarzy. Wiem, mówiłaś, że ta droga może się okazać wyboista, a Branna też nie pozostawiła co do tego wątpliwości. Ale jestem taka przejęta, taka szczęśliwa.

Chyba w końcu znalazłam miejsce, do którego pasuję.

Jutro obejrzę stadninę, szkółkę sokołów, wioskę i sklep Branny. Dam Ci znać, jak mi poszło. Kocham cię!

Iona

Wysłała obowiązkowe mejle do matki i ojca, kilka wesołych wiadomości do przyjaciół i kolegów z pracy. Upomniała samą siebie, żeby zrobić kilka zdjęć i wysłać im następnym razem.

Potem odłożyła notebook na bok, wzięła książki i foldery. Przykryła się kołdrą i ułożyła wygodnie na poduszkach.

Błogo szczęśliwa przeglądała ulotki, oglądała uważnie zdjęcia. Szkółka wydała jej się absolutnie fascynująca, a stadnina idealna. Jednym z ulubionych ostrzeżeń matki było: „Nie rób sobie zbyt wielkich nadziei". Ale Iona robiła sobie ogromne nadzieje.

Wsunęła ulotkę stadniny pod poduszkę na szczęście, po czym otworzyła książkę Branny.

Nie minęło nawet dwadzieścia minut, a znów spała jak suseł, przy zapalonym świetle, a taca z herbatą nadal stała na łóżku.

Tym razem Iona śniła o sokołach i koniach, o czarnym psic. O głębokim, zielonym lesie, w którym stała kamienna chata, spowita mgłą.

We śnie zeskoczyła z szarego jak mgła konia i ruszyła przed siebie, otulona peleryną, której kaptur zakrywał jej włosy. Niosła róże, jako znak miłości, do kamienia, gładko wypolerowanego i rzeźbionego przez magię i żałobę. Położyła na nim kwiaty, białe jak niewinność, którą straciła.

– Jestem w domu, matko. Wróciliśmy. – Ocierając łzy z policzków, przesunęła palcami po napisie:

SORCHA
Czarownica z Ciemności

A wtedy słowa, wyryte w kamieniu, zaczęły krwawić.
Czekam na ciebie.

To nie był głos jej matki, lecz jego. Po wszystkim, co zrobili, co poświęcili, on nadal żył.

Wiedziała o tym. Wszyscy troje wiedzieli. I czyż nie przyjechała tutaj, żeby się z nim spotkać, a nie tylko odwiedzić grób matki?

– Jeszcze poczekasz. Będziesz czekał dzień, noc, tysiąc lat, ale nigdy nie dostaniesz tego, czego pragniesz.

Przybywasz sama, w świetle gwiazd. Szukasz miłości. Ja ci ją dam.

– Nie jestem sama. – Iona obróciła się gwałtownie. Kaptur opadł i jej jasne włosy zalśniły w blasku księżyca.

– Nigdy nie jestem sama.

Mgła zaczęła wirować, unosić się, falować, aż uformowała się w postać mężczyzny. A raczej tego, co kiedyś było mężczyzną.

Spotkała go już wcześniej, w dzieciństwie. Teraz jednak miała coś więcej niż tylko kamienie.

Taka ślicznotka. Dojrzała kobieta, aż prosi się o zerwanie. Nadal rzucasz kamyczkami?

Nie odrywała spojrzenia od oczu swego rozmówcy, ale widziała, jak czerwony kamień na jego szyi zaczyna lśnić.

– Mam równie doskonałe wyczucie celu jak zawsze.

Roześmiał się i przysunął bliżej. Poczuła jego zapach, zmieszany z wonią siarki. Tylko układ z diabłem mógł dać mu moc do dalszej egzystencji.

Twoja matka odeszła, już nie możesz się schować za jej spódnicami. Ja ją pokonałem, odebrałem jej życie, własnymi rękami zabrałem jej moc.

– Kłamiesz. Myślisz, że my nie widzimy? Że nie wiemy?

– Amulet pulsował czerwienią. Jego serce, pomyślała. Epicentrum, źródło jego mocy. Musi mu go odebrać, za wszelką cenę. – Ona spaliła cię pocałunkiem. A ja cię naznaczyłam. Nadal nosisz mój znak.

Uniosła dłonie i rozczapierzyła palce, aż stygmat na jego ramieniu zapłonął jak ogień.

Gdy wrzasnął, skoczyła do przodu, chcąc pochwycić klejnot, który miał zawieszony na piersi. Jednak posiadacz amuletu się wywinął, a jego palce przeistoczyły się w pazury, które wbił jej w dłoń.

Bądź przeklęta, ty i wszyscy z twojej krwi! Zmiażdżę cię jedną pięścią, wycisnę wszystko, czym jesteś, do srebrnej filiżanki. I wypiję.

– Moja krew pośle cię do piekła. – Wyciągnęła krwawiącą dłoń i cisnęła nią moc.

Niestety, mgła opadła i cios trafił w powietrze. Czerwony kamień pulsował jeszcze chwilę, po czym zniknął.

– Moja krew pośle cię do piekła – powtórzyła.

We śnie wydawało się, że napastnik patrzy na Ionę, wpatruje się w jej oczy. W jej duszę.

– To nie dla mnie nadchodzi kres, nie w tym czasie ani nie w tym miejscu, lecz dla ciebie, w twoim miejscu i czasie. Pamiętaj.

Przyciskając do siebie zranioną dłoń, zawołała konia i wsiadła. Odwróciła się jeszcze, by spojrzeć na kamień, kwiaty i dom, który kiedyś tu miała.

– Przysięgam na swoją miłość, że nie spoczniemy, choćby to miało trwać i tysiąc lat. – Położyła dłoń na lekko wypukłym brzuchu. – Następne pokolenie już nadchodzi.

Odjechała przez las, do zamku, gdzie czekała na nią rodzina.

Iona obudziła się, cała drżąc. Jej prawą dłoń przeszywał ból, sięgnęła więc lewą do lampki i w jej świetle zobaczyła świeże rany, strużki krwi. Krzyknęła zszokowana, wyskoczyła z łóżka i popędziła do łazienki, gdzie złapała ręcznik.

Jednak zanim zdążyła opatrzyć ranę, ta zaczęła się zmieniać. Iona patrzyła z fascynacją i przerażeniem, jak nacięcia się zasklepiają, krew wysycha i znika, a razem z nią ból. Po kilku sekundach dłoń wyglądała na nietkniętą.

Sen, a jednak nie sen, pomyślała. Wizja? W której była jednocześnie obserwatorem i uczestnikiem.

Ona czuła ten ból – a także wściekłość i smutek. Czuła moc, większą niż kiedykolwiek doświadczyła, niż wiedziała, że istnieje.

Moc Teagan?

Uniosła wzrok i przyglądając się swojemu odbiciu w lustrze, przywołała obrazy ze snu. Ale to była jej twarz... czyż nie? Jej sylwetka, jej ruchy.

Tylko nie jej głos, uprzytomniła sobie. Nawet nie jej język, choć rozumiała każde słowo. Staroceltycki, uznała.

Musiała dowiedzieć się więcej, więcej nauczyć. Znaleźć sposób, aby zrozumieć, jak wydarzenia sprzed setek lat mogły ją wciągnąć z taką siłą, że poczuła prawdziwy ból.

Pochyliła się nad zlewem, ochlapała twarz wodą i zerknęła na zegarek. Dochodziła czwarta rano, ale ona na pewno już nie zaśnie. Jej zegar biologiczny w końcu się dostosuje, ale na razie równie dobrze mogła go posłuchać i poczytać do świtu.

Wróciła do sypialni i zdjęła z łóżka tacę, z którą niechcący spała. Pod nią, na śnieżnobiałym prześcieradle, zobaczyła trzy czerwone krople. Krople krwi. Jej krwi.

Jaka moc potrafiła wciągnąć ją w sen i sprawić, że krwawiła z rany zadanej jej przodkini?

Iona zostawiła tacę tam, gdzie była, i usiadła na skraju łóżka. Przesunęła palcami po gardle.

A gdyby jego pazury trafiły tutaj, przecięły jej żyłę? Czy wtedy by umarła? Czy sny mogą zabijać?

Nie, nie chciała czytać książek. Potrzebowała odpowiedzi i wiedziała, kto mógł jej ich udzielić.

O szóstej, pobudzona kawą, minęła fontanny, kwiaty, a także zielone trawniki i skierowała się do lasu. Jednak tym razem miękkie, jasne światło sączyło się przez gałęzie na wąską ścieżkę i Iona dostrzegła drogowskazy wskazujące szkółkę sokołów i stadninę.

Później, obiecała sobie, odwiedzi oba miejsca, a na deser zafunduje sobie wycieczkę nad rzekę. Nie da się spławić stertą książek i kilkoma magicznymi sztuczkami.

Sen był w jej umyśle nadal tak żywy, że przyłapywała się na patrzeniu na dłoń w poszukiwaniu śladów pazurów.

Długi, wysoki dźwięk sprawił, że uniosła głowę do góry, poszukując jego źródła. Po bladobłękitnym niebie szybował sokół. Piękny, złotobrązowy ptak zatoczył kilka kół, po czym zanurkował. Iona mogłaby przysiąc, że słyszała szum skrzydeł, gdy tańczył wśród drzew i wylądował na gałęzi nad jej głową.

– Och mój Boże, co za widok! Jesteś po prostu wspaniały.

Patrzył spokojnie na nią z góry złotymi oczami, skrzydła złożył z królewską godnością. Iona zastanawiała się chwilę, czy koronę zostawił w domu.

Powoli wyciągnęła z kieszeni telefon i wstrzymując oddech, włączyła aparat fotograficzny.

– Mam nadzieję, że nie masz nic przeciwko temu. Niecodziennie spotyka się na spacerze sokoła. Albo jastrzębia. Nie jestem pewna, kim dokładnie jesteś. Pozwól tylko... – Wycelowała obiektyw, zrobiła zdjęcie, potem drugie. – Polujesz czy to twoja wersja porannego spaceru? Pewnie jesteś ze szkółki, ale...

Przerwała, ponieważ sokół odwrócił głowę. Wydawało jej się, że też znów usłyszała ten dźwięk, cichy gwizd. Ptak uniósł się z gałęzi, zatoczył koło i zniknął między drzewami.

– Koniecznie pójdę na spacer z sokołami – powiedziała Iona głośno, obejrzała zdjęcia, schowała telefon i ruszyła dalej.

Kiedy dotarła do przewróconego drzewa i plątaniny winorośli, znowu poczuła silne przyciąganie, lecz tym razem je zignorowała. Nie teraz, nie dziś, kiedy emocje wywołane przez sen czaiły się zaraz pod powierzchnią.

Najpierw chciała poznać odpowiedzi.

Pies czekał na skraju lasu, jakby jej się spodziewał. Na powitanie zamerdał ogonem, dał się pogłaskać po łbie.

– Dzień dobry. Miło wiedzieć, że nie tylko ja zerwałam się o świcie. Mam nadzieję, że Branna się na mnie nie wkurzy za to poranne najście, ale naprawdę muszę z nią porozmawiać.

Kathel poprowadził ją do błękitnego domku, prosto pod jaskrawoczerwone drzwi.

– No dobrze. – Iona zastukała kołatką w kształcie triquetry*, zastanawiając się, jak najlepiej zacząć rozmowę z kuzynką.

Jednak w drzwiach stanął ktoś, kogo jeszcze nie widziała. To musiał być jej kuzyn, brat Branny.

---

* Triquetra – symbol składający się z trzech zapętlonych półkoli, obrazujący zasadę „Cokolwiek zrobisz, wróci do ciebie z potrójną siłą".

82

Wyglądał jak trochę wymięty i zaspany książę-wojownik, z tą lśniącą masą falowanych, brązowych włosów, okalających twarz o równie rasowych kościach policzkowych jak u siostry. Mrugając, patrzył na nią oczami zielonymi niczym wzgórza.

Stał w progu, wysoki i smukły, ubrany w szare spodnie z flaneli i biały sweter.

– Przepraszam… – zaczęła Iona i natychmiast pomyślała, że to słowo staje się jej odruchem w tym domu.

– Dzień dobry. Ty musisz być kuzynką Ioną ze Stanów.

– Tak, ja…

– Witaj w domu.

Nagle znalazła się w jego mocnym uścisku. Uniósł ją tak wysoko, że czubkami stóp ledwo dotykała ziemi. Ten spontaniczny odruch sprawił, że oczy zaczęły ją szczypać, a zdenerwowanie znikło.

– Ja jestem Connor, jakbyś chciała wiedzieć. Kathel cię znalazł i przyprowadził?

– Nie, to znaczy tak. Spotkałam go po drodze.

– W takim razie wchodź szybko, zima nie odpuszcza.

– Dzięki. Wiem, że jest wcześnie.

– To prawda. Widocznie ten dzień miał się tak zacząć.

– Gestem równie niewymuszonym, jak zadziwiającym, machnął ręką w kierunku kominka w salonie. Z kupki torfu wystrzelił ogień. – Zjemy śniadanie – ciągnął – a potem opowiesz mi wszystko o Ionie Sheehan.

– To nie będzie długa historia.

– Och, założę się, że masz mnóstwo do opowiedzenia.

– Wziął ją za rękę i pociągnął w głąb domu.

Iona zdołała dostrzec po drodze tylko kolory, nieład i światło, poczuła zapach wanilii i dymu. Dom okazał się większy, niż się spodziewała.

Stanęli w kuchni z imponującym kamiennym paleniskiem, długimi blatami w kolorze łupków i ścianami błękitnymi jak tafla jeziora. W doniczkach na parapetach kwitły zioła, nad kuchenną wyspą zwisały miedziane garnki. Za szybami ciemnoszarych szafek lśniło kolorowe szkło i talerze. We wnęce między oknami stał piękny, stary stół z czarująco niedopasowanymi krzesłami.

Zestawienie wystroju wiejskiej kuchni ze współczesną efektywnością białych sprzętów działało jak magia.

– Ta kuchnia jest cudowna. Jak zdjęcie z ekskluzywnego magazynu.

– Tak myślisz? Cóż, to jeden z bardzo konkretnych projektów Branny. – Przechylił głowę i posłał Ionie czarujący uśmiech. – Umiesz gotować?

– Ach… tak jakby. To znaczy umiem, ale nie lubię.

– Wielka szkoda. W takim razie ja mam dyżur. Napijesz się kawy czy herbaty?

– Poproszę kawę. Nie musisz nic gotować.

– Muszę, jeśli chcę jeść, a chcę. Zwykle to Branna stoi przy garnkach, a ja na zmywaku, ale potrafię sobie poradzić ze śniadaniem.

Mówiąc to, dotknął kilku przycisków onieśmielająco wyglądającego ekspresu do kawy, wyjął z lodówki koszyk jajek, masło i bekon.

– Zdejmij płaszcz i czuj się jak u siebie w domu – zaprosił Ionę. – Branna mówiła, że będziesz mieszkała przez kilka dni w Ashford, zanim się tu wprowadzisz. Jak ci się podoba zamek?

– Jest jak ze snu. Wczoraj większość dnia przespałam, więc najwidoczniej dzisiaj nadrabiam. Nie masz nic przeciwko temu, że się do was wprowadzę?

– A dlaczego miałbym mieć? Będziemy się zmieniali przy zmywaniu, więc wyjdę na plus.

Wyjął patelnię i postawił ją na kuchence.

– Tam są kubki, a tam świeża śmietanka i cukier, jeśli chcesz. – Wskazał kierunki, po czym wrzucił bekon na patelnię.

Wszystko w nim, pomyślała Iona, wydawało się równie niewymuszone i zadziwiające jak ten wcześniejszy ruch ręką, od którego zapłonął ogień.

– Słyszałem, że chcesz pracować w stadninie.

– Mam taką nadzieję.

– Branna skontaktowała się z Boyle'em. Będzie dzisiaj z tobą rozmawiał.

– Naprawdę? – Serce Iony aż podskoczyło. – To wspaniale. Fantastycznie. Mnóstwo ludzi sądziło, że musiałam zwariować, żeby tak po prostu zebrać się i przyjechać tu bez żadnego konkretnego planu, bez pracy czy mieszkania.

– A co to za przygoda, jeśli znasz wszystkie kroki, zanim je wykonasz?

– No właśnie! – Uśmiechnęła się szeroko. – A teraz mam rozmowę o pracę i rodzinę, z którą zamieszkam. I dzisiaj widziałam w lesie sokoła. Sfrunął na dół, usiadł na gałęzi i patrzył na mnie. Mam jego zdjęcie.

Wyjęła komórkę, żeby mu pokazać fotografię.

– Pewnie wiesz, jaki to gatunek sokoła czy jastrzębia.

Connor zdjął bekon z patelni i odwrócił głowę, żeby obejrzeć fotografię.

– To sokół Harrisa, towarzyszą nam na spacerach. Ten to Merlin Finna, piękny ptak. Finbara Burke'a – dodał. – Jest współwłaścicielem stadniny razem z Boyle'em i założył w Ashford szkółkę sokolniczą. Ma całkiem spory majątek, ten nasz Fin.

– Czy z nim też będę rozmawiać?

– Raczej zostawi to Boyle'owi. Do kawy poproszę mnóstwo śmietanki i dwie łyżeczki cukru, jeśli można.

– To tak jak ja.

– Dla Branny tylko kapka śmietanki. Możesz zrobić jej kawę, ona już schodzi i naprawdę będzie jej potrzebowała.

– Schodzi? Skąd… och.

Connor tylko się uśmiechnął.

– Rano, zanim wypije kawę, wysyła bardzo silne wibracje. Jak na nią jest trochę wcześnie, więc może gryźć.

Iona złapała kubek i szybko nalała kawy. Akurat dodawała tę kapkę śmietanki, kiedy do kuchni weszła Branna. Ciemne włosy sięgały jej niemal do pasa, spojrzenie miała zamglone i zirytowane.

Wzięła od Iony kubek i wypiła dwa duże łyki, obserwując gościa.

– No dobrze, co się stało?

– Och, nie bądź dla niej niemiła – zganił siostrę Connor. – Iona szła do nas taki kawał. Daj jej najpierw coś zjeść.

– Nie sądzę, żeby przyszła tu na śniadanie. Przypalisz jajka, Connor, jak zawsze.

– Nie przypalę. Pokrój chleb i zrób grzanki, a ona wszystko nam opowie, jak usiądziemy.

– Ona tu stoi – przypomniała im Iona.

– O cholernej szóstej trzydzieści rano – odgryzła się Branna, ale wzięła nóż i zdjęła ściereczkę przykrywającą chleb leżący na blacie.

– Przepraszam, ale…

– Zaczyna tak co drugie zdanie. – Branna pokroiła chleb i włożyła kromki do tostera.

– Jezu, dopij tę kawę, zanim twój podły humor odbierze mi apetyt. Iona, bądź tak dobra i wyjmij talerze – poprosił łagodnie Connor, a jego siostra oparła się o blat i nadąsana wypiła kawę.

Iona bez słowa rozłożyła talerze, a potem, kierując się wskazówkami kuzyna, znalazła sztućce i nakryła do stołu.

Usiadła z nimi do śniadania i patrząc na półmisek wypełniony jajkami i bekonem, a także na koszyk z grzankami, słuchała, jak sprzeczają się o stopień wysmażenia jajek, czyja była teraz kolej na wyprawę do sklepu i dlaczego nikt nie poskładał prania.

– Kłócicie się z powodu mojej niespodziewanej wizyty, ale ja...

– Nie kłócimy się. – Connor nabrał na widelec trochę jajka. – Czy my się kłócimy, Branna?

– Nie, my się komunikujemy. – Jego siostra roześmiała się, odrzuciła swoje wspaniałe włosy i wgryzła się w grzankę. – Gdybyśmy się kłócili, nie tylko jajka byłyby spalone.

– One nie są spalone – upierał się Connor. – Są... dobrze wysmażone.

– Są smaczne.

Słysząc pochwałę Iony, Branna przewróciła oczami.

– Bądź pewna, że lepszy posiłek zjadłabyś w hotelu. Mają fantastycznego szefa kuchni.

– Rano nie myślałam o jedzeniu. Nie mogę tylko czytać książek i szwendać się po okolicy, próbując... Nie wiem, co mam robić, nie znam całej tej historii.

– Już coś zjadła – poinformowała Branna Connora. – A zatem, co się stało?

– Miałam sen, który nie był snem.

Opowiedziała im wszystko, dokładnie opisała każdy szczegół, jaki udało się jej zapamiętać.

– Pokaż mi rękę – przerwała jej Branna. – Tę zranioną.

Ujęła dłoń Iony i przesunęła palcem po grzbiecie. Skóra rozstąpiła się, wypełniła krwią.

– Nie ruszaj się! – warknęła na Ionę, która głośno odetchnęła i chciała wyrwać rękę. – To tylko wspomnienie. Nie poczujesz bólu. To tylko obraz tego, co się wydarzyło.

– To się działo naprawdę. Bolało i piekło. A na prześcieradle zobaczyłam krew.

– Wtedy było naprawdę, teraz to tylko wspomnienie. – Branna jeszcze raz przesunęła palcami po dłoni Iony i rana zniknęła.

– Byłam w ciąży. To znaczy, ona była. W tej wizji czy śnie. On nie wiedział. Nie mógł tego zobaczyć ani wyczuć? Sama nie wiem. – Podenerwowana Iona odgarnęła włosy obiema dłońmi. – Muszę wiedzieć, Branna. Mówiłaś, że powinnam się poważnie zastanowić, ale jak mam to zrobić, skoro nie mam wszystkich informacji?

– Niedługo wszystkiego się dowiesz – uspokoiła ją Branna, a Connor skinął głową. – Jesteś bardziej otwarta, niż przypuszczałam. Dam ci coś, co pozwoli ci filtrować wizje, cofnąć się o krok, powiedzmy. Connor i ja poprowadzimy cię najlepiej, jak będziemy potrafili. Ale nie możemy powiedzieć ci tego, czego sami nie wiemy. Jeśli Teagan wróciła sama do chaty, do lasu, i skonfrontowała się z nim, to ty nam musisz o tym opowiedzieć.

– My znamy tylko fragmenty, a teraz ty dowiedziałaś się czegoś nowego. Oboje cofaliśmy się w czasie, podglądaliśmy trochę i czuliśmy się tak jak ty teraz – wyjaśnił.

– Jednak byliśmy tylko we dwoje – dokończyła Branna.

– A musi być nas trójka.

– Wobec ciebie zachowywał się śmielej, ponieważ tobie łatwiej wyrządzić krzywdę. Ale to się wkrótce zmieni – zapewnił ją Connor.

Sama myśl wydawała jej się absurdalna, ale Iona musiała wypowiedzieć na głos pytanie, które nie dawało jej spokoju.

– Czy on może mnie zabić? Jeśli wrócę tam we śnie, czy on może mnie zamordować?

– Może próbować i najprawdopodobniej to zrobi – powiedziała Branna wprost. – Ale ty go powstrzymasz.

– Jak?

– Swoją wolą i mocą. Za pomocą amuletu, który nosisz i którego nigdy nie wolno ci zdejmować, a także tego, co dostaniesz ode mnie.

Branna przestała przesuwać jajka po talerzu, wzięła kubek z kawą i spojrzała na Ionę.

– Musisz jednak zrozumieć, że jeśli zostaniesz, jeśli twoim przeznaczeniem jest być z nami i być tą, którą jesteś, on po ciebie przyjdzie. Musisz zostać tutaj z własnej woli i z pełną tego świadomością albo odejść i żyć własnym życiem.

To wszystko brzmiało tak nierealnie, ale przecież Iona widziała to we śnie, czuła ten ból.

I znała siłę przyciągania tego, co w niej tkwiło.

Spaliła za sobą wszystkie mosty, by otrzymać szansę na zbudowanie nowych. Bez względu na to, dokąd prowadziły – a już ją przywiodły bliżej tego, czym i kim była, niż którekolwiek z poprzednich.

– Nigdzie nie odejdę.

– Miałaś mało czasu, żeby się zastanowić albo zrozumieć... – zaczęła Branna, ale Iona tylko pokręciła głową.

– Wiem, że nigdzie dotąd nie czułam się tak bardzo na swoim miejscu. I chyba wreszcie rozumiem dlaczego. Ponieważ moje miejsce jest tutaj. Pochodzę od niej, od Teagan. Rozumiem też, że chciała, abym zobaczyła, że tamtej nocy go zraniła i że on się bał. Czy to oznacza... czy to mogłoby oznaczać, że ja też mogę wyrządzić mu krzywdę?

– Jeżeli tu jest twoje miejsce, a sądzę, że tak, to cieszę się, że zostajesz. Ale wstrzymaj konia – ostrzegł ją Connor i poklepał po dłoni. – Dopiero zaczęłaś.

– Doskonale jeżdżę konno i cholernie dobrze trzymam się w siodle. I będę się uczyć. Nauczcie mnie. – Nachyliła się do przodu, coraz bardziej niecierpliwa. – Pokażcie mi.

Branna odchyliła się na krześle.

– Cierpliwość nie jest twoją mocną stroną.

– To zależy. Nie – przyznała Iona. – Nie bardzo.

– Będziesz musiała się w nią uzbroić, ale poczynimy pewne kroki. Małe.

– Opowiedzcie mi o chacie. Oni tam mieszkali i Sorcha w niej umarła. Czy chata nadal tam stoi? Przy ścieżce leży takie przewrócone drzewo, porośnięte dzikim winem i...

– Nie wchodź tam – powiedziała Branna ostro. – Jeszcze nie teraz i nie sama.

– Ona ma rację. Musisz z tym poczekać. Musisz obiecać, że nie będziesz próbowała wejść tam sama. – Connor złapał ją za rękę i Iona poczuła bijący od niego żar. – Musisz dać nam słowo i będę wiedział, czy zamierzasz go dotrzymać.

– Dobrze. Obiecuję. Ale wy mnie tam zaprowadzicie.

– Na pewno nie dzisiaj – ostudziła jej zapał Branna.

– Mam sporo zajęć, Connor musi iść do pracy, a ty na spotkanie z Boyle'em.

– Teraz?

– Jak zjesz śniadanie i pozmywasz, co będzie formą rewanżu za to, że wyciągnęłaś mnie z łóżka o tak nieludzkiej godzinie. Później wróć tutaj. Powinnam być wolna około trzeciej.

– Wrócę. – Uspokojona i znowu pewna siebie Iona wzięła następną grzankę.

Rozdział piąty

Idąc ścieżką, Iona próbowała przećwiczyć w głowie rozmowę rekrutacyjną. Zastanawiała się, co i jak powinna powiedzieć. Miała nadzieję, że jest odpowiednio ubrana. Przecież nie spodziewała się dziś rozmowy o pracę, kiedy wychodziła rano z hotelu w dżinsach i ulubionym czerwonym swetrze. Ale w końcu starała się o posadę w stajni, więc chyba nie musiała mieć kostiumu i aktówki.

I tak nie miała ani jednego, ani drugiego, pomyślała, i nigdy nie chciała mieć.

Miała za to życiorys, rekomendacje od poprzednich pracodawców i referencje pochodzące od uczniów lub ich rodziców.

Pensja nie miała dla niej znaczenia, przynajmniej nie na początku. Musiała tylko wsunąć czubek buta w drzwi. Potem sama pokaże, ile jest warta. I wtedy nie tylko będzie miała pracę, ale też będzie robiła to, co kocha.

Czuła ucisk w żołądku, jak zawsze, kiedy bardzo czegoś chciała, dlatego powtarzała sobie, by nie paplać bez sensu podczas rozmowy z człowiekiem, który mógł ją zatrudnić lub odesłać z kwitkiem.

Lecz gdy tylko wyszła z lasu i zobaczyła zabudowania stadniny, wszelkie obawy zniknęły. Wszystko dookoła było tak znajome, że poczuła się jak w domu. Budynki stajni, z czerwonymi ścianami, nadwerężonymi przez pogodę, dwa końskie łby, wystające nad półdrzwiami zagród, furgonetki i przyczepy stojące na wysypanym żwirem podjeździe.

Zapach siana, koni, nawozu, skóry, oleju i owsa trafił ją prosto w serce, otulił ją, gdy szła, chrzęszcząc podeszwami po żwirze.

Nie mogła się powstrzymać i ruszyła prosto do koni.

Kasztan patrzył spokojnie, jak się zbliżała. Parsknął tylko i przestąpił z nogi na nogę. Iona pogłaskała go po pysku, a koń pochylił łeb i delikatnie trącił ją nosem.

– Mnie także miło ciebie poznać. Ależ jesteś przystojny.

Bystre oczy, czysta, lśniąca sierść, starannie wyczesana grzywa, naturalna swoboda ruchów, wyliczała w myślach. Widok zdrowych, zadbanych zwierząt sprawił, że Boyle McGrath i Finbar Burke natychmiast zyskali u niej kilka punktów.

– Mam nadzieję, że będziemy się często widywali. A kim jest twój kolega? – Odwróciła się do drugiego konia, krępego gniadosza, który ocierał się szyją o okno, jak gdyby absolutnie nie był nią zainteresowany.

Gdy Iona do niego podeszła, położył uszy płasko. Ona jednak przekrzywiła głowę i wysyłała mu uspokajające myśli, dopóki znowu nie podniósł uszu.

– Tak lepiej. Nie musisz się denerwować, przyszłam tylko się przywitać.

Poklepała go lekko.

– Cezar właśnie wyrabia sobie opinię o tobie.

Iona odwróciła się i zobaczyła amazonkę w butach do konnej jazdy. Kształtne ciało kobiety okrywały obcisłe bryczesy i gruba kurtka w szkocką kratę. Włosy, splecione w długi, niedbały warkocz, przywiodły Ionie na myśl kosztowne futro z norek, należące do jej babci – gęste, w luksusowo brązowym kolorze. Choć w głosie kobiety śpiewała Irlandia, złota skóra i głębokie, brązowe oczy nieznajomej przywodziły na myśl słoneczne kraje i cygańskie ogniska.

– Zwykle przy pierwszym spotkaniu zachowuje się dość obcesowo. I niezbyt lubi, żeby go dotykać... na ogół – dodała tamta, gdy Iona nadal głaskała konia.

– Jest po prostu ostrożny wobec nieznajomych. Czy oba są pod siodło?

– Cezara trzymamy dla bardziej doświadczonych jeźdźców, ale tak, oba u nas pracują.

– Mam nadzieję, że ja też będę. Nazywam się Iona Sheehan. Przyszłam na rozmowę z Boyle'em McGrathem.

– Ach, ty musisz być kuzynką Connora i Branny, tą z Ameryki. Meara Quinn. – Podeszła bliżej, mocno uścisnęła dłoń Iony i obrzuciła ją uważnym spojrzeniem. – Wcześnie przyszłaś.

– Jeszcze się nie przyzwyczaiłam do różnicy czasu. Mogę wrócić później, jeśli to nieodpowiednia pora.

– Równie odpowiednia jak każda inna. Boyle'a nie ma, ale zaraz powinien przyjechać. Mogę cię oprowadzić, jeśli chcesz.

– Bardzo chętnie, dzięki. – Iona opanowała zdenerwowanie równie szybko jak Cezar. – Długo tu pracujesz?

– Około ośmiu lat. Właściwie to prawie dziewięć. Ale któż by liczył, prawda?

Poszła przodem, stawiając długie kroki, aż Iona musiała podbiec, żeby ją dogonić. Z boku dostrzegła pomieszczenie pełne toczków, ochraniaczy i butów, z którego wyjrzał smukły, łaciaty koń, obrzucił ją równie taksującym spojrzeniem, jak wcześniej Meara, po czym wyszedł na podwórze.

– A oto Darby zaszczycił nas swoim widokiem. Doskonale się sprawdza na polowaniach, dlatego znosimy jego humory. Zarabia na swoje ziarno i chadza własnymi drogami.

– Wygląda na to, że nieźle się urządził.

Meara uśmiechnęła się szeroko.

– To prawda. A zatem, organizujemy przejażdżki i wycieczki między Lough Corrib i Mask[*]. Na ogół godzinne, ale mogą być dłuższe, jeśli klienci dopłacą. Tutaj mamy arenę do ćwiczeń.

Iona spojrzała na kobietę około trzydziestki, która okrążała arenę na grzbiecie nabitego kasztana w tempie wyznaczanym przez żylastego mężczyznę w dżinsach.

– To nasz Mick. W młodości był dżokejem i jest niewyczerpanym źródłem opowieści z tamtych czasów.

– Chętnie go posłucham.

– Na pewno, jeśli zostaniesz tu dłużej niż pięć minut. – Meara oparła ręce na biodrach i przez chwilę obserwowała Micka. – Zaliczył bardzo niefortunny upadek podczas wyścigu w Roscommon i to był kres jego kariery. Teraz uczy i trenuje, a jego uczniowie zbierają błękitne wstążki.

– Chyba macie szczęście, że do was trafił.

– To prawda. Niedaleko stąd, przy dużej stajni, jest drugi wybieg do trenowania skoków. Oprócz urządzania

* Lough Corrib i Lough Mask – jeziora w Irlandii.

95

wycieczek udzielamy też lekcji jazdy. O tej porze roku mamy trochę mniejszy ruch, ale wciąż jest mnóstwo do zrobienia. W sumie w obu stajniach mamy dwadzieścia dwa konie. A tam jest siodlarnia.

Spojrzała na Ionę.

– Jeździmy w siodłach angielskich, więc jeśli jesteś przyzwyczajona do western, to będziesz musiała się przestawić.

– Jeżdżę na obu.

– To dobrze. Boyle jest bardzo wymagający, jeśli chodzi o porządek w siodlarni – ciągnęła, wskazując Ionie drogę do pomieszczenia. – W stadninie wszyscy robią wszystko. Zajmujemy się sprzętem, przyjmujemy rezerwacje, wynosimy gnój, pielęgnujemy konie, karmimy – przy każdym boksie wisi harmonogram karmienia i dieta dla każdego konia. Jeździłaś kiedyś jako przewodnik?

– Tak, oczywiście.

– W takim razie wiesz, że chodzi o coś więcej niż tylko dreptanie konno z klientami. Musisz ocenić, jak sobie radzą z wierzchowcem i z ekwipunkiem, kto ma ochotę na poznanie lokalnego kolorytu, opowieści o okolicy, historii, nawet o faunie i florze.

– Poduczę się. Właściwie już zaczęłam, lubię wiedzieć, gdzie jestem.

– Trudno się zdecydować, dokąd iść, jeśli nie wiesz, gdzie jesteś.

– W tej kwestii jestem otwarta na niespodzianki.

Ionę otoczyły znajome zapachy skóry i mydła do siodeł. Zapewne w oczach większości ludzi pomieszczenie wyglądało na zagracone bez ładu i składu, ona jednak widziała zasady organizacji sprzętu do codziennego użytku, napraw i pielęgnacji koni.

Na jednej ścianie wisiały uzdy, na drugiej siodła. Trzecią zajmowały wieszaki na uprzęże, haczyki i półki, pełne różnych drobiazgów: poduszek na siodła, ścierek, szczotek, mydeł do siodeł i butelek z olejem. W małej alkowie stały szczotki i widły, leżały zgrzebła i noże do kopyt, na ścianach wisiały wiadra. W rogu Iona dostrzegła starą lodówkę.

– Trzymamy w niej leki – wyjaśniła Meara. – Dzięki temu mamy je pod ręką. Robimy, co w naszej mocy, żeby zachować tu względny porządek, a raz lub dwa razy do roku, kiedy mamy trochę mniejszy ruch, sprzątamy generalnie. Masz swój sprzęt?

– Sprzedałam. – Wciąż ją to bolało. – Zostały mi tylko buty do jazdy, kalosze i toczek. Nie wiedziałam, czy będę miała gdzie to wszystko trzymać i czy w ogóle te rzeczy będą mi potrzebne, przynajmniej na początku. Powinnam mieć własny sprzęt?

– Nie, nie musisz. No dobrze, pewnie chcesz zobaczyć nasze konie. Wszystkie sypiają w dużej stajni, tutaj przyprowadzamy tylko te, na których akurat jeździmy.

Meara stawiała długie kroki, prowadząc Ionę wzdłuż boksów.

– Na późny poranek mamy rezerwację na cztery konie, na popołudnie na dwa, a potem jeszcze na dwa i na sześć. I przez cały dzień lekcje, także dziś mamy pełne ręce roboty.

Przystanęła, żeby pogłaskać po łbie przysadzistego kasztana z białą gwiazdą.

– To Maggie, najsłodsza klacz, jaką można sobie wymarzyć. Doskonała dla dzieci i choleryków. Jest bardzo cierpliwa, ta nasza Maggie, i lubi spokojne życie. Prawda, kochana?

Koń szturchnął Mearę nosem, po czym przekrzywił łeb i spojrzał na Ionę.

– Jaka jesteś śliczna. – Pogłaskana i podrapana za uszami Maggie próbowała wcisnąć pysk do kieszeni Iony, która się roześmiała. – Dzisiaj nie mam, ale następnym razem na pewno przyniosę ci jabłko. Ona... – Urwała, widząc zdziwione spojrzenie Meary. – O co chodzi?

– To dziwne. Magie wyjątkowo lubi jabłka. – Tamta nie kontynuowała tematu, tylko wskazała na następny boks. – A to nasz Jack. Duży chłopak, uwielbia drzemki i najchętniej podczas każdej wycieczki skubałby trawę, gdyby mu na to pozwolić. Wymaga silnej ręki.

– Lubisz pojeść i pospać, co? A kto nie lubi? Założę się, że taki wielki chłop jak ty potrafi udźwignąć ze sto pięćdziesiąt kilo bez mrugnięcia okiem.

– Na pewno. A tu jest Pyra. Młoda i odważna, ale dobrze chodzi.

– Kary. – Iona przesunęła dłonią po czarnej grzywie.

– Ze słabością do ziemniaków. – Znowu dostrzegła to spojrzenie i uśmiechnęła się. – Jej imię. Pyra.

– Przyjmijmy to wytłumaczenie, jeśli chcesz. A oto Królowa Pszczół, ponieważ naprawdę myśli, że nią jest. Przy każdej możliwej okazji rządzi wszystkimi końmi, ale świetnie się na niej jeździ.

– Sama bym chętnie spróbowała. Miała jakieś problemy z przednią prawą nogą?

– Tydzień czy dwa temu naciągnęła mięsień, ale wszystko ładnie się wygoiło. Jeśli powie ci inaczej, to znaczy, że szuka litości.

Nieprzekonana Iona cofnęła się o krok, wcisnęła ręce w kieszenie.

– Nie zacznę się trząść ze strachu tylko dlatego, że ktoś ma łączność duchową z końmi – powiedziała Meara. – Zwłaszcza ktoś, w czyich żyłach płynie krew O'Dwyerów.

– Dobrze się z nimi rozumiem. Z końmi – uściśliła Iona, głaszcząc Królową Pszczół o władczym spojrzeniu. – Mam nadzieję, że z O'Dwyerami też dobrze się porozumiem.

– Connor to luzak ze słabością do ładnych buzi. A ty masz ładną buzię. Branna jest uczciwym człowiekiem i to wystarczy.

– Przyjaźnicie się.

– Tak, odkąd sikaliśmy w pieluchy, dlatego wiem, że Branna, będąc uczciwym człowiekiem, nie podesłałaby nam ciebie, gdybyś nie nadawała się do tej roboty.

– Jestem w tym dobra. Naprawdę znam się na tym.

– Wcale nie była pewna, czy zna się na czymkolwiek innym.

– Nie mam cienia wątpliwości. Znamy się z O'Dwyerami całe życie – dodała Meara, widząc zdumione spojrzenie Iony. – Dlatego wiem, że ta trzecia ma łączność duchową z końmi.

Iona pomyślała o spojrzeniach, jakie posyłali jej kelnerzy podczas kolacji zeszłego wieczoru.

– Czy wszyscy wiedzą?

– A co ludzie wiedzą, w co wierzą, co akceptują? To wszystko są odrębne kwestie, prawda? No dobrze, skoro Boyle się spóźnia, możemy... – Przerwała, gdy rozległ się dźwięk telefonu. Wyjęła komórkę z kieszeni i przeczytała wiadomość. – A, dobrze, już jedzie. Wyjdziemy mu na spotkanie, jeśli nie masz nic przeciwko.

Mój potencjalny szef, pomyślała Iona.

– Jakieś wskazówki?

– Pamiętaj, że Boyle też jest uczciwy, chociaż często zbyt bezpośredni, i łatwo ponosi go temperament.

Meara schowała telefon i wskazała Ionie drogę do wyjścia.

– Przyjedzie na najnowszym nabytku Fina. Fin jest wspólnikiem Boyle'a i dużo podróżuje, lubi kupować konie, jastrzębie czy na co tam jeszcze przyjdzie mu ochota.

– Ale to Boyle, pan McGrath, prowadzi stadninę.

– Właściwie razem ją prowadzą, ale to Boyle zajmuje się codziennymi sprawami. Fin znalazł tego ogiera w Donegal i kazał go tu przysłać, a sam pojechał dalej się włóczyć. Planuje wziąć tego konia na rozpłodowca pod koniec roku, a Boyle jest równie zdeterminowany, żeby nauczyć go manier.

– Fina czy konia?

Meara roześmiała się tubalnie i wyszła ze stajni.

– Dobre pytanie. Być może jednego i drugiego, chociaż stawiam, że lepiej mu pójdzie z koniem niż z Finbarem Burkiem.

Wskazała głową na drogę.

– W każdym razie przystojny z niego sukinsyn o diabelskim temperamencie.

Iona odwróciła się do niej. Nie wiedziała, czy Meara mówiła o koniu, czy o mężczyźnie na jego grzbiecie, ale obaj prezentowali się wspaniale.

Koń, wielki i piękny, miał co najmniej półtora metra w kłębie. Sprawdzał swojego jeźdźca, wierzgał i kopał, i nawet z tej odległości Iona widziała w jego oczach dziki błysk. Chociaż poranek był chłodny, na szarej jak dym sierści wierzchowca lśniły krople potu, a uszy leżały płasko na łbie.

Dosiadający go mężczyzna, równie wielki i piękny, był godnym przeciwnikiem. Iona słyszała jego głos, raczej ton wyzwania niż słowa, kiedy trzymał konia w truchcie.

I na sam dźwięk tego głosu coś w niej zadrżało. Nerwy i podekscytowanie, wyjaśniła samej sobie; w końcu ten mężczyzna trzymał w dłoniach jej szczęście.

Jednak gdy się zbliżali, drżenie przerodziło się w trzepot, który poczuła jednocześnie w sercu i brzuchu, ponieważ, och, ten mężczyzna naprawdę był równie imponujący jak jego koń. I pod każdym względem równie atrakcyjny.

Jego włosy, o barwie ciemnego karmelu, nie brązowe, ale też nie do końca rude, rozwiewał wiatr. Miał na sobie grubą kurtkę, sprane dżinsy i zniszczone buty, a wszystko to doskonale pasowało do surowej twarzy o ostrych rysach. Silnie zarysowana szczęka i usta, które wydawały się świadczyć o równie wielkim uporze jak u konia, na którym jechał, i gwałtownym temperamencie. Widać było, że Boyle McGrath ledwie nad sobą zapanował, kiedy koń znowu wierzgnął.

Lewą brew mężczyzny przecinała cienka blizna przypominająca błyskawicę. Z przyczyn, których Iona nie mogła do końca zrozumieć, ta mała blizna wywołała w niej przyjemny dreszcz pożądania.

Kowboj, pirat, jeździec. Jak on mógł być uosobieniem jej trzech największych fantazji w jednym?

Boyle McGrath. Powtórzyła bezgłośnie jego imię i pomyślała: Możesz przynieść mi kłopoty, a ja uwielbiam wpadać w tarapaty.

– Oho, zdaje się, że nasz Boyle ma dziś niezły humorek. Cóż, musisz się do tego przyzwyczaić, jeśli masz tu pracować, bo, Bóg mi świadkiem, jego humory to temat na odrębną opowieść.

Meara postąpiła krok naprzód, podniosła głos.

– Daje ci w kość, co?

– Próbował mnie ugryźć. Dwa razy. Sukinsyn jeden! Jak jeszcze raz spróbuje, to sam go wykastruję cholernym nożem do masła.

Boyle ściągnął wodze, a koń zatrząsł się i zatańczył, próbując się cofnąć.

Wielkie dłonie z bliznami na kłykciach osadziły go w miejscu.

– Chyba zamorduję Fina za niego.

Koń znowu spróbował się cofnąć, jakby rzucał jeźdźcy wyzwanie. Instynktownie Iona podeszła do zwierzęcia, złapała za uzdę.

– Nie podchodź – warknął Boyle. – On gryzie.

– Już bywałam gryziona. – Mówiła do konia, patrząc mu prosto w oczy. – Jednak wolałabym nie powtarzać tego doświadczenia, dlatego przestań. Jesteś wspaniały – chwaliła.

– I taki wściekły. Ale równie dobrze możesz się uspokoić i zobaczyć, co będzie dalej.

Zerknęła na Boyle'a. On nie gryzł, ale podejrzewała, że miał swoje sposoby, aby uszkodzić wroga.

– Założę się, że ty też byłbyś rozdrażniony, gdyby cię zapakowali do furgonetki, wywieźli z dala od domu, a potem zostawili z bandą obcych ludzi.

– Rozdrażniony? Nie dalej jak dziś rano kopnął pomocnika stajennego i ugryzł koniuszego.

– Przestań – powtórzyła Iona, gdy koń usiłował wyswobodzić łeb. – Nikt nie lubi terrorystów. – Wolną dłonią pogłaskała go po szyi. – Nawet takich pięknych jak ty. Jest wściekły, to wszystko, i bardzo się stara, żebyśmy wszyscy o tym wiedzieli – wyjaśniła Boyle'owi.

– Och, to wszystko? W takim razie nic się nie stało. – Zsiadł i skrócił wodze. – Ty pewnie jesteś tą kuzynką z Ameryki, którą miała przysłać Branna.

– Nazywam się Iona Sheehan. Pewnie zjawiłam się w równie nieodpowiednim momencie jak ten ogier. Ale znam się na koniach, a temu bardzo się nie podoba, że zabrano go od wszystkiego, co znał. Tutaj wszystko jest inne. Wiem, jakie to uczucie – zapewniła konia. – Jak on się nazywa?

– Fin nazywa go Alastar.

– Alastar. Zadomowisz się tu. – Puściła ogiera, a ten zastrzygł uszami. Ale jeśli miał zamiar ją podgryźć, to zmienił zdanie i odwrócił wzrok.

– Przyniosłam swój życiorys – zaczęła Iona. Interesy, interesy, upominała się w myślach. I trzymaj się z dala od kłopotów. Wyjęła pendrive'a, którego rano schowała do kieszeni. – Jeżdżę konno, odkąd skończyłam trzy lata, pracowałam z końmi – czyściłam je, sprzątałam stajnie, prowadziłam wycieczki konne. Byłam instruktorką, udzielałam lekcji indywidualnych i grupowych. Znam się na koniach – powtórzyła. – I będę robiła wszystko, co mi każecie, w zamian za szansę pracy tutaj.

– Pokazałam jej stajnię – dodała Meara i wzięła od Iony pendrive'a. – Położę go na twoim biurku.

Boyle trzymał mocno wodze i patrzył wprost na Ionę oczami koloru polerowanego złota, przetykanego zielenią.

– Życiorys to tylko słowa na papierze, prawda? Mogę dać ci pracę przy wynoszeniu gnoju. Zobaczymy, jak zachowujesz się przy koniach, zanim pozwolę ci je czyścić. Ale gnoju jest tu zawsze w bród.

Czubek buta w drzwiach, przypomniała samej sobie Iona.

– W takim razie będę wynosić gnój i sprzątać.

– Więcej zarobiłabyś w zamku jako kelnerka, pokojówka czy recepcjonistka.

– Nie zależy mi na większych zarobkach. Chcę robić to, co kocham i do czego jestem stworzona. Nie mam nic przeciwko wynoszeniu gnoju.

– W takim razie Meara wszystko ci pokaże. – Wziął od niej pendrive'a i schował go do kieszeni. – Zajmę się formalnościami, jak tylko zamelduję tego ancymona.

– Chcesz zaprowadzić go do boksu?

– Raczej nie zamierzałem meldować go w hotelu.

– On by chciał… Może przydałoby mu się jeszcze trochę ruchu? Akurat się rozgrzał.

Boyle uniósł brwi, przyciągając wzrok Iony do tej seksownej, z blizną.

– Rano walczyłem z nim przez prawie godzinę.

– On jest przyzwyczajony do bycia samcem alfa, prawda, Alastarze? A ty jesteś dla niego wyzwaniem. Powiedziałeś, że życiorys to tylko słowa na papierze. Pozwól mi je udowodnić. Mogę przegonić go po padoku.

– A ile ty ważysz? Sto funtów*, i to przemoczonych do szpiku kości?

---

* Sto funtów brytyjskich to około 45 kg.

104

On daje ci pracę, upomniała samą siebie Iona. I w porównaniu z nim – nawet w porównaniu z Mearą – ona zapewne wygląda na małą i słabą.

– Nie wiem, ile to sto funtów, ale jestem silna i mam doświadczenie.

– Najpierw wyrwie ci ramiona ze stawów, a potem strząśnie cię z grzbietu jak kroplę wody.

– Nie sądzę. Ale jeśli to zrobi, będziesz miał rację. – Spojrzała znowu na konia. – Pomyśl o tym – powiedziała do Alastara.

Boyle zastanowił się. Ta śliczna mała księżniczka elfów chciała coś udowodnić, więc da jej szansę. Sama będzie sobie robiła okłady na stłuczony tyłek – albo głowę, zależy, czym rąbnie o ziemię.

– Jedna runda dookoła areny. W środku – dodał, wskazując budynek. – O ile uda ci się utrzymać na nim tak długo. Meara, przynieś jej kask, dobrze? Może ocali jej czaszkę, kiedy dziewczyna na niej wyląduje.

– Widzę, że nie tylko koń jest wściekły. – Pewna siebie Iona posłała Boyle'owi uśmiech. – Muszę skrócić strzemiona.

– W środku – powtórzył i poprowadził konia przodem. – Mam nadzieję, że umiesz spadać.

– Umiem. Ale ta umiejętność nie będzie mi potrzebna.

Szybko, fachowo skróciła strzemiona. Wiedziała, że Boyle ją obserwuje, i bardzo się z tego cieszyła. Zadowoliłaby się pracą, która polegałaby jedynie na sprzątaniu boksów i wynoszeniu gnoju i jeszcze byłaby wdzięczna.

Jednak, Boże, tak bardzo pragnęła znowu dosiąść konia. I wyjątkowo chciała przejechać się akurat na tym, mieć go pod sobą, czuć jego siłę.

– Dzięki. – Zapięła kask, który podała jej Meara, a ponieważ kobieta przyniosła jej także podnóżek, Iona skorzystała z niego przy wsiadaniu.

Alastar zadrżał. Iona zacisnęła kolana i wyciągnęła dłoń po wodze.

Jednak Boyle'a naszły wątpliwości – widziała to w jego złotych oczach.

– Branna mnie nie pochwali, jeśli wylądujesz w szpitalu.

– Przecież nie boisz się Branny.

Wzięła wodze. Może nigdy nie miała pewności, gdzie jest jej miejsce na ziemi, ale zawsze, od pierwszej chwili, czuła się na swoim miejscu, siedząc w siodle.

Pochyliła się i wyszeptała Alastarowi do ucha:

– Nie zrób ze mnie idiotki, dobrze? Pokaż, na co cię stać, i utrzyjmy mu nosa.

Koń zrobił posłusznie cztery kroki, po czym wierzgnął tylnymi nogami, opadł na cztery i stanął dęba.

– Przestań. Zagramy w tę grę innym razem.

Zrobiła z nim jedno koło, przełożyła wodze, przeszła kolejne w drugą stronę, znowu przełożyła i skłoniła ogiera do truchtu.

Kiedy koń szarpnął się w bok i znowu spróbował wierzgnąć, Iona się roześmiała.

– Może nie ważę tyle, ile tamten wielkolud, ale mocno trzymam się w siodle.

Wprowadziła Alastara w równy galop – Boże, ależ ten koń miał piękne linie – a potem wróciła do truchtu.

I poczuła, że żyje.

– Ona ma coś więcej niż słowa na papierze – mruknęła Meara.

– Może tak. Dobrze się trzyma w siodle, pracuje rękami... i z jakiegoś powodu ten diabeł wydaje się ją lubić.

Pomyślał, że ta dziewczyna wygląda, jakby urodziła się na koniu, jakby mogła galopować przez wiatr i lasy, po prostu frunąć ponad wzgórzami.

I natychmiast rozzłościł się na siebie, zirytowany własnymi niedorzecznymi myślami.

– Możesz ją z sobą zabrać, tylko nie na tym diable, i zobaczyć, jak sobie radzi w terenie.

– On będzie dobrym rozpłodowcem, Fin miał co do tego rację.

– Fin rzadko się myli. Ale jak już popełni błąd, to katastrofalny w skutkach. Tak czy inaczej, ona się nada. Dopóki się nie okaże, że jednak się nie nadaje. Niech zaprowadzi Alastara na padok. Zobaczymy, czy on tam zostanie.

– A ty?

– Przejrzę jej papiery.

– Kiedy ma zacząć?

Boyle patrzył, jak Iona zmusza ogiera do zgrabnych susów.

– Wydaje mi się, że już zaczęła.

Iona nie dotarła do wioski. Jej plany uległy zmianie w najlepszy możliwy sposób, ponieważ resztę poranka spędziła, sprzątając stajnie i czyszcząc konie, podpisując dokumenty i ucząc się od Meary podstawowych zasad i rytmu pracy.

A co najlepsze, załapała się na przejażdżkę z gośćmi hotelowymi. Co prawda jechali nieśpiesznie, a nawet leniwie, ale przecież siedziała na koniu, i to na pogodnej Pyrze. Starała się zapamiętać charakterystyczne punkty terenu, gdy ruszyli powoli przez gęsty, zielony las, przy akompaniamencie ciemnego pomruku rzeki.

Stara szopa, pokryta bliznami sosna, rumowisko skalne.

Słuchała śpiewnego głosu Meary, która zabawiała rozmową turystów, parę z Niemiec na krótkich wakacjach, wsłuchiwała się w mieszaninę akcentów.

Oto ona, Iona Sheehan, jedzie konno po lesie hrabstwa Mayo (ma pracę!), słuchając rozmowy po niemiecku i irlandzku, czując na policzkach chłodny, wilgotny powiew, i obserwuje kapryśne promienie słońca, przebijające się przcz gałęzie i chmury.

Ona tu jest. To prawda. I nagle z absolutną pewnością zdała sobie sprawę, że już nigdy nie wróci do Stanów.

Od dzisiejszego dnia, pomyślała, tu jest jej dom. Dom, który stworzy sama, dla siebie. To jej życie i przeżyje je tak, jak będzie chciała.

Jeśli to nie jest magia, to co nią jest?

Usłyszała inne głosy i donośny śmiech tak serdeczny, że sama musiała się uśmiechnąć.

– To na pewno Connor – powiedziała Meara. – Na spacerze z sokołami.

Kiedy wyjechali zza zakrętu, Iona zobaczyła go na ścieżce, jak stał z jakąś parą. Na okrytej rękawiczką dłoni kobiety siedział jastrząb, mężczyzna robił zdjęcia.

– Och, to niesamowite! – Zdumiewające, pomyślała Iona. I trochę jakby z innej epoki. – Czyż to nie wspaniałe?

– Otto i ja zrobiliśmy sobie rezerwację na jutro – powiedziała Niemka. – Już nie mogę się doczekać.

– Będziecie się doskonale bawić. Ja też muszę spróbować. To mój kuzyn – dodała Iona, bezwstydnie dumna.

– Ten sokolnik.

– Bardzo przystojny. Masz kuzyna, ale nie byłaś na spacerze z sokołem?

– Dopiero wczoraj tu przyjechałam. – Uśmiechnęła się promiennie, gdy Connor uniósł dłoń i mrugnął łobuzersko do niej albo do Meary – a prawdopodobnie do nich obydwu.

– Ptak, którego tam widzicie, to sokół Harrisa – wyjaśniła Meara. – Skoro umówiliście się jutro na spacer, powinniście zarezerwować trochę czasu, żeby obejrzeć szkółkę. Założę się, że spacer z sokołami będzie jedną z największych atrakcji waszego pobytu w Ashford, a da wam więcej satysfakcji, jeśli zobaczycie inne sokoły i jastrzębie i trochę się o nich dowiecie.

Sokół rozprostował skrzydła i podfrunął na gałąź. Stojący na ścieżce ustąpili miejsca jeźdźcom.

– Miłego dnia, Connor – powiedziała Meara, gdy go mijała.

– I tobie też. Pierwsza przejażdżka, kuzynko?

– Pracuję.

– To doskonale. Możesz mi później postawić piwo, żeby to uczcić.

– Jesteśmy umówieni.

A teraz jeszcze pójdzie z kuzynem na piwo po pracy. To naprawdę *była* magia.

– Przepraszam. Mój angielski nie jest zbyt dobry.

– Jest doskonały – zapewniła Iona, odwracając się do Niemki.

– To twój kuzyn. Ale ty nie jesteś Irlandką.

– Jestem Amerykanką o irlandzkich korzeniach. Dopiero co tutaj się przeprowadziłam. Dosłownie.

– Przyjechałaś tylko wczoraj? Nigdy wcześniej?

– Nie, nigdy wcześniej. Na razie zatrzymałam się w zamku.

– Ach, jesteś z wizytą.

– Nie, teraz tu zamieszkam. Przyjechałam wczoraj, dzisiaj dostałam tę pracę, a w przyszłym tygodniu wprowadzam się do kuzynów. To wszystko jest takie cudowne.

– Dopiero co przyjechałaś z Ameryki, żeby tu mieszkać? Myślę, że jesteś bardzo odważna.

– A ja myślę, że raczej mam szczęście. Tu jest pięknie, prawda?

– Bardzo pięknic. My mieszkamy w Berlinie i pracujemy. Tam duży ruch. Tu jest cicho i... bez ruchu. Dobre wakacje.

– Tak. – I jeszcze lepszy dom, pomyślała Iona. Jej dom.

Zanim oczyściła Pyrę, odłożyła na miejsce sprzęt, poznała resztę personelu, to znaczy swoich nowych współpracowników – w tym uśmiechniętego Micka (okazało się, że kelnerka, która obsługiwała Ionę przy kolacji poprzedniego wieczoru, to jego najstarsza córka) – a potem pomogła nakarmić i napoić konie, było już za późno na wycieczkę do Cong czy szkółki sokołów.

Iona podeszła do Meary.

– Tak do końca nie wiem, w jakich godzinach mam pracować.

– No cóż. – Meara wypiła duży łyk pomarańczowej fanty.

– Podejrzewam, że nie miałaś dziś zamiaru przepracować całego dnia. Czujesz się na siłach, żeby przyjść jutro?

– Oczywiście. Absolutnie.

– Moim zdaniem ósma będzie w porządku, ale najlepiej zapytaj Boyle'a, to on układa grafik. Myślę, że możesz już iść, Mick i Patty dokończą tutaj, a ja mam lekcję w dużej stajni.

– Znajdę go i zapytam. Dzięki, Meara, za wszystko.

Ogarnięta radością po całym dniu objęła Mearę ramionami i uściskała.

– Proszę bardzo, chociaż nic nie zrobiłam, właściwie nawet mniej niż zwykle, bo odwaliłaś za mnie większość brudnej roboty.

– I bardzo mi się ta robota podobała. Do zobaczenia jutro.

– Udanego wieczoru i pozdrów Brannę i Connora, jak ich zobaczysz.

Iona zajrzała na arenę, potem do biura, wróciła, obeszła budynki i znalazła Boyle'a na padoku, jak mierzyli się wzrokiem z Alastarem.

– On myśli, że go nie lubisz.

Mężczyzna zerknął na nią przez ramię.

– W takim razie sukinsyn ma intuicję.

– Ależ ty go lubisz. – Iona podciągnęła się na rękach i usiadła na płocie. – Podoba ci się jego wygląd i charakter i zastanawiasz się, jak możesz go okiełznać, nie łamiąc mu przy tym charakteru. – Uśmiechnęła się. – Jesteś jeźdźcem, a nie ma takiego jeźdźca na ziemi, który patrząc na wspaniałego wierzchowca, nie myślałby dokładnie tak, jak powiedziałam. Działacie sobie nawzajem na nerwy, ale to dlatego, że obaj jesteście potężni, atrakcyjni i macie silną wolę.

Boyle rozstawił szerzej stopy i wsunął kciuki w kieszenie.

– I wyciągnęłaś te wszystkie wnioski z tak krótkiego spotkania?

111

– Owszem. – Czysta radość opromieniała ją niczym blask słońca. Pomyślała, że mogłaby siedzieć tak godzinami, w chłodnym, wilgotnym powietrzu, w towarzystwie tego mężczyzny i konia. – Stanowicie dla siebie wyzwanie i darzycie się szacunkiem, ale obaj obmyślacie strategię, co zrobić, żeby jednego z was było na wierzchu.

– To ja będę jeździł na nim, nie na odwrót, więc mamy już pewną wskazówkę.

– Niezupełnie. – Westchnęła, patrząc uważnie na Alastara. – Kiedy byłam mała, marzyłam o takim koniu, wielkim, pięknym ogierze, który należałby tylko do mnie i tylko ja bym na nim jeździła. Pewnie większość dziewczynek przechodzi przez końską fazę, ja po prostu nigdy z niej nie wyrosłam.

– Dobrze jeździsz.

– Dzięki. – Spojrzała na Boyle'a z góry i była zadowolona, że usiadła na płocie, inaczej mogłaby uściskać swojego pracodawcę równie serdecznie jak wcześniej Mearę. – Dzięki temu dostałam pracę.

– To prawda.

Nic nie powiedział, kiedy Alastar podszedł do nich nonszalancko i ignorując go, niemal trącił się nosem z Ioną. Ten koń, pomyślał Boyle, patrzy na tę kobietę, jakby znała wszystkie odpowiedzi.

– Mieliśmy udany dzień, prawda? – Pogłaskała gładki pysk ogiera, przesunęła dłonią po silnej szyi. – Będzie ci tu dobrze. Potrzebujesz tylko trochę czasu, żeby się przyzwyczaić.

Wtedy koń, który nie dalej jak dziś rano pozostawił szramę wielkości ludzkiej pięści na bicepsie własnego koniuszego, cicho westchnął. Podszedł jeszcze bliżej i położył łeb na ramieniu Iony, aby mogła go pogłaskać po długiej szyi.

Będę się troszczyła o ciebie, obiecała mu. A ty będziesz się troszczył o mnie.

– Nie ma wątpliwości, że jesteś jedną z nich – mruknął Boyle. – O'Dwyerka z krwi i kości.

Zajęta koniem Iona rzuciła odruchowo:

– Po babci, ze strony matki.

– To nie jest kwestia stron, tylko krwi i kości. Powinienem był od razu się domyślić, po tym jak sobie poradziłaś z tym tutaj.

Oparł się o płot i obrzucił ją długim, uważnym spojrzeniem.

– Nie jesteś podobna do Branny i Connora, taka mała blondyneczka, ale to kwestia krwi i kości.

Iona znowu straciła pewność siebie.

– Mam nadzieję, że oni też tak sądzą, skoro zaproponowali mi mieszkanie. I skoro Branna pomogła mi dostać tę pracę, dzięki czemu nie muszę przyjąć zajęcia, w którym zapewne w ogóle bym się nie sprawdziła. Tak czy inaczej ja...

– Legenda głosi, że najmłodsza córka Czarownicy z Ciemności rozmawiała z końmi, a one z nią. I nawet jako dziecko umiała jeździć na najbardziej narowistych rumakach bojowych. A gdy nachodziła ją na to ochota, w bezksiężycowe noce fruwała na jednym z nich nad drzewami i wzgórzami.

– Ja... pewnie powinnam poznać lokalne legendy, żeby je opowiadać podczas wycieczek.

– Och, jestem pewien, że akurat tę znasz doskonale. Legendę o Cabhanie, który pragnął Sorchy ze względu na jej urodę i moc. I o jej trójce dzieci, którym przekazała dar swojej magii. Krew i kości – powtórzył.

To, jak na nią patrzył, sprawiło, że Ionie zaschło w gardle. Jakby widział w niej coś, czego ona sama jeszcze do końca nie pojęła. Wyczuwając jej zdenerwowanie, Alastar zadrżał i kładąc uszy, odwrócił łeb w stronę Boyle'a.

To moja wina, uspokoiła go Iona. Jeszcze nie wiem, co mówić, jak reagować.

– Babcia opowiadała mi wiele historii. – Robiła uniki, wiedziała o tym, ale dopóki nie pozna Boyle'a, to najlepsza strategia. – No dobrze, jeśli nie masz dla mnie więcej roboty, chciałabym pójść. Umówiłam się z Branną i już jestem spóźniona. Meara powiedziała, że jutro mam przyjść o ósmej.

– W takim razie do jutra.

– Dziękuję za posadę. – Pogłaskała Alastara po raz ostatni i zeskoczyła z płotu. – Będę ciężko pracować.

– Och, już ja o to zadbam, możesz być tego pewna.

– Cóż. – Dłonie tak jej się spociły, że musiała je wytrzeć o dżinsy. – Do zobaczenia jutro.

– Pozdrów kuzynów.

– Pozdrowię.

Patrzył, jak odchodziła, szybko, jakby uciekała z bagna.

Ładniutka, uznał, choć był na tyle mądry, by zignorować ten fakt. Śliczna, słoneczna księżniczka elfów doskonale wyglądająca na końskim grzbiecie.

A już na pewno nie zamierzał myśleć o tym, że właśnie zatrudnił czarownicę.

– Ostatnią z ich trojga. Teraz wszyscy są razem, z psem, jastrzębiem i, na Boga, koniem. – Popatrzył na Alastara spode łba. – Jesteś tu przez Fina, to nie ulega wątpliwości. Tylko co to, u diabła, może oznaczać?

Zastanawiał się, co Fin – przyjaciel, wspólnik, prawie brat – miał w myślach, w sercu.

Jak gdyby chcąc wyrazić swoją opinię na temat Fina, a przy okazji Boyle'a, Alastar zadarł ogon i zrobił kupę.

Boyle zdążył odskoczyć na bok, zanim ta opinia dosięgła jego butów. Spojrzał na konia, odrzucił głowę i wybuchnął głośnym śmiechem.

Rozdział szósty

Znając już drogę, Iona szła szybko przez las. Spotkała parę młodych ludzi na spacerze, trzymali się za ręce. Pewnie mieszkają w zamku, pomyślała, może przyjechali na miesiąc miodowy. Turyści korzystający z bezdeszczowej pogody i słońca.

Ona sama pozostanie gościem hotelu jeszcze przez kilka dni, ale już nie jest turystką. Jest ekspatriantką.

To brzmiało egzotycznie, wręcz wytwornie, nawet jeśli pachniała końmi z leciutką domieszką gnoju. Ale już była spóźniona i nie chciała tracić czasu na powrót do pokoju, prysznic i zmianę ubrań.

Będzie musiała znaleźć wolną chwilę, pomyślała, chociażby na wycieczkę do szkółki sokołów i Cong. Może jutro uda jej się wcisnąć którąś z atrakcji w przerwę obiadową, o ile taka jej przysługiwała. Jeśli Connor będzie miał ochotę, może mu postawić piwo po lekcji z Branną, może zjedzą razem kolację.

I już nie mogła się doczekać, żeby wysłać mejl do babci, opowiedzieć jej o nowej pracy, o całym dniu, o wszystkim, czego się dowiedziała od Branny. Jej życie, tak niezorganizowane i miałkie jeszcze kilka dni temu, dziś aż skrzyło się od perspektyw.

To była teraz jej droga do pracy, do domu. Już nie będzie musiała tkwić w korkach, żeby się dostać do swojego maleńkiego mieszkania. Już nie będzie marzyła choćby o maleńkiej przygodzie, ponieważ obecnie jej życie to jedna wielka przygoda.

Koniec z łamaniem sobie głowy, czego jej brakuje, że innym tak łatwo od niej odejść. Teraz to ona odeszła. Nie, poprawiła samą siebie, przybyła. To o wiele więcej warte.

Teraz sama mogła sprawić, żeby wszystko było wiele warte.

Kiedy doszła do przewróconego drzewa, znowu poczuła owo przyciąganie, pragnienie i usłyszała, jak ktoś uwodzicielskim szeptem wypowiada jej imię. Przystanęła, rozglądając się dookoła, ale nikogo nie dostrzegła.

A mimo to znowu usłyszała miękki, niemal słodki szept powtarzający jej imię.

Zawahała się... czy przez ścianę dzikiego wina nie przeświecało w oddali słabe, migoczące światło? Jak lampa w oknie witająca wędrowca w domu?

Chociaż upominała samą siebie, że jest już spóźniona, że Branna kazała jej trzymać się z daleka od tego miejsca, podeszła krok bliżej.

To zajmie jedynie minutę, tylko zerknie.

Jeszcze jeden krok i Iona poczuła się jak we śnie. Światło stało się mocniejsze, szepty głębsze, a ją samą otoczyło usypiające ciepło, wsączało się w nią.

Dom, pomyślała. Od tak dawna pragnęła mieć dom. A to miejsce...

Gdy dotknęła palcami dzikiego wina, powietrze zaczęło pulsować, a światło dnia przygasło, zamieniając się w półmrok.

Za Ioną zaszczekał ostro pies, aż odskoczyła w tył.

Zadrżała jak ktoś, kto zatrzymał się nad urwiskiem, po czym cofnęła się o kilka kroków i stanęła obok Kathela. Położyła dłoń na psim łbie.

Jej własny oddech tak głośno łomotał jej w uszach, że ledwo słyszała swoje myśli.

– Prawie tam weszłam. Czułam, że muszę, i pragnęłam tego bardziej niż czegokolwiek na świecic. Prawic złamałam dane słowo, a nigdy tego nie robię. Co to za miejsce? – Roztarła zziębnięte dłonie i wzdrygnęła się po raz ostatni. – Cieszę się, że przyszedłeś, i założę się, że to nie przypadek. Chodźmy. Pewnie Branna czeka na nas oboje.

Gdy ruszyli, wiatr się zmienił. Zanim dotarli na skraj lasu, zaczął padać deszcz – z jednej, jedynej chmury na niebie, jak wydawało się Ionie, ponieważ dookoła nadal świeciło słońce.

Przyspieszyła kroku. Zamierzała wejść do domu, ale dostrzegła Brannę w pracowni i podeszła do drugich drzwi.

Tak jak poprzednio, w środku unosił się piękny zapach – dymu, ziół i wosku. Branna pracowała, z podpiętymi włosami, w śliwkowym swetrze spływającym jej na biodra. Na roboczym blacie ustawiła białą doniczkę, białą miskę, grubą, białą świecę i białe pióro.

– Spóźniłam się. Przepraszam, ale…

– Napisałaś w SMS-ie, że możesz się spóźnić, więc nic się nie stało. – Przyglądała się Ionie, a Kathel podszedł i otarł się o nogi swojej pani. – Gratulacje. Jak minął pierwszy dzień?

– Cudownie. Wspaniale. Dziękuję. Tak bardzo ci dziękuję. – Iona przeszła przez pracownię, objęła Brannę i mocno ją uściskała.

– Bardzo proszę. – Branna poklepała ją lekko po plecach. – Ale to Boyle dał ci pracę.

– Ty pomogłaś mi wsunąć stopę w drzwi. – Uściskała ją jeszcze raz, po czym się cofnęła. – Nie mogłabym sobie wymarzyć lepszego zajęcia. Czułam się… na miejscu, od pierwszej sekundy. Wiesz, o czym mówię? A Meara… znasz Mearę.

– W rzeczy samej. – Branna z właściwą sobie gracją wstawiła wodę na herbatę. – Jest moją dobrą przyjaciółką, zawsze można na niej polegać.

– Od razu ją polubiłam, chyba nadajemy na tych samych falach. Zanim przyjechał Boyle, pokazała mi stajnię i spotkałam Micka, pewnie jego też znasz.

– Tak, znam.

– Jest taki zabawny i sypie historyjkami jak z rękawa. Już zdążyłam się w nim trochę zakochać.

– Ma żonę, czworo dzieci i pierwszego wnuka w drodze.

– Och, nie to miałam na myśli… Drażnisz się ze mną. W każdym razie było wspaniale, po prostu wspaniale. Pomimo że Boyle miał zły humor.

– Jest znany ze swoich humorów.

Branna wyłożyła na talerz ciastka, tym razem czekoladowe.

– Przyjechał konno, na pięknym ogierze, zupełnie jak na jakimś filmie. Obaj tacy wkurzeni, przystojni twardziele. Boyle przeklinał tego konia, na czym świat stoi, i jestem pewna, że koń nie pozostawał mu dłużny. Jego wspólnik – Fin, tak? – go kupił i przysłał Boyle'owi. A on jest po prostu imponujący.

– Masz na myśli konia.

– Tak. Chociaż Boyle'owi też nic nie brakuje. Szczerze mówiąc, przez kilka minut czułam... – Zatrzepotała dłonią przy sercu. – Tylko na niego patrząc. Szkoda, że jest taki humorzasty, bo naprawdę... – Uśmiechnęła się szeroko, przewróciła oczami i powachlowała się dłonią. – O Boże, ty nie jesteś... ty i Boyle nie jesteście związani?

– W sensie romantycznym? Nie. – Branna roześmiała się swobodnie i zabrała do parzenia herbaty. – Boyle od dziecka przyjaźni się z Connorem i znamy się, odkąd pamiętam. To porządny człowiek o wybuchowym temperamencie, zawsze można na nim polegać, w latach tłustych i chudych.

– Dobrze wiedzieć i pewnie miał dzisiaj powód do złości. Alastar dawał mu w kość, poza tym rano ugryzł jednego ze stajennych, a drugiego, zdaje się, kopnął, i...

– Poczekaj. – Branna chwyciła ją za ramię, żeby powstrzymać potok słów. – Powiedziałaś „Alastar"? Koń ma na imię Alastar?

– Tak? O co chodzi? Co się stało?

– I Fin go kupił, kazał go przysłać?

– Tak. Meara powiedziała, że Fin pojechał dalej, ale konia przysłał już teraz.

– A zatem... – Wzięła głęboki oddech i oparła się rękami o blat. – On wie.

– Kto i co? Branna, zaczynasz mnie przerażać.

– Fin. Wie, że tu jesteś. Albo wie, że trójka jest tutaj, razem. Że nadszedł czas. Legenda głosi, że koń Teagan, jej pierwszy przewodnik, miał na imię Alastar.

– Alastar. Nie wiedziałam, ale... było zupełnie tak, jakbyśmy się rozpoznali. Myślałam, że ten koń po prostu mnie potrzebuje, potrzebuje kogoś, kto go rozumie. Alastar. Koń Teagan. Twoim zdaniem to nie jest zbieg okoliczności?

– Że zaraz po twoim przyjeździe pojawia się ten koń? I że Boyle praktycznie przyprowadził ci go dziś rano? Nie ma mowy, a jeśli dodać do tego Finbara Burke'a, nie mam co do tego absolutnie żadnych wątpliwości.

– Skąd on mógłby o mnie wiedzieć albo znać imię konia Teagan?

Branna z brzękiem postawiła filiżanki.

– On ma moc.

– Jest podobny do nas? Fin?

– Nie jest podobny do nikogo, ale też pochodzi z krwi, jak my. Jest potomkiem Cabhana, czarnoksiężnika.

– Poczekaj chwilę. Poczekaj. – Iona próbowała zrozumieć, przycisnęła nawet dłonie do głowy, żeby zatrzymać w środku wszystkie myśli. – Tego złego faceta, tego, którego zabiła, albo prawie zabiła, Sorcha? Fin jest jego potomkiem?

– Tak. – Branna, z błyszczącymi oczami i poważną miną, poprawiła niecierpliwym ruchem spinkę we włosach. – Nosi znak, a to Teagan naznaczyła Cabhana. Fin ma moc i jego krew.

– Czy Fin jest zły?

Zniecierpliwiona Branna machnęła ręką w powietrzu, po czym nalała herbatę.

– Oczywiście nie istnieje prosta odpowiedź na takie pytanie. Nigdy nikogo nie skrzywdził, inaczej na pewno bym o tym wiedziała. Ale pochodzi od Cabhana, a zbliża się czas. Przysłał konia, żebyśmy wiedzieli.

– Ale czy Alastar nie daje mi przewagi? Nam, naszej stronie?

– Dopiero się przekonamy.

– Nie rozumiem. – Iona odruchowo wzięła ciastko.

– Fin jest wspólnikiem Boyle'a, jego przyjacielem. Nie rozumiem, jak mógłby być groźny, skoro…

– To prostsze pytanie. Fin jest groźny, zawsze był.

– Ale Boyle to taki stanowczy facet. Jak mogą być przyjaciółmi?

– Życie jest pełne tajemnic.

– Chociaż to by tłumaczyło, skąd Boyle wiedział, że jestem… no wiesz.

Branna z wcstchnicnicm uniosła filiżankę.

– „Czarownica" to nie jest brzydkie słowo, Iona. A ty nią jesteś.

– Nigdy nie miałam zwyczaju dyskutować na ten temat przy koktajlach. Zresztą dopiero zaczynam się do tego przyzwyczajać. Powinnam była od razu ci o tym powiedzieć. On wiedział. Ja mu niczego nie powiedziałam, bo niby dlaczego miałabym mówić, ale on wiedział. Nie wyglądał na specjalnie zaskoczonego, ale skoro przyjaźni się z czarnoksiężnikiem…

– Fin jest czarownicą, dokładnie tak jak my.

– Aha. Ale to brzmi tak po babsku.

– Jeszcze wiele się musisz nauczyć, kuzynko. – Podała Ionie filiżankę.

– Najpierw muszę ci coś powiedzieć. To ważne. Nigdy nie złamałam danego słowa. Jednak dzisiaj, kiedy wracałam ze stajni, prawie przeszłam przez pnącza. Nie miałam takiego zamiaru, ale wydawało mi się, że zobaczyłam światło, i słyszałam, jak ktoś powtarza moje imię. Zupełnie jak w tamtym śnie. Czułam się tak, jakbym wyszła poza siebie, jakby coś mnie przyciągało. Jakbym musiała tam pójść, do tego, co na mnie czekało. Kathel mnie powstrzymał – znowu. Nie łamię danych obietnic, Branna. Nie kłamię.

– Nigdy? – Branna upiła łyk herbaty.

– Nigdy. I tak nie umiem kłamać, więc po co zawracać sobie głowę? Ale gdyby nie Kathel, weszłabym tam. Nie mogłam się powstrzymać.

– On wystawia cię na próbę.

– Kto?

– Cabhan, a raczej to, co z niego pozostało. Musisz być silniejsza i mądrzejsza. Kiedy już osiągniesz jedno i drugie, zabierzemy cię tam z Connorem, tak jak obiecaliśmy. No dobrze, zobaczmy, co mamy do dyspozycji.

Zbyt podekscytowana, żeby wypić herbatę, Iona odstawiła filiżankę na bok.

– Nauczysz mnie czarów?

Branna znowu się roześmiała i pokręciła głową.

– Czy galopowałaś, kiedy wsiadłaś pierwszy raz na konia?

– Chciałam.

– Dziś będziesz chodziła, i to na lonży. Twoja babcia na pewno mówiła ci, co jest najważniejsze, jeśli chodzi o twoją moc, o sztukę.

– Żeby nikomu nie wyrządzić krzywdy.

– Dobrze. I na razie nikomu nie wyrządziłaś. Dar, który masz, jest tak samo częścią ciebie jak kolor twoich oczu czy kształt ust. To, co z nim zrobisz, to twój wybór. Wybieraj mądrze.

– Dokonałam wyboru, przyjeżdżając tutaj, do was.

– I mam nadzieję, że nie będziesz tego żałować. Jak wiesz, istnieją cztery żywioły. – Wskazała na blat. – Ziemia, powietrze, woda i ogień. Wzywamy je i korzystamy z nich, z szacunkiem. Nie mamy nad nimi władzy, lecz łączymy naszą moc z ich potęgą. Prawie zawsze najpierw uczymy się ognia.

– I tracimy go jako ostatni – wtrąciła Iona. – Babcia mi mówiła.

– To prawda. Zapal świecę.

Iona, zadowolona, że może się wykazać, postąpiła krok naprzód. Wyrównała oddech, skupiła myśli, wyobraziła sobie, jak gromadzi moc, którą wypuściła w długim, powolnym wydechu.

Knot świecy zaiskrzył się, po czym zapłonął jasno.

– Bardzo dobrze. Woda. Potrzebujemy jej, by żyć. Płynie w naszych fizycznych ciałach, wypełnia świat, w którym żyjemy. – Branna wskazała na białą miskę wypełnioną wodą. – Teraz jest czysta i spokojna. Nieruchoma. Ale potrafi poruszać się jak morze, unosić jak gejzer czy tryskać w fontannie. Połączę jej moc ze swoją.

Iona patrzyła, jak woda drgnęła, tworząc w misce małe fale. Wydała z siebie zduszony okrzyk, kiedy wodna strzała wystrzeliła do sufitu, po czym otworzyła się niczym kwiat i spłynęła z powrotem do miski, nie tracąc ani kropelki.

– To było piękne.

– Ładna sztuczka magiczna, ale i ważna umiejętność. Zmąć wodę, Iona. Poczuj to, zobacz, poproś.

Jak płomień świecy, pomyślała. Musi się skupić i pociągnąć w górę. Znowu uspokoiła oddech, spróbowała zrobić to samo z myślami i pulsem. Wpatrywała się w wodę, starając się wyobrazić sobie małe fale, poruszające nieruchomą taflę.

Woda ani drgnęła.

– Coś robię źle.

– Nie. Brakuje ci cierpliwości.

– Masz rację. No dobrze, spróbuję jeszcze raz.

Wbiła wzrok w wodę i skupiła się tak mocno, że aż rozbolały ją oczy.

– Niektórym zajmuje to więcej czasu. Gdzie jest twoje centrum mocy? Jak czujesz, gdzie ona powstaje? – zapytała Branna.

– Tu. – Iona przycisnęła dłoń do brzucha.

– U Connora centrum jest tutaj. – Branna poklepała okolicę serca. – Unieś ją w górę i poślij na zewnątrz. Pomóż sobie ręką. Do góry, na zewnątrz. Wyobraź sobie, skoncentruj się, poproś.

– Dobrze. Dobrze. – Iona rozluźniła ramiona, odgarnęła włosy, zmieniła pozycję. Tak bardzo chciała poruszyć tę cholerną wodę. Chciała nauczyć się, jak cisnąć ją w górę niczym strzałę. Może była zbyt nieśmiała. Dlatego...

Wzięła głęboki oddech, przesunęła dłonią od brzucha ku górze i wypchnęła powietrze w stronę miski.

I prawie się zakrztusiła, kiedy woda trysnęła pod sufit.

– Jasna dupa! Ja właśnie... o cholerka.

Woda opadła jak mała powódź, lecz zatrzymała się nagle tuż nad blatem.

– Wolałabym uniknąć bałaganu – wyjaśniła Branna, po czym palcem posłała strumień z powrotem do miski.

– Och, ty to zrobiłaś. Myślałam, że ja.

– Ty posłałaś ją w górę, ale się zdekoncentrowałaś. Oszczędziłam ci wycierania podłogi.

– Ja to zrobiłam? – Przejęta Iona zatańczyła w miejscu.

– Brawo dla mnie. Rany, to takie fajne. Okazuję za mało szacunku – powiedziała, krzywiąc się.

– Nie ma żadnego powodu, dla którego nie miałabyś okazywać radości i podziwu, w końcu to magia. Zrób to jeszcze raz, ale powoli. Płynnie. I zachowaj kontrolę, przez cały czas.

– Jak na koniu – szepnęła Iona.

Uniosła wodę ponownie, teraz tylko o kilka centymetrów, i zrobiła z niej małą fontannę. Powoli, powoli, obracała nią tuż nad miską i obserwowała wodny taniec z radością i podziwem.

– Drzemią w tobie ogromne siły – pochwaliła Branna.

Zachwycona i dumna, oszołomiona własnymi umiejętnościami Iona pozwoliła wodzie spłynąć z powrotem do miski.

– Obudźmy je.

Kiedy wszedł Connor, Iona unosiła w powietrzu pióro. Nie w tak pełnym gracji tańcu, jaki pokazała jej Branna, ale fruwało.

Connor puścił do niej oko, po czym zakręcił palcem, a pióro przecięło powietrze i połaskotało Ionę pod brodą.

– Popisujesz się – zganiła go, ale się roześmiała i sama też zakręciła palcem. – Jestem w przedszkolu dla czarownic. Wznieciłam ogień, poruszyłam wodę, uniosłam pióro i zrobiłam to.

Wskazała ręką białą doniczkę, w której kwitła urocza stokrotka.

– Świetna robota. – Connor, wyraźnie pod wrażeniem, podszedł do blatu.

– Ja zrobiłam to – uściśliła Iona, pokazując małą sadzonkę obok kwiatka. – Branna zrobiła kwiat.

– I tak świetna robota. Niezły miałaś dzień, kuzynko.
– Objął ją ramieniem. – A ja przyszedłem po swoje piwo.
Lekcja skończona, nie sądzisz, Branna? Jest pół do siód-
mej, a ja umieram z głodu.
– Nasz Connor ma w sercu magię, ale myśli brzuchem.
Albo tym, co jest tuż poniżej.
– I nie wstydzę się ani jednego, ani drugiego. Chodźmy
do pubu. Iona postawi mi piwo, a ja wam kolację. I każde
z nas zrobi doskonały interes.
– Dlaczego nie? – uznała Branna. – Mamy kilka spraw
do omówienia, a ja też wolę rozmawiać przy jedzeniu
i piwie.

Wyciągnęła spinki z włosów i potrząsnęła głową, na co
Iona westchnęła z zazdrością.
– Chodź, Kathel. Dajcie mi pięć minut.
– Potrzebuje dwudziestu – poprawił siostrę Connor.
– Spotkamy się na miejscu – zawołał, biorąc Ionę za rękę.
– Mogę poczekać.
– Najpierw uzna, że musi się przebrać, a kiedy już to
zrobi, zacznie poprawiać twarz. Zanim skończy, wypiję
piwo, a ty mi opowiesz, jak ci minął dzień.
– To był chyba najlepszy dzień w moim życiu, więc opo-
wieść może trochę potrwać.
– Mam mnóstwo czasu, o ile dostanę kolację i piwo.

Może to dzięki energii pozostałej z czarów, które
ćwiczyła, połączonej z ekscytacją nową pracą, ale Iona
czuła, że mogłaby przebiec sprintem całą drogę do wioski.

Connor jednak miał inne plany i pokonywali wijącą się
drogę spokojnym spacerem. Wiedziała, że usta jej się nie

zamykają, ale w końcu on sam o to prosił. A teraz słuchał, śmiał się i wtrącał komentarze.

Kiedy powiedziała mu o Alastarze, Connor uniósł brwi i przekrzywił głowę. Jego spojrzenie, jeszcze przed chwilą tak pełne radości, nabrało powagi.

– Proszę, proszę, to nad wyraz interesujący rozwój wypadków, nie sądzisz?

– Branna się zdenerwowała.

– Fin na ogół działa Brannie na nerwy, a przysyłając tu właśnie tego konia, wysłał wiadomość, w szczególności do niej.

– Ostrzeżenie?

Rzucił Ionie tajemniczy uśmiech.

– Ona mogła to tak potraktować.

– Ty się nie zdenerwowałeś.

– Czas się zbliża, czy tego chcemy, czy nie. Wiedzieliśmy o tym, kiedy tylko stanęłaś w naszych drzwiach.

Odwrócił wzrok ku lasom, a jego wzrok, jak pomyślała Iona, sięgał poza wszystko, co ona mogła zobaczyć.

– To po prostu kolejny krok – dodał. – A posiadanie dobrego konia działa na naszą korzyść.

– Ale on należy do Fina, a Fin jest częścią... nie wiem... przeciwnej siły...

– Nie jest.

– Ale... Branna powiedziała...

– Więzy krwi, klątwy i diabelskie znaki. – Connor lekceważąco wzruszył ramionami.

– Czy on jest potomkiem Cabhana?

– Tak. Ale kto nie ma wywichniętej gałęzi w swoim drzewie genealogicznym? Pochodzenie od kogoś nie determinuje tego, kim jesteś. Masz wybór, prawda? Ty też

128

dokonałaś wyboru. Fin także dokonuje własnych wyborów, tak samo jak Branna. Jest moją siostrą, równie dla mnie ważną jak mój własny oddech. A Fin jest moim przyjacielem, był nim przez całe życie. Dlatego stąpam po tej cienkiej linii i dziękuję Bogu za dobre wyczucie równowagi.

– Nie uważasz, że on jest zły.

Connor przystanął, przytulił Ionę i musnął ustami jej włosy z tak naturalną serdecznością, że zalała ją fala ciepła.

– Myślę, że zło może się pojawiać pod niezliczoną ilością postaci, ale Fin nie jest jedną z nich. Mówisz, że Alastar należy do niego. Kupienie czegoś nie czyni z tego twojej własności, ponieważ możesz to zatrzymać, stracić lub oddać. To ty nawiązałaś porozumienie z koniem, prawda?

– Chyba masz rację. Widzę, że ty mu ufasz, ale Branna nie.

– W tej kwestii jest tak rozdarta, można powiedzieć, jak chyba w żadnej innej. Fin wróci, kiedy przyjdzie mu na to ochota, a wtedy sama będziesz mogła zdecydować, co o nim myślisz.

– Dorastaliście razem? Ty, Fin i Boyle?

– I jeszcze nie dorośliśmy.

Iona się roześmiała, ale poczuła lekkie ukłucie.

– Ja nie mam przyjaciół z dzieciństwa. Przeprowadziliśmy się, kiedy skończyłam sześć lat, a potem moi rodzice rozstali się, gdy miałam dziesięć, więc znowu zmieniłam miejsce zamieszkania i jeździłam między nimi tam i z powrotem, a potem jeszcze raz, kiedy każde z nich założyło nową rodzinę. To musi być miłe mieć przyjaciół, z którymi spędziło się całe życie.

– Przyjaciele to przyjaciele, bez względu na to, kiedy ich poznałaś.

– Masz rację. Podoba mi się takie podejście.

Znowu wziął ją za rękę, a drugą wskazał przed siebie, ponieważ akurat wchodzili do wioski.

– Tam są ruiny opactwa Cong. To piękne miejsce, często odwiedzane przez turystów, chociaż większość przyjeżdża do Cong ze względu na *Spokojnego człowieka*[*].

– Babcia uwielbia ten film. Sama też go jeszcze raz obejrzałam przed przyjazdem.

– We wrześniu odbywa się u nas festiwal dla uczczenia tego filmu. To wielkie wydarzenie. Dwa lata temu przyjechała sama Maureen O'Hara[**]. Nadal jest wyjątkowo piękna. Królewska i naturalna jednocześnie.

– Udało ci się ją poznać osobiście?

– Rozmawiałem z nią przez moment. To była cudowna chwila. Nie zdążyłaś zwiedzić dzisiaj wioski?

– Nie, ale mam mnóstwo czasu. Czuję się, jakbym już tu kiedyś była. Babcia o wszystkim mi opowiadała – wyjaśniła. – Pokazywała zdjęcia, przewodniki. Tu jest dokładnie tak, jak sobie wyobrażałam.

Śliczne sklepiki, puby i restauracje, mały hotel, kwiaty w doniczkach i skrzynkach okiennych zdobiące ulicę, spowitą cieniem zrujnowanego opactwa. Sklepy były już zamknięte, ale puby tętniły życiem, a po wąskich chodnikach spacerowały grupki ludzi.

– Gdzie jest sklep Branny?

– Tam, za rogiem, obok małej herbaciarni. Teraz jest zamknięty, ale mam klucz, jeśli chcesz go obejrzeć.

---

[*] *Spokojny człowiek* – film z Johnem Wayne'em, otrzymał Oscara za reżyserię.

[**] Maureen O'Hara – irlandzka aktorka filmowa i piosenkarka.

– Może innym razem. Przypuszczam, że dostanę jakiś wolny dzień.

– Na pewno. Boyle każe ci ciężko pracować, ale nie zaharuje cię na śmierć.

Szli opadającą ulicą, a Iona z zadowoleniem uniosła twarz, czując na policzku powiew chłodnego powietrza.

– Czy to… Czy to zapach torfu?

– Oczywiście. Wieczorem nie ma nic lepszego niż torfowy ogień i kufel piwa. A tu będziemy mieli i jedno, i drugie.

Otworzył drzwi i lekko pchnął Ionę do środka.

Drożdżowy zapach lanego piwa, ziemista woń torfu, żarzącego się w kominku – tak, pomyślała Iona, nie ma nic lepszego. Goście siedzieli na stołkach przy barze lub przy stołach, jedząc kolację. Pomruk głosów mieszał się z brzękiem szkła.

Z pół tuzina obecnych pozdrowiło Connora, gdy tylko przekroczył próg. Odpowiedział na powitania, pomachał znajomym i skierował Ionę do baru.

– Dobry wieczór, Sean. To moja kuzynka, Iona Sheehan, z Ameryki. Jest wnuczką Mary Kate O'Connor.

– Witaj. – Szopa białych włosów otaczała rumianą twarz barmana, z której wesoło spoglądały błękitne oczy. – I jak się miewa Mary Kate?

– Bardzo dobrze, dziękuję.

– Iona pracuje dla Boyle'a w stadninie. Dzisiaj był jej pierwszy dzień.

– Naprawdę? A zatem jesteś amazonką?

– Jestem.

– Stawia mi piwo, żeby to uczcić. Ja poproszę guinnessa. Co dla ciebie, Iona?

– To samo.

– Branna zaraz tu będzie, więc niech będą trzy. Pójdziemy zająć sobie stolik. O, a to jest Franny. – Connor pocałował w policzek ładną blondynkę. – Poznaj moją kuzynkę Ionę z Ameryki.

I tak to się zaczęło. Iona policzyła, że w dziesięć minut, w odległości kilku metrów od baru, poznała więcej ludzi niż przedtem w ciągu miesiąca. Kiedy w końcu poszli szukać stolika, miała w głowie plątaninę imion i twarzy.

– Czy ty znasz ich wszystkich?

– Większość. A tych dwoje ty też znasz.

Iona zauważyła Boyle'a i Mearę, siedzących przy stole zastawionym szklankami i talerzami. Connor usiadł obok nich.

– I co słychać?

– Jakoś leci. Poznajesz lokalne nocne życie, Iona? – zagadnęła ją Meara.

– Świętuję nową pracę. Jeszcze raz dzięki – zwróciła się do Boyle'a.

– Akurat opracowujemy grafik – powiedziała Meara. – Masz wolny czwartek, jeśli chcesz zrobić jakieś plany.

– Robienie planów to ostatnia rzecz, jaką teraz chciałabym zaprzątać sobie głowę.

– Iona mówiła, że Fin przysłał wam nowego konia. Nazywa się Alastar i podobno ma temperament.

– Nawet mi nie przypominaj. – Boyle uniósł prawie pusty kufel. – Rano próbował zrobić sobie przekąskę z ramienia Kevina Leery'ego i to zaraz po tym, jak skopał Mooneya jak worek treningowy.

– Ciebie też pogryzł?

– Jeszcze nie, chociaż na pewno nie dlatego, że się nie starał. Ale przy twojej kuzynce zachowywał się jak dżentelmen.

Iona uśmiechnęła się, chowając nos w kuflu.

– On po prostu czuje się niezrozumiany.

– Ja rozumiem go doskonale.

– Zastanawiamy się, o co Finowi z nim chodziło. – Meara zanurzyła łyżkę w zupie, nie spuszczając wzroku z Connora. – Alastar nie jest koniem do jazdy, to nie ulega wątpliwości. Może będzie dobrym rozpłodowcem, ale wyjeżdżając, Fin nie wspominał, że zamierza kupić ogiera w tym celu.

Connor wzruszył niedbale ramionami.

– Nikt nie wie, co siedzi w głowie Fina oprócz niego samego, a przez większość czasu on także nie ma na ten temat bladego pojęcia. A oto nasza Branna.

Uniósł dłoń, by zwrócić uwagę siostry.

– No proszę, przyjęcie – powiedziała, podchodząc do stołu. Pogłaskała Mearę po ramieniu, uśmiechnęła się do Boyle'a. – Każecie harować mojej dziewczynie nawet podczas kolacji?

– Raczej na odwrót – odrzekł Boyle. – Ona jest niezmordowana. Wpadnę jutro do ciebie. Ta maść, którą nam zrobiłaś, prawie się skończyła.

– Mam jej więcej. Dam rano Ionie. – Branna uniosła kufel. – A zatem za Ionę i jej nową pracę, i za was, że mieliście na tyle rozumu, by zatrudnić naszą kuzynkę.

Iona czuła, jak coraz bardziej kręci się jej w głowie. Kuzyni, szef, koleżanka z pracy. Zgodnie z sugestią Connora zamówiła gulasz z kaszą.

Pierwszy przepracowany dzień w Irlandii po prostu nie mógł potoczyć się lepiej.

A jednak mógł.

Connor wstał od stołu, a po kilku chwilach wrócił ze skrzypcami.

– Connor! – jęknęła Branna.

– Ja stawiam, więc ty przynajmniej możesz zagrać, żeby zarobić na kolację.

– Grasz na skrzypcach?

Branna zerknęła na Ionę i wzruszyła ramionami, zupełnie jak jej brat.

– Kiedy mam nastrój.

– Zawsze chciałam na czymś grać, ale nie ma dla mnie nadziei. Proszę, zagraj.

– Jak mogłabyś odmówić? – Connor podał siostrze skrzypce i smyczek. – Meara, kochana, zaśpiewaj nam. Coś wesołego, żeby pasowało do nastroju.

– Ale za moją kolację nie płacisz.

Puścił do niej oko.

– Zawsze możesz dostać deser, jeśli będziesz miała ochotę.

– Tylko jedną piosenkę. – Branna wypróbowała smyczek. Connor już go nasmarował, zauważyła Iona, przekonany, że uda mu się namówić siostrę. – Wiesz, że nie przestanie nas męczyć, dopóki się nie zgodzimy.

Odsunęła krzesło, jeszcze raz przesunęła smyczkiem po strunach, dostroiła go. Głosy wokół nich ucichły, gdy Branna uśmiechnęła się, wybijając stopą rytm.

Popłynęła pełna radości muzyka, jak prosił Connor, szybka i żwawa. Branna spojrzała roześmianym wzrokiem na Mearę i Iona dostrzegła łączącą je przyjaźń, tak naturalną i głęboką. Meara ze śmiechem skinęła głową.

– „Powiem mojej mamie, jak wrócę do domu, chłopcy nie zostawią dziewczyny w spokoju"*.

---

* Tradycyjna przyśpiewka irlandzka.

Jeszcze więcej magii, pomyślała Iona. Jasna, szczęśliwa muzyka. Głęboki, magnetyczny głos Meary, uśmiech na twarzy Branny. Serce Iony, już ulatujące pod sufit, uniosło się jeszcze wyżej, gdy to wszystko chłonęła – dźwięki, obrazy, nawet powietrze.

Nigdy nie zapomni tej chwili i tego, jak się czuła.

Spostrzegła, że Boyle przygląda jej się z nieodgadnionym uśmiechem na twarzy. Pewnie wyglądała jak oszołomiona idiotka, ale nic jej to nie obchodziło.

Gdy rozległy się brawa, zaczęła bezwiednie podskakiwać na siedzeniu.

– Och, to było wspaniałe! Jesteście obie niesamowite.

– Zdobyłyśmy kiedyś nagrodę, co, Branna?

– O tak. Pierwszą nagrodę na Pokazie Talentów Hannigana. Impreza o równie krótkim żywocie jak nasza kariera.

– Byłyście świetne, obie, i wtedy, i teraz, ale cieszymy się, że Meara nie dała nogi, żeby zostać gwiazdą estrady. – Boyle poklepał ją po ręku. – Jest nam potrzebna w stadninie.

– Wolę śpiewać dla zabawy niż dla kolacji.

– To może masz ochotę na jeszcze trochę zabawy? – Iona szturchnęła Mearę w ramię. – Zaśpiewajcie jeszcze coś.

– I popatrz, co narobiłeś – powiedziała Branna do brata.

– Zbyt rzadko wyjmujesz skrzypce. Zawsze tego żałuję. – Dotknął dłonią jej policzka i westchnął.

– Już ty wiesz, jak podejść człowieka.

– Iona nie jest tu dzisiaj jedyną Amerykanką, widziałem kilku innych. Zagraj im *Wild Rover* i odeślij do domu ze wspomnieniem dwóch piękności z pubu w Cong.

– Ty i te twoje sposoby – powiedziała Branna i roześmiała się. I potrząsając włosami, uniosła smyczek.

Nagle Iona zobaczyła, jak uśmiech kuzynki znika, a cała radość w oczach gaśnie. Pojawiło się w nich coś innego i zniknęło tak szybko, że nie była pewna, co to było. Tęsknota? Złość? Chyba połączenie jednego i drugiego.

Branna opuściła skrzypce.

– Wrócił twój wspólnik – powiedziała do Boyle'a.

Rozdział siódmy

Wszystko w nim wydawało się ostre. Kości policzkowe, zarys szczęki, nawet wyrazista zieleń oczu i czający się w nich błysk. Wszedł z podmuchem wiatru, od którego pełgający torfowy ogień wystrzelił w górę.

Fina – jak wcześniej Connora – pozdrowiło kilku gości, lecz tego pierwszego witano ciepło i serdecznie, Finbara Burke'a natomiast traktowano z większym szacunkiem, a nawet, jak pomyślała Iona, z dystansem i czujnością.

Miał na sobie skórzany płaszcz do kolan. Na ubraniu i na czarnych włosach Fina lśniły krople deszczu, który musiał zacząć padać, kiedy Iona siedziała w przytulnym ciepłym pubie.

Iona ostrożnie zerknęła na Brannę, ale twarz kuzynki była pozbawiona emocji, jakby chwilowa burza uczuć była tylko złudzeniem.

Fin przecisnął się między ludźmi i położył jedną rękę na ramieniu Boyle'a, drugą na ramieniu Connora. Jednak nie odrywał wzroku od Branny.

– Nie przeszkadzajcie sobie.

– I oto wreszcie wrócił z wojennej tułaczki do domu.

– Connor posłał mu szeroki uśmiech. – Akurat w samą porę, żeby postawić następną kolejkę.

– Niektórzy z nas idą jutro do pracy – przypomniała bratu Branna.

– Jakie to szczęście, że mój szef jest wyrozumiałym i hojnym człowiekiem. Zupełnie odwrotnie niż twój – dodał Connor, puszczając do siostry oko – który jest tyranem.

– Postawię kolejkę – powiedział Fin. – Dobry wieczór, Mearo, jak się miewa twoja matka? Słyszałem, że zdrowie jej szwankuje – wyjaśnił, gdy Meara tylko patrzyła na niego, mrugając ze zdumieniem.

– Już lepiej, dzięki. Miała przewlekłe zapalenie oskrzeli, ale lekarz nafaszerował ją lekami, Branna nakarmiła zupą i jest już zdrowa.

– Miło to słyszeć.

– Przywiozłeś deszcz – zauważył Boyle.

– Najwidoczniej. Branna, świetnie wyglądasz.

– I świetnie się czuję. Skróciłeś wojaże?

– Sześć tygodni w podróży wystarczy. Tęskniłaś za mną?

– Nie. Ani trochę.

Uśmiechnął się do niej przelotnie, po czym skierował spojrzenie bystrych oczu na Ionę.

– Ty pewnie jesteś tą kuzynką z Ameryki. Iona, prawda?

– Tak.

– Finbar Burke – powiedział i wyciągnął rękę nad stołem. – Ta banda ma za mało ogłady, żeby nas sobie przedstawić.

Iona odruchowo ujęła jego dłoń i poczuła gorąco, szybki przepływ mocy. Nie przestając się uśmiechać, Fin uniósł brew, jakby chciał powiedzieć: a czego się spodziewałaś?

– Jeszcze jeden guinness? – zapytał.

– Och, nie. Pomimo wyrozumiałych i hojnych szefów to mój limit. Ale dziękuję.

– Chętnie napiłabym się herbaty przed wyjściem na deszcz – powiedziała Meara. – Dzięki, Fin.

– W takim razie herbata. Jeszcze piwko, Boyle?

– Przyjechałem samochodem, tak że będę musiał poprzestać na jednym.

– A ja przyszedłem na nogach – zgłosił Connor – więc poproszę.

– Ja tak samo. – Fin nawet się nie rozejrzał, a już stała przy nich kelnerka. – Witaj, Clare. Poprosimy herbatę dla pań, a Connor i ja wypijemy po piwie. Dzisiaj guinness.

Znalazł wolne krzesło i przysunął je bliżej.

– Nie będziemy rozmawiać teraz o interesach – zwrócił się do Boyle'a. – Pomówimy o tym później, chociaż i tak chyba informowaliśmy się na bieżąco. I ciebie też, Connor.

– W porządku. Gdy ty się włóczyłeś po wielkim świecie, zabrałem Merlina kilka razy na spacer, Meara też. Zresztą sam wylatywał, kiedy miał na to ochotę. Będziesz jutro w szkółce?

– Bardzo bym chciał, i w stadninie też.

– Pamiętaj, żeby powiedzieć dobre słowo Kevinowi i Mooneyowi – Boyle podniósł kufel – ponieważ twój nowy nabytek nieźle dał im w kość.

– Ten koń ma charakter i żelazną wolę. Tobie też dał w kość?

– Nie, chociaż bardzo się starał. Ale ją polubił. – Boyle kiwnął głową w stronę Iony.

Fin znowu spojrzał jej w oczy i zabębnił palcami o stół, jakby wygrywał rytm jakiejś melodii.

– Doprawdy? Jeździsz konno, Iona?

– Tak – odpowiedział za nią Boyle. – I pracuje dla ciebie, o czym informuję cię na bieżąco osobiście.

– Cieszę się, że mamy cię na pokładzie. Wakacyjna praca?

– Ja… będę tu mieszkać. To znaczy, już tu mieszkam.

– W takim razie witaj w domu. Mam nadzieję, że twoja babcia, pani O'Connor, miewa się dobrze.

– Tak, dziękuję. – Iona zacisnęła dłonie pod stołem, by utrzymać je w bezruchu. – Szukałam pracy i Branna poprosiła Boyle'a, żeby dał mi szansę. Wcześniej pracowałam w Akademii Jeździeckiej Laurel w Marylandzie. Mam referencje i życiorys. To znaczy Boyle je ma, jeśli chciałbyś zobaczyć.

Zamknij się, zamknij, zamknij, rozkazywała sobie, ale nerwy wzięły górę.

– Masz wspaniałą stadninę. Meara mnie oprowadziła. I masz rację, Alastar ma charakter i silną wolę, ale nie jest złośliwy. Nie robi tego specjalnie. Jest po prostu wściekły i zdenerwowany, ponieważ znalazł się w obcym miejscu, z ludźmi i końmi, do których nie jest przyzwyczajony. Czuje, że musi coś udowodnić, zwłaszcza Boyle'owi. Dzięki Bogu – westchnęła, gdy przyniesiono herbatę. Zatka nią sobie usta.

– Ona się denerwuje przy tobie – powiedziała rozbawiona Branna do Fina. – Kiedy się zdenerwuje, dostaje słowotoku.

– To prawda. Przepraszam.

– I bezustannie przeprasza. Naprawdę musisz z tym skończyć, Iona.

– Wiem. Dlaczego kupiłeś Alastara? – zapytała, po czym uniosła dłoń. – Przepraszam. To nie moja sprawa. Poza tym powiedziałeś, że nie chcesz mówić o interesach.

– Ponieważ jest piękny. Mam słabość do piękna, siły i... mocy.

– A tego wszystkiego Alastarowi nie brakuje – zgodziła się Meara. – I każdy, kto choć odrobinę zna się na koniach, wie, że nie jest stworzony, aby całym dniami człapać po okolicy z turystami na grzbiecie.

– Nie, on jest stworzony do innych celów. – Popatrzył na Brannę. – Potrzebny do innych zadań.

– O czym ty mówisz? – mruknęła.

– Przemówił do mnie. Ty to zrozumiesz. – Odwrócił się do Iony.

– Tak. Tak.

– A zatem Alastar już tu jest, a jedzie do nas najśliczniejsza klacz w zachodnich hrabstwach. Dwulatka, też z charakterem, piękna jak księżniczka. Nazywa się Aine, jak królowa wróżek. Jak dojrzeje, dopuścimy ją do niego, Boyle. A myślę, że do tego czasu powinna sobie dobrze radzić na torze z przeszkodami, nawet pod nowicjuszami.

– Masz na myśli coś więcej niż tylko rozmnażanie. – Branna odsunęła herbatę na bok.

– Moja droga, rozmnażanie zawsze zaprząta mi myśli.

– Wiedziałeś, że ona przyjedzie i co to oznacza. Już się zaczęło.

– Pomówimy o tym. – Fin przykrył dłoń Branny swoją. – Ale nie w pubie.

– Nie, nie w pubie. – Oswobodziła dłoń. – Wiesz więcej, niż mówisz, i chcę usłyszeć prawdę.

W jego oczach zatlił się gniew.

– Nigdy cię nie okłamałem, *mo chroi*. Nie w tym życiu i dobrze o tym wiesz. Nawet wtedy, kiedy dzięki kłamstwu mogłem dostać to, czego najbardziej pragnąłem.

– Pomijanie faktów niczym nie różni się od kłamstwa. – Wstała gwałtownie. – Muszę jeszcze popracować. Boyle, odwieź Ionę do hotelu, dobrze? Nie chcę, żeby szła w nocy przez las.

– Och, ale...

– Oczywiście. – Boyle uciął w zarodku protesty Iony. – Nie martw się.

– Rano podrzucę ci tę maść. Iona, do zobaczenia jutro po pracy. Mamy jeszcze mnóstwo do zrobienia.

– No cóż i cholerka. – Gdy Branna wyszła, Connor westchnął i też wstał.

– Nie, zostań i dopij piwo. – Meara pogłaskała go po ramieniu i odsunęła się od stołu. – Ja z nią pójdę. I tak powinnam już wracać do domu. Dzięki za herbatę, Fin, i witaj w domu. Pewnie jutro się zobaczymy.

Złapała kurtkę i włożyła ją, śpiesząc do drzwi.

Connor poklepał Ionę po ramieniu.

– Będziesz musiała się do tego przyzwyczaić.

– Święta prawda – mruknął Fin, po czym rozparł się na krześle i uśmiechnął. – Moja obecność wprowadza naszą Brannę w burzliwy nastrój. A zatem opowiedz mi, Iono z Ameryki, co już widziałaś i robiłaś w Irlandii?

– Ja... – Jak oni mogli tak sobie gawędzić, kiedy powietrze aż pulsowało od złości i zawiedzionych uczuć? – Ach... niewiele. I jednocześnie bardzo dużo. Przyjechałam, żeby poznać Brannę i Connora, znaleźć mieszkanie i pracę. Wszystko to mi się udało, ale jeszcze nie miałam czasu na zwiedzanie. Widoki są tak piękne, że na razie mi wystarczą.

– Będziemy musieli pokazać ci okolicę. Mówisz, że znalazłaś mieszkanie? Szybko.

– Jeszcze przez kilka dni będę mieszkała w Ashford.

– Cóż za rozpusta.

– To prawda. Potem przeprowadzam się do Branny i Connora. – Widziała, jak oczy mu błysnęły, zwęziły się i zwróciły na Connora. – Czy to jakiś problem?

W odpowiedzi Fin pochylił się nad stołem i wbił w nią wzrok.

– Ona cię znała. Wyciąga rękę do wielu, ale dopuszcza blisko tylko kilkoro najcenniejszych. Dom to sanktuarium. Jeśli jej dom będzie twoim, to ona cię znała. Uważaj na nie – mruknął do Connora. – Na wszystkich bogów, uważaj.

– Będę.

– I wszystko jasne. – Zirytowana Iona przeniosła spojrzenie z jednego mężczyzny na drugiego, a potem na Boyle'a, który siedział w milczeniu. Od żadnego z nich niczego się nie dowie, nie tutaj i nie teraz. – Powinnam już iść. Dziękuję za kolację, Connor, i za herbatę, Fin. Boyle, nie musisz mnie odwozić.

– Branna obedrze mnie ze skóry, jeśli tego nie zrobię, i to dosłownie. Do zobaczenia w domu – powiedział do Fina.

– Niedługo będę.

Zdezorientowana Iona podeszła do drzwi. Zerknęła przez ramię i zobaczyła, jak Fin wpatruje się ponuro w swój kufel, a pochylony nad stołem Connor coś mu intensywnie tłumaczy ściszonym głosem.

Wyszła na wiatr i deszcz i natychmiast doceniła fakt, że Boyle ją odwiezie.

– Mieszkacie z Finem razem?

– Mam mieszkanie nad garażem i korzystam z jego domu, kiedy mam ochotę, bo jego w sumie więcej nie ma, niż jest. To wygodne dla nas obu, mieszkać tak blisko stadniny.

Otworzył drzwiczki starej furgonetki w wyblakłym, czerwonym kolorze i zepchnął śmieci z siedzenia pasażera.

– Przepraszam, ale nie spodziewałem się gości.

– Nie przejmuj się. Dobrze wiedzieć, że ktoś jeszcze jest takim bałaganiarzem jak ja.

– Jeżeli to prawda, to muszę cię ostrzec. Chowaj swoje śmieci, ponieważ Branna lubi porządek i będzie ścigała cię jak ogar, jeśli zaczniesz rozrzucać dookoła swoje rzeczy.

– Zanotowałam.

Usiadła obok teczek, opakowań, starego ręcznika, ścierek i płytkiego kartonu, wypełnionego hakami do kopyt, kołami od uzd, bateriami i śrubokrętami.

Boyle usiadł za kierownicą i przekręcił kluczyk.

– Nie byłeś zbyt rozmowny.

– Jako przyjaciel wszystkich zainteresowanych wolę trzymać się od tego z daleka.

Furgonetka podskakiwała, deszcz bębnił o szyby. Iona usadowiła się wygodniej.

– Coś ich łączy.

– Kogo?

– Brannę i Fina. Albo łączyło. Seksualne wibracje między nimi były tak głośne, że jeszcze dzwoni mi w uszach.

Boyle skrzywił się i wbił wzrok w drogę.

– Nie mam zamiaru plotkować na temat przyjaciół.

– To nie plotki, tylko obserwacja. Sytuacja musi być skomplikowana, dla nich obojga. Muszę wiedzieć, co się dzieje. Ty wiesz więcej niż ja, a ja siedzę w tym wszystkim po uszy.

– Z tego, co wiem, sama chciałaś.

144

– Może tak. I co z tego? Skąd wiedziałeś, że jestem taka jak oni?

– Znam ich prawie całe życie. Zobaczyłem to w tobie, przy tym koniu.

Iona spojrzała na niego, marszcząc brwi.

– Większość ludzi nie traktowałaby tych spraw tak swobodnie. Dlaczego ty tak do tego podchodzisz?

– Znam ich prawie całe życie – powtórzył.

– Nie rozumiem, jak cała ta sytuacja może być dla ciebie tak prosta. Potrafię zrobić to. – Wyciągnęła dłoń i, skupiwszy się, wznieciła na niej mały płomień.

To był żałosny pokaz w porównaniu z umiejętnościami Branny, ale Iona dosyć długo nad nim pracowała.

Boyle ledwo zerknął w jej stronę.

– Może się przydać, kiedy podczas biwaku nie możesz znaleźć zapałek.

– Wyluzowany z ciebie gość. – Nie mogła tego nie podziwiać. – Gdybym pokazała tę sztuczkę facetowi, z którym się spotykałam, wystrzeliłby przez drzwi, wybijając dziurę w kształcie swojej postaci, jak w kreskówce.

– Może nie lubił biwaków.

Iona zaczęła się śmiać, lecz nagle wstrzymała oddech, ponieważ przed nimi, jak mur na drodze, wyrosła mgła. Zacisnęła pięści, kiedy furgonetka się w nią wbiła, i ścisnęła je jeszcze mocniej, gdy otulił ich szczelnie biały dym.

– Słyszysz to? Słyszałeś?

– Co?

– Moje imię. On powtarza moje imię.

Boyle musiał zwolnić tak, że prawie stali w miejscu, ale spokojnie trzymał dłonie na kierownicy.

– Kto powtarza twoje imię?

– Cabhan. Kryje się we mgle. Może to on jest mgłą. Nie słyszysz go?

– Nie. – Dotąd nigdy go nie słyszał i wolałby, żeby tak pozostało. – Myślę, że jutro znowu pojedziesz z Mearą.

– Słucham? Co?

– Chcę usłyszeć jej opinię, zanim wypuszczę cię samą z gośćmi. – Mówił spokojnie, jechał powoli. Mógłby pokonać tę drogę z zawiązanymi oczami i, cholera, pomyślał, że właściwie teraz to robi. – Chcę też zobaczyć, jak radzisz sobie z pracą w zespole, dlatego będziesz pracowała z Mickiem lub od czasu do czasu ze mną. Umiesz skakać?

Wiedział, że umie i że ma kolekcję błękitnych wstążek i trofeów, żeby to udowodnić oraz certyfikat świadczący, że może uczyć. Czytał jej życiorys.

– Tak, skaczę wyczynowo od ósmego roku życia. Myślałam o drużynie olimpijskiej, ale…

– Zbyt poważne zobowiązanie?

– Nie. To znaczy tak, pod pewnym względem. Przy takich treningach potrzeba bardzo dużego wsparcia rodziny. I zaplecza finansowego. – Usiłując przebić wzrokiem mgłę, przesuwała dłonią od piersi do gardła i z powrotem. – Słyszałeś? Boże, naprawdę tego nie słyszysz?

– To słyszałem. – Dzikie wycie, od którego ciarki przeszły mu po kręgosłupie. Nowe doznanie, pomyślał, przynajmniej dla niego. – Chyba mu się nie podoba, że nie zwracamy na niego uwagi.

– Dlaczego ty się nie boisz?

– Jadę z czarownicą, prawda? Czym więc mam się martwić?

Iona parsknęła śmiechem; próbowała uspokoić galopujący puls.

– Dzisiaj uczyłam się unosić w powietrzu pióro. Ta umiejętność chyba nie na wiele nam się przyda.

A on miał dwie pięści i scyzoryk w kieszeni, jeśli trzeba byłoby walczyć.

– To i tak więcej, niż ja potrafię. Widzisz, mgła rzednie, a przed nami widać Ashford.

I rzeczywiście, zamek stał przed nimi jak przeniesiony z bajki, okna lśniły bladym złotem.

– Oni tam poszli. Pierwsza trójka. Wrócili tutaj wiele lat po tym, jak matka ich odesłała, żeby ich ocalić. Mieszkali w zamku, spacerowali po lasach. Śniłam o najmłodszej, która wróciła, przyjechała konno, tak jak odjechała jako dziecko. Na koniu o imieniu Alastar.

– No proszę. Nie znałem imienia tego konia. To wiele tłumaczy, prawda?

– Nie wiem, co to tłumaczy. Nie wiem, co powinnam zrobić.

– To, co musisz.

– Co muszę – szepnęła, kiedy zaparkował przed wejściem do hotelu. – No dobrze. W porządku. Dziękuję za podwiezienie i za to, że przegadaliśmy te dziwne chwile.

– Nie ma sprawy. Odprowadzę cię do środka.

Już miała zaprotestować, w końcu tylko kilka kroków dzieliło ją od drzwi. Jednak przypomniała sobie głos szepczący do niej we mgle i zmieniła zdanie. Nie ma nic złego w tym, że duży, silny mężczyzna ją odprowadzi. To żaden wstyd.

Razem weszli do ciepłego holu, pełnego soczystych kolorów i kwiatów. Recepcjonistka powitała ich uśmiechem.

– Dobry wieczór, panno Sheehan. Boyle, miło cię widzieć.

– Nocna zmiana, Bridget?

– Tak. Pogoda akurat na pracę, znowu zaczęło padać. Proszę, pani klucz. Mam nadzieję, że miała pani udany dzień.

– Wspaniały, dziękuję. Dzięki jeszcze raz, Boyle.

– Odprowadzę cię do pokoju.

– Och, ale...

Jednak on po prostu wyjął jej klucz z ręki i sprawdził numer.

– To w starej części, prawda? – Z tymi słowami wziął Ionę pod ramię i pociągnął korytarzem.

– Teraz tędy. – Iona skręciła za róg.

– Ten hotel to labirynt.

– Uroczy labirynt. – Próbowała nie martwić się recepcjonistką, która na pewno uznała, że ją i Boyle'a coś łączy.

Podszedł do drzwi i przekręcił klucz. Zajrzał do środka i obrzucił pokój uważnym spojrzeniem.

– Naprawdę jesteś bałaganiarą.

– Uprzedzałam. – Iona otworzyła szeroko oczy, kiedy Boyle wszedł prosto do środka. On chyba nie myśli, że...

Wziął hotelowy długopis leżący na nocnym stoliku i naskrobał coś na kartce.

– Numer mojej komórki. Zadzwoń, jeśli coś cię zaniepokoi. Pewnie lepiej by było, żebyś kontaktowała się z Branną, ale ja mieszkam tylko kilka minut stąd.

– To... bardzo miłe z twojej strony.

– Nie rozpłacz się ze wzruszenia. Przecież dopiero co cię zatrudniłem i odwaliłem całą tę papierkową robotę. Nie mogę pozwolić, żebyś zwiała z powrotem do Ameryki. Zamknij drzwi na klucz i kładź się spać. Włącz sobie telewizor, jeśli nie lubisz ciszy.

Podszedł do drzwi i je otworzył.

– I pamiętaj – dodał, patrząc na Ionę przez ramię. – Potrafisz wzniecić ogień, rozpalając go na własnej dłoni.

Zamknął za sobą drzwi. Na twarzy Iony już miał pojawić się uśmiech, kiedy Boyle załomotał w drzwi tak, że aż podskoczyła.

– Zamknij te cholerne drzwi na klucz!

Podbiegała do drzwi, przekręciła klucz. I słuchała cichnących odgłosów jego kroków.

Iona zawarła ze sobą umowę. W pracy skupi się wyłącznie na tym, co ma do zrobienia. Nie mogła ani nie miała ochoty pozwolić, żeby dar, który posiadała, przeszkadzał jej w zarabianiu na życie.

Po pracy zamierzała spędzić z Branną tyle czasu, ile kuzynka będzie gotowa jej poświęcić. Będzie się uczyła, ćwiczyła i zdobywała nowe umiejętności.

Ale będzie też żądać i szukać odpowiedzi.

I tak wynosiła gnój, czyściła, szczotkowała, dźwigała, karmiła i poiła. I robiła, co w jej mocy, by trzymać się z dala od Boyle'a. Na wspomnienie tamtej jazdy do hotelu i paniki, jaka ją ogarnęła, nadal czuła lekkie ukłucie wstydu. Przecież to ona miała moc, chociaż niewyćwiczoną, a to ona zaczęła się bać i drżeć, aż jej szef musiał się nią zaopiekować.

A co gorsza, przez sekundę – może nawet dwie lub trzy – kiedy wszedł do jej pokoju, to odniosła mylne wrażenie. Żałosne, uznała, gdy obudziła się ze snu. A wcale nie śniła o złych czarnoksiężnikach i cieniach, rozmyślała, szczotkując grzywę Pyry.

Śniła o seksie, i to cholernie dobrym seksie, z udziałem jej samej i Boyle'a na makowym polu, żywcem wyjętym z *Czarnoksiężnika z Krainy Oz*.

Ten mak w żadnym wypadku nie ukołysałby ich do snu.

Owe figle podświadomości sprawiały, że ukłucie wstydu stawało się jeszcze bardziej dotkliwe.

Do boksu wetknęła głowę Meara. Włożyła dziś zieloną czapkę, długi ogon wypuściła przez zapięcie z tyłu.

– Zrobiłaś warkocz Królowej Pszczół.

– Och, tak. Ja tylko... Zaraz go rozplotę.

– Nie, nie musisz. Wygląda czarująco i wydaje się dumna z nowej fryzury. Tylko nie funduj takich ozdób żadnym wałachom. Boyle będzie zrzędził, że robimy gogusiów z porządnych koni. Stuprocentowy mężczyzna z tego naszego Boyle'a.

– Zauważyłam. Dobrze się rozumiecie.

– Mam taką nadzieję. Przejaśnia się, więc popołudniowa przejażdżka jest aktualna. Przesunęli rezerwację na trzecią, w nadziei, że pogoda się polepszy, i chyba mieli rację. Cztery osoby, dwie pary przyjaciół z Ameryki, więc będziecie mieli o czym rozmawiać. Boyle posłał po Rufusa, to duży, wesoły koń. Jeden z naszych gości ma prawie dwa metry.

– Czyli ile?

– Och, po waszemu? – Meara odsunęła czapkę na tył głowy i marszcząc brwi, podrapała się po czole. – Chyba jakieś sześć i pół stopy. Osiodłamy jeszcze Pyrę, Królową i Jacka. Ty możesz sobie wybrać któregoś z pozostałych.

– Może Cezara, chyba że ty go chcesz.

– Nie, możesz go wziąć. – Meara zapisała to w notatniku. – Zarezerwowali półtorej godziny, więc zobaczysz więcej niż wczoraj.

– Chcę zobaczyć wszystko. I Meara... – Poczucie winy z powodu snu po prostu zmusiło ją do poruszenia tej sprawy. – Dziękuję, że pożyczyłaś mi Boyle'a wczoraj wieczorem, żeby odwiózł mnie do hotelu.

– Nie mam zwyczaju go pożyczać, ale możesz go sobie zatrzymać, jeśli chcesz.

– Och, pokłóciliście się?

– O co? – Otworzyła szeroko oczy, po czym wybuchnęła gromkim śmiechem. – Och! Myślisz, że ja i Boyle jesteśmy parą. Nie, nie, nie. Kocham tego faceta bez pamięci, ale w życiu nie wpuściłabym go do łóżka. To jakbym się bzykała z własnym bratem. Na samą myśl o tym straciłam apetyt na lunch.

– Wy nie... – Teraz dopiero poczuła się zakłopotana. – Zakładałam, że...

– Wyglądamy jak papużki nierozłączki, co?

– Łączy was coś... intymnego, dlatego myślałam, żc jesteście razem. W ten sposób.

– Jesteśmy rodziną.

– Dobrze. To znaczy, chyba dobrze. A może właśnie to stanowi problem.

Meara oparła się o drzwi boksu.

– Fascynujesz mnie, Iona. Problem?

– Kiedy zakładałam inaczej, miałam dobry powód, by ignorować... – Iona pomachała palcami przy brzuchu, imitując trzepotanie motylich skrzydełek.

– Masz... – Meara powtórzyła jej ruch – przy Boyle'u.

– On naprawdę dobrze wygląda, i na koniu, i bez konia. Kiedy tylko go zobaczyłam, ja po prostu... rety. – Położyła jedną dłoń na brzuchu, a drugą przy sercu, poklepała.

– Naprawdę?

– On jest taki twardy i gniewny. I jeszcze te duże dłonie, ta blizna – dodała, wskazując na brew. – I te lwie oczy.

– Lwie oczy – powtórzyła Meara. – W sumie chyba masz rację. Boyle McGrath, Król Zwierząt. – Znowu zaśmiała się głośno.

– To tylko wygląd, ale robi wrażenie. Do tego był dla mnie naprawdę miły. No i jeszcze seks. We śnie – dodała szybko, gdy Meara otworzyła szeroko oczy ze zdumienia. – Śnił mi się wczoraj w nocy i czułam się taka winna, bo bardzo cię lubię. I tak naprawdę nie chcesz tego słuchać.

– Jesteś w głębokim błędzie. Chcę usłyszeć wszystko, z najdrobniejszymi szczegółami.

Iona jęknęła i ze śmiechem zakryła twarz dłońmi.

– Jesteś przyjaciółką Boyle'a. Jeśli mu powiesz, że ta Amerykanka ma na niego chrapkę, to on albo pęknie ze śmiechu, albo mnie zwolni.

– Nie zrobiłby ani jednego, ani drugiego, ale dlaczego miałabym mu cokolwiek mówić? W takich sprawach liczy się kobieca solidarność. Moim zdaniem nie ma od tego wyjątków.

– To prawda. Tak czy inaczej, chyba wciąż jestem oszołomiona po zmianie czasu, miejsca i całego mojego życia. To nic takiego, minie.

– Może powinnaś zrobić mu jazdę próbną, zanim…

Przerwała, słysząc podniesione głosy.

– Och, Chryste.

Odwróciła się na pięcie i wyszła, a Iona ruszyła z nią w stronę hałasu.

Boyle stał twarzą w twarz z muskularnym, potężnie zbudowanym mężczyzną w czerwonej czapce i kraciastej kurtce. Krzykacz, z twarzą prawie tak czerwoną jak jego czapka, dźgał powietrze palcem.

– Przyjechałem tutaj, żeby spokojnie porozmawiać, chociaż jesteś kłamcą i oszustem.

– A ja ci mówię, Riley, że dobiliśmy interesu i koniec. Opuść moją ziemię i więcej nie wracaj.

– Opuszczę twoją cholerną ziemię, kiedy oddasz mi konia, którego mi ukradłeś, albo dasz należytą zapłatę. Myślisz, że możesz mnie okradać? Pieprzony złodziej! – Popchnął Boyle'a.

– O Jezu! – mruknęła Meara. – Teraz to zrobił.

– Nigdy więcej nie waż się tknąć mnie palcem – ostrzegł go bardzo cicho Boyle.

– Och, tknę cię nie tylko palcem, ty zasrańcu.

Riley wymierzył cios. Boyle zrobił unik, odchylił głowę i pięść napastnika świsnęła koło jego ucha.

– Powinnyśmy zadzwonić po policję. Po szeryfa, czy jak go tutaj nazywacie.

Meara ledwo na nią zerknęła.

– Nie ma takiej potrzeby.

– Dostaniesz jeszcze jedną szansę. – Boyle rozłożył ręce. – Wykorzystaj ją, jeśli masz ochotę, ale wiedz, że nie odejdziesz stąd na własnych nogach.

– Zrobię z ciebie krwawą miazgę. – Riley uniósł pięści, opuścił głowę i zaatakował.

Boyle przesunął się w bok, obrócił i wypuścił dwa szybkie ciosy.

W wątrobę? Iona otworzyła szeroko oczy. O Boże!

Riley potknął się, ale utrzymał równowagę i zaatakował znowu. Jego pięść drasnęła Boyle'a w ramię, które ten uniósł, żeby zablokować cios.

A potem sam ruszył do ataku. Prawa pięść w szczękę, lewa w nos. Prosty, hak, lewy sierpowy, wyliczała w myślach Iona. Dwa ciosy w brzuch.

Boyle był taki szybki. Błyskawicznie przenosił ciężar ciała na drugą stopę, prawie nie reagując, gdy Rileyowi udawało się go dosięgnąć. Nagie kłykcie wbijały się z trzaskiem w ciało i kość. Riley, z którego nosa i ust kapała krew, zaszarżował na chwiejnych nogach. Boyle z obrotu wystrzelił pięścią – zdecydowanie sierpowym – i trafił przeciwnika w szczękę tak precyzyjnie, jakby posłał strzałę w sam środek tarczy.

Już miał powtórzyć cios, lecz nagle opuścił ręce.

– A do dupy z tym – mruknął, po czym po prostu kopnął Rileya w tyłek, a tamten zwalił się jak długi na ziemię.

– O Boże. O mój Boże.

– No już, już. – Meara poklepała ją po ramieniu. – To tylko mała przepychanka.

– Nie, to nie to. Chodzi o… – Pomachała palcami koło brzucha.

Meara parsknęła śmiechem.

– Naprawdę nie przestajesz mnie fascynować.

Kilka metrów dalej Fin siedział na niespokojnym Alastarze.

– Znowu? – zapytał łagodnie.

– Sukinsyn nie chciał sobie pójść. – Boyle ssał otarte ze skóry kłykcie. – A dałem mu szansę.

– Właśnie widziałem, jak dawałeś mu tę szansę i jak miał sobie pójść z twoją pięścią w twarzy.

Boyle tylko wyszczerzył zęby w uśmiechu.

– To było już po szansie.

– No cóż, upewnijmy się, że go nie zabiłeś, nie mam zamiaru spędzać poranka na ukrywaniu ciała. – Fin zsiadł z konia i przywołał gestem Ionę. – Tak, ty. Bądź tak dobra i przywiąż Alastara. Nie zdejmuj siodła.

Wyciągnął przed siebie wodze, a ona podbiegła, by je odebrać.

Boyle przewrócił stopą Rileya na plecy.

– Na pewno złamałem mu nos i obluzowałem kilka zębów, ale przeżyje.

Fin podszedł do niego z rękami w kieszeniach i obaj stali, wpatrując się w nieprzytomnego mężczyznę.

– Rozumiem, że chodzi o tego konia, którego od niego wygrałeś.

– Tak.

– Cholerny głupiec.

Przyszedł Mick, wesoło pogwizdując, i przyniósł wiadro wody.

– Pomyślałem, że wam się przyda.

Fin wziął od niego wiadro.

– Odsuńcie się – polecił, po czym chlusnął Rileyowi wodą w twarz.

Mężczyzna parsknął, zakaszlał. Otworzył oczy, które uciekły mu w tył głowy.

Odruchowo głaszcząc Alastara, Iona patrzyła, jak tamci dwaj ciągną intruza do jego furgonetki, wsadzają do kabiny. Nie słyszała, co mówili, ale chwilę później samochód odjechał slalomem.

Mężczyźni też chwilę za nim popatrzyli, po czym Fin powiedział coś, co Boyle skwitował śmiechem, objął przyjaciela ramieniem i razem odwrócili się w ich stronę.

Wtedy Iona to zobaczyła, tę swobodę między nimi. Zdała sobie sprawę, że byli kimś więcej niż tylko partnerami, nawet więcej niż przyjaciółmi. Byli braćmi.

– Na dzisiaj koniec przedstawienia! – zawołał Boyle.

– Robota czeka.

Zebrani pracownicy zaczęli rozchodzić się do swoich zajęć.

Iona odchrząknęła.

– Powinieneś przyłożyć coś na te kłykcie.

Boyle tylko zerknął na swoje dłonie, wzruszył ramionami i szedł dalej, za to Fin przystanął obok Iony.

– Niezły awanturnik z tego naszego Boyle'a.

– Ten drugi facet zaczął.

Fin się roześmiał.

– Nie wątpię. Dorosłość dała Boyle'owi na tyle rozsądku, by poczekał, aż zostanie sprowokowany, teraz rzadko sam zadaje pierwszy cios. Inaczej spuściłby Rileyowi łomot, na który zasługiwał już tydzień temu, zamiast proponować mu zakład.

Powinna pilnować własnego nosa. Powinna.

– Jaki zakład?

– Riley jest sprzedawcą koni, to podlec najgorszego gatunku. Miał kobyłę, którą zaniedbywał. Podobno została z niej tylko skóra i kości, była chora i kulała. Zamierzał sprzedać ją na konserwy.

Ionie zapłonęły oczy, zacisnęła mocno szczęki.

– Sama chętnie bym mu przyłożyła.

– Nie tymi rączkami. – Fin patrzył, jak Alastar trąca nosem Ionę w ramię, a ona przytuliła głowę do jego łba.

– W takiej sytuacji najlepiej użyć nóg i celować w jaja.

– Zrobiłabym to z radością.

– Powiem ci, ponieważ Boyle tego nie zrobi, jako że nie jest człowiekiem gadatliwym, a gdyby mógł, najchętniej w ogóle by się nie odzywał. Zaproponował Rileyowi cenę, którą ten otrzymałby ze sprzedaży klaczy do rzeźni, nawet jeszcze z nadwyżką, ale Riley nie ma szacunku ani dla Boyle'a, ani dla mnie i zażądał podwójnej sumy. Wtedy Boyle, który jest sprytniejszym biznesmenem, niż mogłabyś przypuszczać, założył się z nim. Zakład miał wygrać ten, kto wypije więcej whisky i nadal będzie się trzymał na nogach. Gdyby wygrał Riley, Boyle miał zapłacić żądaną przez niego kwotę. Jeśli Boyle, Riley sprzeda mu konia na jego warunkach. Podobno właściciel pubu zapisał zakład i ludzie postawili spore sumy.

Nie przestając mówić, Fin odwiązał wodze od słupa.

– Pod koniec długiej nocy to Boyle wciąż trzymał się na nogach. Założę się, że następnego dnia miał kaca-giganta, ale konia też miał.

– Pijacki zakład.

– Jak mówiłem, nasz Boyle wydoroślał. No dobrze. – Podał jej wodze, zrobił koszyczek z dłoni. – Wskakuj.

Z głową pełną pytań, wrażeń, Iona postawiła stopę na rękach Fina i zwinnie wskoczyła na grzbiet Alastara.

– Gdzie mam go zaprowadzić?

– Oboje idźcie na arenę. Zobaczmy, co potrafisz.

Rozdział ósmy

Pod koniec dnia pracy Iona pozwoliła sobie na parę myśli o magii. Czego Branna nauczy ją dzisiaj? Jaki nowy cud zobaczy, poczuje, zrobi? Pożegnała się z końmi i ze współpracownikami, po czym ruszyła do wyjścia.

Zobaczyła Boyle'a w jego małym pokoju, ze zmarszczonym czołem przekładał papiery dłońmi o poranionych kłykciach.

Bez wątpienia czuła motyle w brzuchu. Oczywiście nie miała zamiaru flirtować z własnym szefem. W dodatku z tego, co wiedziała, Boyle miał cały zastęp przyjaciółek. A co jeszcze gorsze, być może wcale nie uważał jej za atrakcyjną.

Przecież nie szukała mężczyzny ani zobowiązań. Najpierw musi sobie poukładać swoje nowe życie, dowiedzieć się więcej o budzącej się w niej mocy – i popracować nad nią, jeśli ma naprawdę na coś się przydać kuzynom.

Kiedy kobieta zamierza stawić czoło przedwiecznemu złu, nie może pozwolić, by rozpraszały ją seksowne brwi, szerokie ramiona czy...

– Wejdź albo wyjdź – polecił Boyle, stukając w klawiaturę. – Nie stój jak słup soli.

– Przepraszam. Ja, ach, nie byłam pewna, czy... skończyłam na dzisiaj – wydukała.

Podniósł wzrok, przez sekundę patrzył jej w oczy, po czym mruknął coś i wrócił do pracy.

Te otarcia na dłoniach musiały go boleć, pomyślała Iona. Prawie widziała, jak pulsują.

– Naprawdę powinieneś przyłożyć lód do tych kłykci.

– Nic mi nie będzie. Bywało gorzej.

– Pewnie tak, ale na niewiele się tu przydasz ze spuchniętymi i zdrętwiałymi dłońmi lub, co gorsza, z infekcją.

– Dzięki, nie potrzebuję pielęgniarki.

Jest uparty, pomyślała. Ale ona też. Poszła po apteczkę i kilka okładów z lodem, a po chwili wmaszerowała z powrotem do jego biura.

– Niektórzy mogliby powiedzieć, że zachowujesz się godnie i po męsku – zaczęła, przysuwając krzesło – ale ja widzę nadąsanego dzieciaka, bo te ręce muszą cię boleć.

– Doprowadzenie ich do tego stanu sprawiło mi przyjemność, więc nie jestem nadąsany. Odłóż to.

– Jak skończę. – Wyjęła płyn antyseptyczny. – Będzie szczypało. Złapała Boyle'a za nadgarstek.

– Przestań... Cholera! Jasna, pieprzona dupa.

– Dzieciak – powiedziała z satysfakcją, ale podmuchała na ranę. – Jeśli walisz kogoś w twarz gołymi rękami, musisz ponieść konsekwencje.

– Jeżeli nie pochwalasz bójek, to znalazłaś się w złym miejscu. A najpewniej w złym kraju.

– To zależy od sytuacji, akurat ten dupek sobie zasłużył. Potrzymaj to chwilę, a ja zajmę się drugą. – Położyła na jego jednej ręce woreczek z lodem. – Wiedziałeś, co robisz. Boksowałeś w college'u?

159

– Można tak powiedzieć. – Boyle z rezygnacją – w sumie lód naprawdę przynosił mu ogromną ulgę – oparł się wygodniej. – Próbujesz podpalić mi rękę, żeby ją oczyścić?

– Będzie szczypało tylko przez chwilę. Jak to, „można powiedzieć"?

Spojrzał na nią spode łba.

– Ciągle zadajesz pytania.

– Zadałam tylko jedno – odparła. – A rozmowa odwróci twoją uwagę. Jak to, „można powiedzieć"?

– Jezu. Podczas studiów zarabiałem na życie, bijąc się. Walki na gołe ręce, więc ta sytuacja nie jest mi obca. Potrafię sobą się zająć.

– W takim razie trzeba było to zrobić. Ciężki kawałek chleba.

– Nie, jeśli to lubisz i jeżeli wygrywasz.

– A w twoim wypadku i jedno, i drugie.

– Bardziej lubiłem, kiedy wygrywałem, czyli przez większość czasu.

– To stąd masz tę bliznę na brwi?

– Drugie pytanie. Bliznę mam po bójce w barze, ze stłuczoną butelką w roli głównej. Ponieważ wtedy piłem, miałem trochę słabszy refleks.

– Masz szczęście, że nie straciłeś oka.

Zaskoczony jej odpowiedzią i niewzruszonym tonem Boyle uniósł brew z blizną.

– Nie byłem aż tak powolny.

Iona tylko się uśmiechnęła.

– Nie ruszaj się.

Miał takie duże dłonie. Silne, z mocnymi palcami, szerokie. Twarde ręce mężczyzny, który zarabia nimi na chleb.

– Fin opowiadał mi o klaczy i o zakładzie.

Tym razem nie spojrzał na nią spode łba, tylko poprawił się na krześle.

– Fin uwielbia opowiadać.

– Chciałabym ją poznać.

– Trzymamy ją w dużej stajni. Jest jeszcze nieśmiała przy obcych, potrzebuje więcej czasu i uwagi.

– Jak ją nazwałeś?

Znowu zmienił pozycję; wyraźny znak, zauważyła Iona, że był zakłopotany.

– Kochana. Pasuje do niej. Jeszcze nie skończyłaś?

– Już prawie. Podoba mi się, że go spiłeś, żeby wygrać konia, który cię potrzebował. I podoba mi się, że sprałeś go dziś na kwaśne jabłko. Pewnie nie powinnam tego aprobować. Moi rodzice próbowali wychować mnie na kogoś, kto by tego nie pochwalał. Ale nie odnieśli sukcesu.

Podniosła wzrok i zobaczyła, że Boyle znowu na nią patrzy.

– Nie możesz być kimś, kim nie jesteś.

– Nie, nie możesz. Jestem dla nich lekkim rozczarowaniem, co chyba jest gorsze, niż gdybym naprawdę ich zawiodła. Dlatego ciężko pracuję, żeby pod żadnym względem nie zawieść siebie.

Odsunęła się.

– Skończone. – Delikatnie ujęła jego palce, by obejrzeć kłykcie. – Lepiej.

O tak, pomyślała, gdy ich oczy znowu się spotkały. Motyle w brzuchu i szybkie fikołki w okolicy serca. Jak nie będzie się pilnować, wpadnie w poważne tarapaty.

Boyle pierwszy cofnął dłonie.

– Dzięki. Lepiej już idź. Na pewno masz mnóstwo spraw do załatwienia.

– Mam. – Sięgnęła po apteczkę, ale odepchnął jej rękę.

– Odłożę to na miejsce. Jutro o ósmej.

– Będę.

Kiedy wyszła, spojrzał posępnie na swoje dłonie. Nadal czuł jej dotyk. Od ciepła jej rąk palce szczypały go w zupełnie inny sposób. Podniósł wzrok i uśmiechnął się; Fin stanął w drzwiach, oparł się o framugę.

– Nawet nie zaczynaj.

– Ładne z niej stworzenie. Bystre, chętne. A gdyby flirtowała z tobą chociaż odrobinę intensywniej, musiałbym dla przyzwoitości zamknąć wam drzwi.

– Wcale nie flirtowała. Wbiła sobie do głowy, że musi zrobić mi opatrunek, to wszystko.

– Niezupełnie, i dobrze o tym wiesz, *mo dearthair*. Myślisz o niej, nawet jeśli sobie powtarzasz, że nie powinieneś.

Nawet jeśli to prawda, to w końcu był mężczyzną, prawda? Jednak nie był głupi.

– Jest kuzynką Connora i naszą pracownicą. W żaden inny sposób o niej nie myślę.

– Bzdury. To ładna kobieta, mądra i na tyle silna, by dokonywać własnych wyborów, co już udowodniła. To, co cię martwi, to jej moc.

Boyle oparł się na krześle i powoli skinął głową, patrząc Finowi w oczy.

– Martwi mnie, co to oznacza i co wy wszyscy, a ja razem z wami, możecie zrobić. I ty też powinieneś się martwić. To nie jest czas na flirty.

– Jeśli nie teraz, to kiedy? To może być koniec nas wszystkich i wolałbym umrzeć po tym, jak przespałem się z kobietą niż przed.

– Ja wolałbym przeżyć i przespać się z kobietą po wygranej bitwie.

Fin uśmiechnął się beztrosko.

– Zjedz deser najpierw. Zawsze możesz dostać dokładkę. Zabiorę Alastara na przejażdżkę, zobaczę, jak sobie radzi.

– Jedziesz do Branny?

– Nie, jeszcze nie. Ona nie jest gotowa. Ja też nie.

Boyle został sam i znowu pogrążył się w ponurych myślach. Powinni zacząć przygotowania, pomyślał, przypominając sobie wycie dobiegające z mgły. Każde z nich, bez wyjątku.

Tuż przed szóstą rano Iona siedziała już na łóżku. Właśnie minęła jej ostatnia noc w zamku. Bardzo chciała zamieszkać z kuzynami, ale trochę było jej żal, że ten luksusowy sen dobiegł końca.

Nie będzie już wesołych pokojówek, sprzątających jej pokój i przynoszących herbatę i ciastka. Ani oszałamiającego bufetu śniadaniowego. Koniec z układaniem się w wielkim łożu, wśród odgłosów wiatru i deszczu, i wyobrażania sobie, że żyje w trzynastym wieku.

Ale zamieniała to wszystko na rodzinę. Robiła doskonały interes.

Większość rzeczy spakowała wczoraj wieczorem, więc teraz musiała już tylko schować ostatnie drobiazgi i odliczyć napiwek dla pokojówek, wziąć ostatni prysznic w zamku.

Miała jeszcze pół godziny, zanim przyjedzie Connor – sam się uparł – i postanowiła wykorzystać ten czas na ćwiczenia.

Po namyśle uznała, że pióra będą najbezpieczniejsze. Branna powiedziała, że nie nauczy jej niczego nowego, dopóki Iona nie zapanuje w pełni nad czterema żywiołami. A Brannę nie było łatwo zadowolić.

I żadna ilość pochlebstw, łapówek ani próśb nie zmieniła jej postanowienia.

Dlatego Iona zamierzała stać się mistrzynią.

Przynajmniej potrafiła już sobie poradzić z całym stosem piór, nie tylko z jednym.

W bladym świetle poranka wyciszyła umysł i sięgnęła po moc. Wyciągając ręce, pomyślała o unoszącym się powietrzu, o delikatnej, ciepłej bryzie, wietrzyku, szepcie.

Białe pióra z trzepotem uleciały w górę, rozdzieliły się i zawirowały. Iona posłała je wyżej, szybowały powoli, koziołkując w powietrzu. Powoli, powoli, upominała samą siebie. Delikatnie.

Uniosła wysoko ramiona i okręciła się, patrząc, jak pióra wirują razem z nią. Czując, jak wypełnia ją radość, trochę przyspieszyła.

Obrót, piruet, białe pióra odzwierciedlały każdy jej ruch. Do góry, w dół, leniwe wiry, idealne koła, smukła, biała wieża.

– Czuję to – szepnęła. – Naprawdę. To wspaniałe.

Obróciła się ze śmiechem jeszcze raz, i jeszcze, i jeszcze. Rozłożyła ręce, a pióra ustawiły się w równym rządku, po czym utworzyły dwa wirujące koła. A potem serpentynę i ósemki, aż w końcu znowu zbiły się w chmurę.

– Piątka z plusem. Nawet Branna musi mi przyznać stopień mistrzowski.

Ostre, głośne pukanie do drzwi sprawiło, że aż się zachłysnęła powietrzem. A pióra opadły, zasypując ją bielą.

– Cholera!

Idąc do drzwi, strzepnęła je z ramion, zdmuchnęła z twarzy.

– Przerwałeś mój czar – powiedziała z pretensją.
– A właśnie... Och! Boyle!

– Wszędzie są pióra. Rozerwałaś poduszkę?

– Nie. To moje pióra. Co ty tu robisz? – Irytację zastąpił niepokój. – Coś się stało? Ktoś jest ranny?

– Nic się nie stało i nikt nie jest ranny. Connora wezwali do szkółki, zepsuło się coś z hydrauliką, a on się na tym zna. Ja cię zawiozę. Jesteś spakowana?

– Tak. Nie chcę ci robić kłopotu. Mogę poprosić kogoś z hotelu, żeby mnie odwiózł.

– Skoro już tu jestem, zabierzmy twoje rzeczy.

– Dobrze. Dziękuję. Tylko muszę tu posprzątać. Pióra.

– Hm. – Wyciągnął rękę i zaskoczył Ionę, muskając palcami jej włosy. – Tu masz jeszcze kilka – powiedział.

– Och. Okej. – Iona opadła na kolana i zaczęła zbierać biały puch.

– Czy te pióra są drogocenne?

– To tylko pióra.

– W takim razie je zostaw, sprzątaczka się nimi zajmie. Pozbieranie ich z podłogi zajmie ci z godzinę.

– Nie zostawię Sinead takiego bałaganu. – Zebrała jeszcze kilka, po czym przysiadła na piętach. – Ależ jestem idiotką.

– Ty to powiedziałaś.

– Poczekaj. Tylko poczekaj. – Iona wstała i wzięła głęboki oddech. Najpierw wycisz umysł, poleciła sobie.

I uniosła pióra do góry. Z pełnym satysfakcji śmiechem zebrała je w stos, po czym stuliła ręce i pozwoliła, by opadły w jej dłonie.

– Widziałeś to? – Rozpromieniona wyciągnęła ręce.
– Widziałeś?

– Przecież mam oczy, prawda?

– To takie cudowne. Po prostu wspaniałe. Patrz teraz.

Wyrzuciła ręce w górę, jeszcze raz posyłając pióra w powietrze, kazała im wirować, nurkować, zrywać się do lotu, po czym znowu opaść w jej złożone dłonie.

– Prześlicznie. Ćwiczyłam tę sztuczkę od wielu dni, ale wreszcie ją opanowałam. Naprawdę to mam.

Spojrzała na Boyle'a z promiennym uśmiechem. I zamarła. Wszystko wokół znieruchomiało.

Patrzył na nią w ten swój wyjątkowy sposób, ale w jego oczach nie dostrzegła podziwu, rozbawienia ani złości.

Tylko żar.

– Och – westchnęła i idąc za głosem serca, pochyliła się ku niemu.

Boyle cofnął się, robiąc błyskawiczny i skuteczny unik.

– Pozbierałaś już pióra. – Wyminął Ionę i ściągnął z łóżka dwie walizki. – Idziemy. Obrócę jeszcze raz, jeśli masz więcej dobytku.

– Tylko kurtkę i laptop. Wezmę je. Przepraszam.
– Czerwona ze wstydu, wsypała pióra do torebki, którą szczelnie zamknęła. – Chyba dałam się ponieść magii i źle odczytałam sygnały. Myślałam, że ty... ale najwidoczniej nie.

– Rusz się, dobrze? – warknął, a Iona odczuła każde słowo jak bolesny prztyczek w nos. – Musimy zdążyć do pracy.

Uniósł walizki, jakby nic nie ważyły, i ruszył w kierunku drzwi.

– Dobrze. Dobrze! Rozumiem. Jednak jestem idiotką. Nie podobam ci się, komunikat przyjęty. Ale nie musisz być niegrzeczny.

Wepchnęła torebkę z piórami do torby na laptopa.

– Bywałam już odrzucana i jakoś to przeżyłam. Uwierz mi, nie mam zamiaru się na ciebie rzucać, więc nie musisz kopać i gryźć. Jestem dużą dziewczynką – dodała, biorąc kurtkę i szalik. – I sama ponoszę odpowiedzialność za moje własne…

Upuścił walizki z takim hukiem, że Iona aż podskoczyła.

– Ty tak cholernie dużo gadasz – stwierdził i gwałtownie przyciągnął ją do siebie. Zaskoczona uderzyła o niego całym ciałem i zdążyła wykrztusić z siebie tylko krótkie „ooch", zanim Boyle uniósł jej podbródek. I przywarł wargami do ust, jakby nigdy niczego bardziej nie pragnął.

Mocny i gwałtowny pocałunek, który nie dał Ionie wyboru. Ogłuszył ją, oślepił. Straciłaby równowagę, gdyby Boyle jej nie trzymał.

Oszołomiona, spragniona, otoczyła jego szyję ramionami i pozwoliła się unieść tej wysokiej, gorącej fali.

Kilka sekund później Boyle bezceremonialnie postawił ją z powrotem na podłogę.

– Przynajmniej się zamknęłaś.

– Ach…

Wziął walizki.

– Jeśli chcesz, żebym cię zawiózł, to się rusz.

– Co? – Iona przejechała ręką po włosach. – Co to było?

– A jednak jesteś idiotką. Oczywiście, że mi się podobasz. Jak każdemu mężczyźnie, w którego żyłach płynie krew. Nie o to chodzi.

– Nie o to chodzi. To o co?

– Nie mam zamiaru czegokolwiek z tym robić. I jeżeli zadasz mi jeszcze jedno pytanie, rzucę te walizki tu, gdzie stoję, i możesz sobie jechać do Branny sama.

– Ja tylko odrobinę się nachyliłam – tłumaczyła się Iona, wkładając kurtkę. – To ty mnie złapałeś. – Wzięła laptop i wymaszerowała z pokoju.

– Złapałem – mruknął Boyle. – I to również czyni ze mnie idiotę.

Podczas krótkiej przejażdżki Iona mocno zaciskała usta. Nie zamierzała się odzywać ani słowem. Wymagało to od niej ogromnej siły woli, ponieważ miała mnóstwo do powiedzenia, ale nie zamierzała dać Boyle'owi tej satysfakcji.

Lepiej go ignorować. Wykaże się większą dojrzałością, jeśli nic nie powie.

Nie, uznała, milcząc, wykaże się większą mocą.

Kiedy tylko o tym pomyślała, furgonetka podskoczyła, jakby na płaskiej drodze natrafiła na niewidzialny garb.

Boyle obrzucił ją jednym wściekłym spojrzeniem.

Czy ona to zrobiła? Iona zacisnęła mocno ręce, żeby nie okazać radości. Czy naprawdę uniosła cały samochód? Nie zrobiła tego specjalnie, ale to i tak wielki krok od stosu piór.

Zastanawiała się, czy nie spróbować jeszcze raz, tylko żeby sprawdzić, ale na szczęście dla wszystkich zainteresowanych Boyle właśnie zaparkował przed domem Branny.

Iona wyskoczyła z samochodu i już miała obejść furgonetkę, żeby wyjąć walizki z bagażnika, kiedy pomyślała: do diabła z tym. On je wyniósł, to teraz niech je wniesie. Obróciła się na pięcie i ruszyła do drzwi.

Zaspana Branna otworzyła, zanim Iona zdążyła zapukać.

– Ależ jesteś punktualna.

– Boyle przyjechał wcześniej. Jeszcze raz dziękuję, że pozwalacie mi tu zamieszkać.

– Zobaczymy, czy nadal będziesz mi dziękowała za tydzień lub dwa. Dzień dobry, Boyle. Jeśli chcesz zanieść je na metę, to drugie drzwi na lewo. Pokażę ci twój pokój – ciągnęła Branna, prowadząc gości po wąskich schodkach. – Mój jest z tyłu, a Connora od frontu. Mam własną łazienkę, to był priorytet, kiedy rozbudowywaliśmy dom. Dzielenie łazienki z Connorem to wyzwanie, które teraz czeka ciebie.

– Wcale mi to nie przeszkadza.

– Jeśli powtórzysz to za tydzień lub dwa, to jesteś kłamczuchą. Ale nie mamy innego wyjścia.

Kremowe łóżko z zagłówkiem z giętej stali stało naprzeciwko ozdobionego koronkową firanką okna, z którego rozciągał się widok na las. Sufit obniżał się skośnie wraz z dachem, tworząc przytulny kącik na małe biurko i krzesło z haftowanym siedzeniem.

Mała toaletka rozkwitała kwiatami, namalowanymi na kremowym tle w tym samym odcieniu, co zagłówek łóżka, na blacie stał mały wazonik z kwitnącą koniczyną. Soczysta zieleń pokrywała ściany, służąc za tło kolorowym zdjęciom wzgórz, lasów i ogrodów.

– Och, Branna, jak tu pięknie. Ślicznie. – Iona musnęła palcami narzutę, delikatną jak chmurka, dotknęła koca w soczystych odcieniach śliwki, purpury i lawendy, zwiniętego w nogach łóżka. – Cudowny pokój. Tak bardzo ci dziękuję.

Tym razem Branna była trochę lepiej przygotowana na entuzjastyczny uścisk kuzynki.

– Bardzo proszę i jeśli będziesz chciała cokolwiek zmienić...

– Absolutnie nic bym tu nie zmieniła. Jest idealnie.

– Gdzie mam je postawić? – zapytał Boyle, stając w drzwiach. Nawet nie próbował ukryć złości.

Iona odwróciła się, a w jej oczach, które jeszcze przed chwilą zasnuwała mgła, błysnęła stal.

– Gdziekolwiek. Dziękuję.

Potraktował jej odpowiedź dosłownie i upuścił walizki tam, gdzie stał, dbając, by nawet czubek jego buta nie przekroczył progu.

– W takim razie lecę.

– Masz jeszcze czas, prawda? – W głowie Branny tłoczyły się niezliczone pytania na temat wrzących i lodowatych prądów rozlewających się po pokoju niczym woda z kurków w kranie, ale uśmiech i ton miała swobodny. – Zrobię ci śniadanie w ramach rewanżu.

– Dzięki, ale mam kilka spraw do załatwienia. Możesz przyjść dziś o dziewiątej, Iona.

Wyszedł szybko, łomocząc butami na schodach.

– No dobrze, o co w tym wszystkim chodzi? – zapytała Branna, po czym widząc ogień w oczach Iony, uniosła dłoń.

– Poczekaj, aż zejdziemy do kuchni. Mam przeczucie, że będę potrzebowała więcej kawy.

Poszła pierwsza i nalała kawy do dwóch kubków.

– Teraz możesz to z siebie wyrzucić.

– Przyszedł do mnie i zaczął walić w drzwi, akurat jak unosiłam pióra w powietrzu. Opanowałam to, Branna, pokażę ci. Rozproszył moją uwagę i nagle pióra zasypały cały pokój, ale skupiłam się jeszcze raz i pokazałam mu tę sztuczkę. Byłam podekscytowana i szczęśliwa, bo kto by nie był? Ale nie jestem ślepa ani głupia.

Mówiąc, chodziła po kuchni, gestykulując gwałtownie jedną ręką. Branna nie spuszczała oka z kawy w kubku Iony, na wypadek gdyby płyn miał chlusnąć na podłogę.

– Wiem, kiedy mężczyzna chce zrobić ruch. Znam to spojrzenie. Ty też je znasz – dodała Iona, wskazując na nią palcem.

– O tak, i w większości wypadków jest to bardzo obiecujące spojrzenie.

– No właśnie i ponieważ to jego również wydało mi się obiecujące, posłuchałam instynktu. A raczej chciałam posłuchać. Na litość boską, ja tylko trochę się nachyliłam, a on odskoczył, jakbym go trąciła płonącą pochodnią.

– Hm – powiedziała Branna i wyjęła patelnię.

– Poczułam się jak idiotka. Wiesz, jakie to uczucie w takiej sytuacji. Nie, ty prawdopodobnie nie masz pojęcia – poprawiła się po chwili. – Jaki mężczyzna by się przed tobą cofnął? Ale mnie zalała bardzo nieprzyjemna fala gorąca. Zrobiło mi się wstyd, więc go przeprosiłam. Źle odczytałam sygnały, to wszystko, przepraszam. No dobrze, może trochę paplałam, ale czułam się okropnie i głupio i byłam strasznie skołowana, ponieważ najpierw myślałam, że oni z Mearą są razem, ale ona powiedziała, że nie, więc pozwoliłam sobie otworzyć te drzwi, których wcześniej nie otwierałam ze względu na Mearę, bo nie wolno wkraczać na cudzy teren. Poza tym on jest moim szefem, więc tym bardziej nie chciałam się w to pakować. Ale się wpakowałam i okazało się to jeszcze gorsze. Zaczęłam przepraszać, próbowałam obrócić wszystko w żart, ale on mnie złapał.

171

Branna przerwała na chwilę smażenie bekonu i jajek.

– Doprawdy?

– Przyciągnął mnie do siebie i pocałował tak, że mózg wyciekł mi uszami, a czaszka eksplodowała. – Zademonstrowała wybuch rękami, wydając odgłos wybuchającej bomby. – A po pięciu sekundach po prostu mnie puścił, rzucił jakąś złośliwą uwagę na temat tego, że wreszcie się zamknęłam, i kazał mi się pośpieszyć.

– Boyle McGrath nigdy nie zostanie poetą.

– Do diabła z poezją. Nie musiał traktować mnie w ten sposób.

– Nie, nie musiał. – Rozbawienie Branny zabarwiło się współczuciem. – Nasz Boyle jest obcesowy, przez co czasami może sprawiać wrażenie niemiłego, ale z zasady raczej nie bywa niegrzeczny.

– Widać dla mnie złamał tę zasadę.

– Powiedziałabym, że owszem, całując cię tak, że mózg ci wyciekł uszami. Pracujesz dla niego, więc sytuacja jest dosyć niezręczna. Boyle na pewno się tym przejął.

– Ale ja…

– Proszę, siadaj i jedz. – Podała Ionie talerz z jajkami i bekonem na grzance. – Poranne dramaty zaostrzają mi apetyt. – Postawiła na stole swój talerz i kubek. – Boyle to mężczyzna z zasadami. Uważa, że nie wolno oszukiwać, kraść ani kłamać. Nie wykorzystujesz zwierząt ani ludzi słabszych od ciebie. Nie szukasz zwady – ta zasada obowiązuje dopiero od kilku lat – ale nie uchylasz się od bójki. Stoisz murem za przyjaciółmi i stawiasz swoją kolejkę w pubie. Nigdy nie tkniesz kobiety, która należy do innego mężczyzny, i nie dasz słowa, jeśli nie zamierzasz go dotrzymać.

– Nie szukałam zwady i do nikogo nie należę. Nie jestem słabsza od niego. Fizycznie tak, ale mam coś w zamian. Myślę, że uniosłam jego furgonetkę, tylko trochę, kiedy tu jechaliśmy.

Rozbawiona Branna jadła ze smakiem śniadanie.

– Złość potrafi przywołać moc, będziesz musiała się nauczyć to kontrolować. Sama powiedziałaś, że on jest twoim szefem. Boyle też o tym pomyślał, Iona. To ma dla niego znaczenie, nawet jeśli to ty zrobiłaś pierwszy ruch, o ile można tak powiedzieć. Więc jeżeli pocałował cię tak, że mózg wypłynął ci uszami, to dlatego, że chciał. Tylko, jak ty z furgonetką, nie miał nad tym kontroli.

Zamyślona Iona ukroiła kawałek grzanki.

– Nie sądzisz, że zrobił to, aby dać mi nauczkę?

– Och nie, nie Boyle. Jemu taka myśl nawet nie przyszłaby do głowy. Moim zdaniem, a wyrobiłam je sobie tylko po tym, co usłyszałam od ciebie, on powiedział to, co powiedział, ponieważ był wściekły na siebie. Wtedy w pubie też posłał ci jedno lub dwa spojrzenia.

– On… Naprawdę?

– No pięknie, teraz jestem między młotem a kowadłem. Z jednej strony moja kuzynka i siostra w magii, a z drugiej mężczyzna, z którym się przyjaźnię prawie przez całe życie.

– Masz rację. Nie powinnam była stawiać cię w takiej sytuacji.

– Nie bądź głupia. Siostrzane uczucia wygrywają. Powiedziałabym, że przemknęło mu to przez myśl, ale uznał, że to wbrew zasadom. A teraz jest wkurzony i sfrustrowany, ponieważ zmącił wody jeszcze bardziej, niż przedtem były zmącone.

– I bardzo dobrze. – Iona zdecydowanym ruchem od-
kroiła następny kęs tosta. – W takim razie oboje jesteśmy
wkurzeni i sfrustrowani. Ale po rozmowie z tobą czuję się
lepiej. Wiem, że u mnie co w sercu, to na języku, a ty...
cóż, u ciebie nie. Ale chciałabym ci powiedzieć, że gdybyś
kiedykolwiek chciała z kimś porozmawiać, to wiem, kiedy
mam się zamknąć i słuchać.

– Będziemy miały mnóstwo tematów do rozmowy.
Teraz, kiedy tu mieszkasz, będziemy musiały dobrze wykorzystać nasz czas. Musisz się jeszcze dużo nauczyć, a nie
wiem, ile go nam zostało. Nie widzę tego, co bardzo mnie
martwi.

– Wiem, że to niewiele, ale umiem już unieść wszystkie
pióra naraz. Potrafię nadać im kierunek, zmienić prędkość, obrócić. I kiedy już złapałam, o co chodzi, nie musiałam o tym myśleć, po prostu czułam.

– To wcale nie jest mało. Na razie bardzo dobrze ci
idzie. Jeśli dalsza nauka będzie tylko kwestią wydobycia
tego, co nosisz w sobie, to nie musimy się spieszyć i obie
będziemy się doskonale bawiły. – Branna wyjrzała przez
okno na wzgórza. – Ale nie wiem, jak ani kiedy on przyjdzie. Nie wiem, jak to możliwe, że w ogóle może przyjść,
skoro tak potężne moce spaliły go na popiół. Jednak przy-
będzie, kuzynko, kiedy uzna, że jest na tyle silny, by odnieść nad nami zwycięstwo. A my musimy zrobić, co w naszej mocy, żeby mu się nie udało.

– Jest nas czworo, więc...

– Troje – poprawiła ją Branna ostro. – Jest nas troje.
Fin nie należy do kręgu.

– W porządku. – Grząski teren, pomyślała Iona. Będzie
trzymała się od niego z daleka, dopóki nie znajdzie choć

174

skrawka twardego gruntu. – Nas troje, on jeden. Mamy dużą przewagę.

– On zrobi wszystko, żeby wygrać, a nas zobowiązuje nasza krew, nasza sztuka, abyśmy nikomu nie wyrządzili krzywdy. On może tego nie rozumieć, ale doskonale o tym wie.

Wstała i podeszła do drzwi. Kiedy je otworzyła, do kuchni wszedł pies, choć Iona nie usłyszała wcześniej ani jednego dźwięku.

– Kathel odprowadzi cię do stadniny, jak będziesz gotowa.

– Mój pies stróż?

– Lubi się włóczyć. Cabhan skupi się na tobie, ponieważ twoja moc dopiero kiełkuje, pamiętaj o tym.

– Będę. Kiedy zabierzecie mnie do tego miejsca w lesie?

– Niedługo. Muszę się zbierać do pracy. Idź i rozpakuj się, zanim wyjdziesz.

– Najpierw tu posprzątam. Nie musisz szykować mi śniadań.

– Nie łudź się, robię to tylko wtedy, kiedy mam nastrój – zapewniła ją Branna tak szczerze, że Iona poczuła się jeszcze milej widziana. – A teraz nie musisz sprzątać, wieczorem ustalicie grafik z Connorem. Jeśli ja gotuję, jedno z was sprząta.

– Sprawiedliwy układ.

– Mamy pralkę i suszarkę, a w ładne dni suszymy pranie na dworze. Zastanowimy się, jak podzielimy się zakupami i innymi obowiązkami. Wiosną dojdzie jeszcze ogród, ale nie tkniesz nawet źdźbła trawy, jeśli nie będę miała pewności, że wiesz, co robisz.

– Babcia mnie nauczyła. Jestem całkiem niezłą ogrodniczką.

– Zobaczymy. Na pewno chciałabyś pójść z Connorem na spacer z sokołami.

– Bardzo.

– To świetna zabawa, jednak w twoim wypadku chodzi o coś więcej. Każde z nas ma swojego przewodnika, ale jesteśmy silniejsi, jeśli porozumiewamy się ze wszystkimi, a oni z nami.

– Rozumiem. Czy przyjdziesz poznać Alastara?

– Tak, już wkrótce. Teraz tu jest twój dom i zawsze będzie.

– Ty zawsze wiedziałaś, gdzie twoje miejsce, więc nie wiem, czy potrafisz zrozumieć, ile dla mnie znaczy, że wreszcie i ja mogę to poczuć.

– W takim razie idź i się rozpakuj. A jak wrócisz ze stadniny, zabierzemy się do pracy. To dla ciebie. – Branna uniosła dłoń, zacisnęła ją w pięść, po czym znowu otworzyła, ukazując srebrny klucz. – Zwykle nie zamykamy drzwi, ale weź go na wszelki wypadek.

– Musisz mnie tego nauczyć – mruknęła Iona i wzięła klucz, jeszcze ciepły od magii. – Dziękuję.

– Bardzo proszę. Jak wrócisz z pracy, będę w warsztacie. Przyjdź, kiedy będziesz gotowa do nauki.

– Przyjdę. – Przejęta Iona niemal wytańczyła się z kuchni i wbiegła po schodach.

Teraz to również jej dom, pomyślała Branna. Będzie o niego dbać, pracować na niego, a pewnego dnia nie będzie miała innego wyboru i przyjdzie jej o niego walczyć.

Rozdział dziewiąty

Iona, jadąc na Alastarze, prowadziła swoją pierwszą grupę. Nie była pewna, czy sama zasłużyła na to wyróżnienie, czy raczej Boyle chciał, żeby zeszła mu z oczu.

Nie miało to dla niej znaczenia.

Rozkoszowała się tą godziną na koniu i chociaż wiedziała, że Alastar wolałby solidny galop, czuła, że ogier również cieszy się z jej towarzystwa. Sprawiała jej przyjemność swobodna pogawędka z parą z Maine i czuła dumę, że tak swobodnie porusza się po okolicy i zna odpowiedzi na większość pytań.

Zarabiamy na utrzymanie, pomyślała, klepiąc Alastara po szyi.

Kiedy wrócili, Meara wyszła im na spotkanie.

– Teraz ja się wami zajmę, jeśli nie macie nic przeciwko temu. Iona jest potrzebna w dużej stajni.

– Jestem?

– Razem z Alastarem. Trafisz sama?

– Pewnie. Pokazywałaś mi drogę i zaznaczyłam ją sobie na mapie. Ale…

– Polecenie Fina, więc lepiej już jedź. Jak podobała wam się przejażdżka? – zapytała turystów.

Zaniepokojona Iona zawróciła konia i ruszyła w kierunku, z którego przyjechała.

Czy Boyle się na nią poskarżył? Może zaraz zostanie zwolniona?

Czując te niespokojne myśli, Alastar odwrócił łeb i spojrzał jej w oczy.

– Jestem niemądra. Przesadzam, to wszystko. Boyle jest humorzasty, ale nie małostkowy.

Poza tym, pomyślała, Fin ją lubi, przynajmniej trochę. Dowie się, jak tam dotrze. I pomyślawszy to, uznała, że pozwoli Alastarowi się wykazać.

– Jedziemy – powiedziała i jeszcze zanim zdążyła dźgnąć go piętami, koń ruszył z kopyta. – O Boże, tak! – Ze śmiechem uniosła twarz ku niebu, gdy ogier mknął po ścieżce.

Jej podniecenie i emocje konia zlały się w jedno, splotły ze sobą. Moc, jego i jej, dodała im obojgu skrzydeł i przez chwilę, tylko przez moment, Iona czuła, że naprawdę unoszą się nad ziemią. Naprawdę frunęli, a wiatr smagał jej włosy i końską grzywę.

Roześmiała się, a Alastar zarżał triumfalnie.

On jest do tego stworzony, pomyślała. I ona też.

– Spokojnie – szepnęła. – Powinniśmy trzymać się ziemi. Na razie.

Chwila lotu, a teraz radość galopu na wspaniałym koniu, rozwiały jej obawy. Pozwalając Alastarowi narzucić tempo – ależ ten koń się ruszał! – skręciła razem z rzeką, po czym odjechała w bok wąską ścieżką, prowadzącą wśród gęstych drzew, aż wyjechała na polanę, gdzie za torem do skoków stały stajnie.

Ściągnęła wodze – powoli, powoli – żeby złapać oddech.

Dom z szarego kamienia zdobiły dwie wymyślne wieżyczki i lśniące okna. Kamienny podjazd i mur ogrodowy dzieliły go od garażu z mieszkaniem Boyle'a na piętrze.

Po prawej stronie rozciągał się padok. Przy płocie stały trzy konie i pogrążone w myślach wpatrywały się w las.

Iona zobaczyła ludzi, przyczepy, furgonetki, czarny motocykl o czterech kołach.

Wszystko to wyglądało zamożnie, praktycznie i malowniczo zarazem. Iona kazała Alastarowi zwolnić do pełnego godności truchtu, po czym zatrzymała go, słysząc, jak ktoś woła jej imię.

Zobaczyła Fina – w dżinsach i tym wspaniałym płaszczu ze skóry. Wskazywał jej ręką tor, w którego kierunku szedł.

Otworzył bramę i gestem zaprosił Ionę do środka.

– Meara powiedziała, że chcesz mnie widzieć.

– To prawda. – Przekrzywił głowę i spojrzał na nią uważnie świdrującymi, zielonymi oczami. – Dobrze się bawiłaś.

– Ja… Słucham?

– Promieniejesz i nasz chłopak też.

– Och, tak. Zafundowaliśmy sobie dobry galop.

– Nie wątpię i założę się, że nie tylko, ale wracając do sprawy – ciągnął, zanim zdążyła choćby pomyśleć nad odpowiedzią – chciałbym zobaczyć, jak ty i Alastar radzicie sobie z przeszkodami.

Chyba nic nie mogło jej bardziej zaskoczyć.

– Chcesz, żebym przejechała na nim tor?

– Tak powiedziałem. – Zamknął bramę i wsunął ręce w kieszenie. – Zrób to, jak chcesz.

Iona siedziała przez chwilę, obserwując tor. Określiłaby poziom jako średniozaawansowany. Kilka podwójnych przeszkód, żadnych pułapek i mnóstwo miejsca na rozpęd.

– Ty jesteś szefem. – Pchnęła Alastara do przodu, zatoczyła koło, przeszła w swobodny trucht.

Ani przez chwilę w niego nie wątpiła, w końcu przed chwilą razem frunęli. Czuła, jak koń zbiera się do pierwszego skoku. Przepłynęli nad pierwszą przeszkodą, podbiegli do następnej, unieśli się i ją również pokonali bez najmniejszego wysiłku.

– O co ci chodzi? – mruknął Boyle, stając obok Fina. Ręce trzymał w kieszeniach, mocno zaciskał palce.

Fin ledwo zerknął na przyjaciela.

– Mówiłem ci, chcę zobaczyć, na co ją stać. Muszę to wiedzieć. Zawróć i pokonajcie tor jeszcze raz! – zawołał.

Przeniósł spojrzenie w stronę lasu. Na razie nie kryły się w nim żadne cienie, tylko drzewa, ale to się zmieni. Dlatego musiał wiedzieć.

– Nie jestem ci tu do niczego potrzebny – powiedział Boyle.

– Wiesz, że mam coś do załatwienia w Galway. Jeden z nas musi z nią zostać, dopóki nie upewnimy się, że sama może prowadzić lekcje.

– Ona nie musi uczyć.

– Nie musi? Jezu, oni są dla siebie stworzeni. Ten koń już do niej należy. Szczerze mówiąc, jestem trochę zazdrosny. On mnie lubi, ale nigdy nie pokocha mnie tak, jak już kocha ją. Kolejny zawód dla mojego biednego serca.

Klepnął Boyle'a w ramię.

– Spotkajmy się w pubie, do ósmej powinienem wrócić. Wypijemy po piwie, zjemy coś i opowiesz mi, jak sobie poradziła. Potem wypijemy po drugim piwie, rozwiąże ci się język i powiesz mi, co takiego wydarzyło się między tobą a blond czarownicą, że masz spojrzenie zbitego psa.

– Dwa piwa to za mało, żeby rozwiązać mi język, kolego.

– W takim razie wypijemy trzy. Doskonała robota, Iona. Wyglądacie razem jak z obrazka.

– On ma to we krwi. – Zbliżyła się do nich, gładząc Alastara po szyi. – Ja jestem tylko zbędnym ciężarem.

– Stanowicie jedność. Za kilka minut przyjdzie nowa uczennica. Ma jedenaście lat i dobrze jeździ, ale chciałaby nauczyć się skakać. Zajmiesz się nią.

– Dokąd mam ją zabrać?

– Och. Jako instruktorka sama zdecydujesz. Dostaniesz wynagrodzenie z opłaty za lekcję. Boyle będzie nadzorował wasze pierwsze spotkanie, ponieważ mam coś do załatwienia.

Fin widział, jak Iona spojrzała na Boyle'a, po czym natychmiast odwróciła wzrok.

– Dobrze. Jak ona się nazywa i którego konia chcesz jej dać?

– Nazywa się Sarah Hannigan i przyjedzie z matką, Molly. Osiodłamy dla niej Winifred, mówimy na nią Winnie. To weteranka. Dzisiejsza lekcja potrwa pół godziny. Zobaczymy, czy jej się spodoba. Jeśli tak, same ustalicie daty i godziny następnych spotkań.

– Brzmi nieźle. Teraz dam radę, ale następnym razem wolałabym siodło do skoków, jeśli mam uczyć.

– Pewnie, zadbamy o to. W takim razie jadę. Do zobaczenia w pubie, Boyle.

Fin odszedł, a Iona spojrzała z góry na Boyle'a i dostrzegła, jak przestępował z nogi na nogę.

– No i?

– Pójdę osiodłać Winnie.

Kiedy się odwrócił, Alastar szturchnął go mocno łbem w tyłek.

– Alastar! Przepraszam – powiedziała szybko Iona i zacisnęła usta, żeby nie wybuchnąć śmiechem. – Nie bądź niegrzeczny – upomniała konia, a pochylając się do ucha ogiera, dodała: – Nawet jeśli to zabawne.

Zeskoczyła na ziemię, zaczepiła wodze o płot.

– Poczekaj tutaj. Czy mogę zobaczyć twoją Kochaną? – zapytała Boyle'a.

– Mojego kogo?

– Klacz, Kochaną. Tę, którą wygrałeś od tego dupka.

– Ach. – Spojrzał na nią spode łba i wzruszył ramionami. – Jest w stajni.

– Pokaż mi tylko gdzie. Powinnam też poznać Winnie, żebym wiedziała, z kim będę pracować.

– No dobrze.

Ruszył szybkim krokiem, a Iona wywróciła oczami do Alastara i poszła za nim. Nadal mocno zaciskając usta.

Nie przedstawił jej ani stajennym, ani czarno-białemu kundlowi merdającemu ogonem, więc Iona sama to zrobiła. I, ignorując wyraźne zniecierpliwienie Boyle'a, wymieniła uściski dłoni z Kevinem i Mooneyem, podrapała Robala (ponieważ je zjadał) za uszami.

Boyle przystanął przed boksem postawnej, gniadej klaczy.

– To jest Winnie.

– Jest mądra, prawda? Bystra z ciebie dziewczyna, co, Winnie?

Muskularna, oceniła Iona, głaszcząc ją po pysku, dobra dla młodej dziewczyny. Spokojne spojrzenie klaczy stanowiło pomyślną wróżbę dla nowicjuszki na torze przeszkód.

– Mogę ją osiodłać, jeśli mi pokażesz, gdzie jest siodlarnia.

– Kevin się tym zajmie. Kevin! Młoda Sarah przychodzi na pierwszą lekcję skoków, trzeba przygotować dla niej Winnie.

– Już się robi.

Iona odwróciła się i zobaczyła młodą, białą klacz.

– O mój Boże, co za widok.

Prawie idealnie biała, smukła, wyniosła – bardzo młoda, uznała Iona, podchodząc bliżej – klacz patrzyła na nią brązowozłotymi oczami.

– To...

– Aine – dokończyła Iona. – Królowa wróżek Fina. Jeszcze księżniczka, ale pewnego dnia... – Iona uniosła dłoń, a Aine pochyliła łeb, jakby robiła jej ogromny zaszczyt.

– Jest oszałamiająco piękna i doskonale o tym wie. Jest dumna i tylko czeka, aż nadejdzie jej czas. A nadejdzie.

– Myślę, że poczekamy jeszcze z rok, zanim dopuścimy do niej ogiera.

Ta chwila nie nadejdzie, pomyślała Iona, ale tylko skinęła głową.

Będziesz fruwać. I będziesz kochała.

– Fin zna się na koniach – powiedziała, ruszając dalej.

– To prawda.

Przystawała po drodze, żeby przywitać się z pozostałymi końmi. Silne, zdrowe wierzchowce, oceniła, niektóre z nich to prawdziwe piękności – choć żaden nie dorównywał Alastarowi i Aine – trzymane w czystych, przestronnych boksach. Aż podeszła do dereszowatej klaczy z wielkimi, cielęcymi oczami i długą, białą strzałą na nosie i już wiedziała, zanim Boyle zdążył się odezwać.

– Nazywasz się Kochana i właśnie taka jesteś.

Jeszcze zanim się zbliżył, klacz obróciła głowę, poszukała go ciepłym spojrzeniem i zadrżała. Nie ze strachu, pomyślała Iona, tylko z czystej radości.

Klacz poczuła jego zapach, obecność, jeszcze zanim namierzyła go wzrokiem. Wyciągnęła szyję i trąciła Boyle'a w ramię, leciutko, jakby składała pocałunek.

– Dobra dziewczyna – niemal zanucił, a Kochana zarżała i podstawiła mu łeb pod rękę.

Boyle otworzył drzwi boksu, wszedł do środka.

– Sprawdzę tylko jej przednią nogę, skoro już tu jestem.

– Już z nią lepiej – powiedziała Iona. – Ale wciąż pamięta, jak bardzo ją bolało. Pamięta, jaka była głodna. Jak bardzo się bała. Dopóki ty się nie pojawiłeś.

Przykucnął w milczeniu i przesuwał dłońmi w górę i w dół po nodze klaczy, a Kochana skubała figlarnie jego włosy.

– Masz jabłko w kieszeni kurtki? Ona jest pewna, że masz.

Boyle poczuł się… zażenowany, kiedy tłumaczyła mu słowa jego konia, ale wstał i przesunął rękami po bokach Kochanej.

Iona pomyślała, że gdyby konie umiały mruczeć, ta klacz na pewno mruczałaby jak kot.

Aine wywarła na niej oszałamiające wrażenie swoją urodą i gracją, natomiast Kochana zdobyła jej serce swoim prostym, nieskrywanym oddaniem.

Obie wiedziały, i Kochana, i Iona, jakie to uczucie, kiedy się pragnie miłości, albo chociaż prawdziwego zrozumienia i akceptacji. Kiedy tęskni się dotkliwie za własnym miejscem, za celem.

Wygląda na to, że im obu te marzenia się spełniły.

Boyle sięgnął do kieszeni po jabłko, z drugiej wyjął scyzoryk, a Iona poczuła radość Kochanej nie tylko dlatego, że zaraz zje swój przysmak, ale także z tego, z czyjej ręki go dostanie.

– Ładnie się zaokrąglasz, dziewczyno, chociaż kawałek jabłka to żadne jedzenie. – Kochana skubnęła zgrabnie smakołyk, nie spuszczając oczu z drugiej połówki.

– Ta jest dla Winnie, jeśli będzie miła dla Sarah.

– Uratowałeś ją. – Iona odczekała, aż Boyle wyjdzie i zamknie drzwi boksu. – Zawsze będzie należała tylko do ciebie.

Uniosła rękę, żeby pogłaskać klacz, a Kochana znowu wyciągnęła szyję.

– Nie płoszy się przy tobie – zauważył Boyle. – Robi postępy. Przy obcych nadal zachowuje się trochę nerwowo.

– Rozumiemy się nawzajem.

Kiedy Kochana przechyliła łeb, żeby się przytulić do policzka Boyle'a, a on wyciągnął z kieszeni drugą połówkę jabłka i jej dał, Iona wiedziała, że stoi na straconej pozycji.

– Przyniosę Winnie drugie. Ty nie zjadłaś ich zbyt dużo w swoim życiu.

– Koniec z tym – mruknęła Iona. – Umiem być zła, zwłaszcza jeśli mam rację. Przynajmniej tak sądzę. Ale nie cierpię być wkurzona, po prostu nie umiem pielęgnować w sobie złości, jest taka ciężka. A kiedy tu stoję i patrzę na waszą miłość, po prostu nie potrafię. Dlatego właśnie przestałam się na ciebie złościć, jeśli to ma dla ciebie jakieś znaczenie.

Boyle spojrzał na nią uważnie.

– Życie bez złości jest lżejsze.

– Zgadzam się. Dlatego. – Wyciągnęła dłoń. – Zgoda?

Przez chwilę patrzył na jej rękę, marszcząc brwi, lecz w końcu ją uścisnął. Miał ją puścić natychmiast, ale tego nie zrobił.

– Pracujesz dla mnie.

Iona skinęła głową.

– To prawda.

– Jesteś kuzynką jednego z moich najlepszych kumpli.

Jej serce lekko przyspieszyło. Ponownie kiwnęła głową.

– I nie minął nawet tydzień, odkąd pierwszy raz cię zobaczyłem.

– Nie mogę zaprzeczyć.

– I to, kim jesteś, stanowi...

Teraz Iona zmarszczyła czoło.

– Co stanowi?

– Cóż, stanowi fakt. Ty sama dopiero zaczynasz się z tym oswajać.

– Czy ten fakt stanowi dla ciebie problem?

– Nie powiedziałem, że stanowi problem.

– Masz coś przeciwko czarownicom?

Na jego twarzy odmalował się wyraz głębokiej urazy, miodowe oczy zalśniły zielenią.

– To bardzo głupie pytanie, zważywszy na fakt, że mam za przyjaciół troje ludzi parających się czarami, a jeden z nich jest również moim wspólnikiem w interesach.

– W takim razie dlaczego wymieniasz to jako jedną z przyczyn, dla których nie jesteś albo nie powinieneś – sama już nie wiem – być mną zainteresowany?

– Ponieważ tak jest. I chciałbym poznać chociaż jednego człowieka na całej cholernej ziemi – dodał z pewną złością – który poważnie by się nad tym nie zastanawiał.

– Może powinnam znowu się wkurzyć – rozważała głośno Iona. – Ale trudno mi się nakręcić, kiedy Kochana wpatruje się w ciebie z takim uwielbieniem. Poza tym wszystko, co powiedziałeś, jest prawdą. I jeżeli to stanowi dla ciebie problem, to tak jest. Dla mnie nie.

– Ale ty nie znajdujesz się na moim miejscu.

– Racja. Pokój zostaje utrzymany. – I jej dłoń nadal w jego dłoni. – Między nami wszystko gra?

– Niektóre z tych kwestii powinny stanowić dla ciebie problem.

– Dlaczego? Ludzie ciągle wiążą się ze swoimi szefami i pracownikami i moim zdaniem nie ma w tym nic złego, o ile żadna ze stron nie wykorzystuje zawodowej przewagi. Chodzą też na randki z krewnymi przyjaciół. A ja nie mogę i nie chcę zmienić tego, kim jestem.

– Logiczne myślenie niczego nie zmieni.

Iona musiała się roześmiać.

– A nielogiczne tak?

– To nie… Jasna cholera.

Przyciągnął ją do siebie już drugi raz tego dnia, równie sfrustrowany jak poprzednio. A ponieważ nadal się śmiała, musiał zamknąć jej usta własnymi wargami.

Smakowała tak, jak musiało smakować światło, ciepłe, jasne i pełne energii. Boyle zatonął w tym smaku, sprawiającym, że chciał więcej i więcej. Iona go odurzała, tylko tak mógł to określić, jej ciepło i blask w półmroku spowitym znajomym zapachem koni. W jego świecie, którego ona teraz stała się częścią.

Objęła go mocno, sprawiając, że poczuł się najważniejszy na świecie.

Jeżeli to nie działało na mężczyznę, to co mogłoby zadziałać?

Odskoczył w tył.

– To nie jest rozsądne.

– Nie zastanawiałam się, czy to rozsądne czy nie. Pocałuj mnie jeszcze raz, żebym mogła to przemyśleć.

Musiała wspiąć się na palce, pociągnąć głowę Boyle'a w dół, ale dosięgła jego ust swoimi. Pomyślała, że czuje się, jakby wczepiła się w wulkan na sekundę przed erupcją, jakby frunęła na chmurze, która za chwilę przemieni się w tornado.

Jak by to było, gdyby wytrysnął ogień, rozpętała się burza?

Bardzo, bardzo chciała się tego dowiedzieć.

Nagle Boyle znowu się odsunął.

– Wcale o tym nie myślisz.

– Masz rację, zapomniałam. Spróbujmy jeszcze raz.

Roześmiał się i może by jej posłuchał, gdyby za ich plecami nie rozległo się donośne chrząknięcie.

– Bardzo przepraszam, ale przyjechała Sarah z matką. – Kevin posłał im szeroki uśmiech. – Winnie jest osiodłana i gotowa.

– Już idę. – Iona spojrzała na Boyle'a. – Mam wypełnić jakieś papiery?

– Jej matka musi tylko podpisać formularz. Zajmę się tym.

– Dobrze. W takim razie biorę się do pracy.

Kiedy Iona wyszła, Kochana znowu zarżała, co zabrzmiało zupełnie jak koński chichot. Kevin wbił ręce w kieszenie i zaczął gwizdać wesołą melodię.

– Ani jednego cholernego słowa – warknął Boyle. – Od żadnego z was.

Usatysfakcjonowana całym dniem Iona wracała do domu przez gęstwinę zielonych cieni. Cieszyła się, że mogła znowu uczyć, zwłaszcza tak pojętną uczennicę. Może, skoro już uchyliła drzwi, Fin albo Boyle powierzą jej jeszcze jednego lub dwóch uczniów.

A skoro już mowa o uchylonych drzwiach, nieoczekiwane i niebywale satysfakcjonujące interludium w stajni podbudowało jej ego i poprawiło nastrój.

Przez szparę w tych drzwiach dostrzegała bardzo interesujące możliwości.

Boyle McGrath, pomyślała. Twardy, milczący, z temperamentem. I miękki jak wosk wobec ślicznej klaczy po przejściach, która go uwielbiała. Iona naprawdę chciała lepiej go poznać, sprawdzić, czy te motyle w brzuchu oznaczały jedynie pociąg fizyczny czy też coś więcej.

Przez większość życia szukała czegoś więcej.

A co jeszcze lepsze, on był taki oporny, skonfliktowany z sobą, zły na siebie. Po prostu nie mógł się powstrzymać, a to było niebywale seksowne.

Może powinna go gdzieś zaprosić. Na drinka do pubu? Do kina? Najpierw będzie musiała się dowiedzieć, gdzie tutaj ludzie chodzą do kina.

Gdyby umiała gotować, wprosiłaby się do niego do domu i przygotowała mu kolację, ale z jej umiejętnościami niechybnie skończyłoby się to katastrofą. Może zamiast kolacji mogłaby...

Nagle stanęła i zdezorientowana rozejrzała się dookoła. Nie zboczyła ze ścieżki, prawda? Może nie zwracała należytej uwagi, dokąd idzie, ale codziennie pokonywała tę drogę dwukrotnie i powinien prowadzić ją instynkt.

Tak, coś było nie w porządku, kierunki się nie zgadzały.

Iona okręciła się wokół własnej osi, rozcierając ramiona, ponieważ nagle zrobiło się zimno.

Zobaczyła, jak po ziemi zaczyna pełznąć mgła.

– Aha.

Cofnęła się o krok, próbując odzyskać orientację. Wiedziona impulsem obróciła się w prawo i zaczęła biec wąską ścieżką, wystarczyło jednak kilka sekund, by zdała sobie sprawę, że wbiega głębiej w las.

Kiedy chciała zawrócić, drogę zablokowały jej drzewa, grube jak całe jej ramię. Mgła sączyła się między sękatymi gałęziami.

Iona rzuciła się do ucieczki. Lepiej biec w jakimkolwiek kierunku, niż wpaść w pułapkę. Jednak po jej prawej stronie drzewa zaczęły wyrywać z ziemi swoje korzenie; trzeszcząc i strzelając, uwalniały się spod mchu i odcinały jej drogę.

Światło zmieniło się, zrobiło się równie szare jak mgła. Lodowaty wiatr gwizdał wśród konarów, które łączyły się, splatały z sobą, by zablokować promienie słońca.

Powietrze, pomyślała spanikowana Iona, drzewa to ziemia, woda w postaci mgły.

On wykorzystuje przeciwko niej cztery żywioły.

Zmusiła się, by stanąć i sięgnąć po moc, choć z nią nadchodził strach. Wyrzuciła ręce przed siebie, a w dłoniach trzymała dwie kule ognia.

Niski chichot przesunął się po jej skórze niczym ostre nogi pająka. Zadrżała, słysząc, jak ktoś szeptem wypowiada jej imię, po czym wszystkie jej mięśnie zastygły, gdy w pobliżu rozległ się szelest i warkot.

– Kathel.

Jednak z szarej poświaty wyłonił się wilk z jej koszmaru. Tym razem to nie był sen. Bestia była równie prawdziwa jak przerażenie Iony, jak dziki galop jej serca.

Kiedy podszedł bliżej, gdy skradał się ku niej, Iona dostrzegła czerwony klejnot lśniący na jego gardle.

– Nie zbliżaj się – ostrzegła, a wilk wyszczerzył kły.

Nigdy nie zdoła przed nim ucicc, pomyślała, robiąc krok w tył. A błysk w jego oku powiedział jej, że on doskonale o tym wie.

Rzuciła ogień, najpierw jedną kulę, potem drugą i patrzyła, jak obracają się w dym zaledwie centymetry od wilka, który ją prześladował. Zdesperowana próbowała stworzyć następne, ale ręce jej się trzęsły, a przerażenie mąciło umysł.

Uspokój myśli, nakazała sobie, ale w głowie miała jeden wielki wrzask.

To wszystko jest prawdziwe, pomyślała. Chociaż wydawało się takie nieprawdopodobne, z innego świata – czary, zaklęcia, walka ze złem czającym się w ciemności.

Ale to było bardzo, bardzo prawdziwe. A on zamierzał ją zabić.

Zobaczyła, jak wilk przysiadł, gotowy do skoku. I wtedy, z morderczym krzykiem, spadł z nieba sokół. Wbił pazury w bok wilka, z rany popłynęła krew równie czarna jak wilcze futro, po czym wzbił się w powietrze.

Iona struchlała, usłyszawszy za sobą kolejny warkot. Obróciła się gwałtownie i poczuła, jak zalewa ją fala ulgi na widok Kathela. Stanęła obok psa, położyła mu rękę na łbie i spokój zgasił jej strach, jeszcze zanim Connor i Branna wyłonili się z mgły.

Connor uniósł dłoń w rękawiczce, na której wylądował sokół z rozpostartymi skrzydłami.

– Weź mnie za rękę – nakazał Ionie, nie spuszczając lodowato spokojnego spojrzenia z wilka.

– I mnie.

Connor i Branna stanęli po obu jej stronach, a gdy wszyscy połączyli dłonie, Iona nie czuła już spokoju, tylko gorącą, pulsującą moc, która wypełniła ją niczym życie.

– Tutaj chcesz wystawić nas na próbę? – rzuciła wyzywająco Branna. – Chcesz spróbować tu i teraz? – Z jej wyciągniętej dłoni wystrzeliła świetlna raca, postrzępiona jak błyskawica, i wbiła się w ziemię milimetry od tylnych łap wilka. Bestia zaczęła się cofać. Czerwony klejnot lśnił ogniście, warczenie przypominało grzmot, ale napastnik się wycofywał.

Mgła zaczęła opadać, wrząc, kurczyła się w sobie. Connor uniósł rękę Iony i z ich złączonych dłoni trysnęło światło, które starło z ziemi resztki mgły.

A z nią zniknął i wilk.

– Ja… Boże, ja tylko…

– Nie tutaj – ucięła ostro Branna. – Nie będziemy tutaj rozmawiać.

– Zabierz ją do domu. Rozejrzymy się jeszcze z Roibeardem i zaraz przyjdziemy.

Branna skinęła bratu głową.

– Uważaj na siebie.

– Zawsze uważam. Idź teraz z Branną. – Uspokajająco ścisnął dłoń Iony. – Wypijesz kapkę whisky i od razu poczujesz się lepiej.

Ściskając Brannę za rękę, z mocą nadal szumiącą w żyłach, Iona szła szybko przez las. Jedyne, czego pragnęła, to znaleźć się w domu, dlatego pozwalała się ciągnąć, chociaż kolana się pod nią uginały.

– Nie mogłam…

– Powiesz mi w domu. Tutaj ani słowa.

Pies biegł pierwszy, cały czas w zasięgu ich wzroku. Kiedy Iona dostrzegła przez gałęzie zarys domu – nareszcie – zobaczyła też jastrzębia kołującego po zachmurzonym niebie.

Gdy tylko przekroczyły próg, zaczęła szczękać zębami. Wszystko rozmazało się nagle przed jej oczami, więc przycisnęła ręce do kolan i zgięła się wpół.

– Przepraszam, zakręciło mi się w głowie.

– Wytrzymaj jeszcze chwilę – powiedziała Branna zniecierpliwionym tonem, ale delikatnie położyła dłoń na jej czole i zawroty głowy minęły równie szybko, jak się pojawiły. – Usiądź – poleciła, popychając Ionę do salonu. Wyciągnęła rękę w kierunku kominka i z rozżarzonych szczap wystrzelił ogień. – Jesteś w lekkim szoku, to wszystko. Dlatego usiądź i oddychaj głęboko.

Wzięła karafkę, nalała do niskiej szklanki whisky na dwa palce.

– Wypij.

Iona wypiła łyk, syknęła, wypiła następny.

– Po prostu trochę… – Westchnęła. – Śmiertelnie mnie przeraził.

– Dlaczego zboczyłaś ze ścieżki i weszłaś tak głęboko w las?

– Nie wiem. To się po prostu stało. Nigdzie nie skręcałam, w każdym razie nie świadomie. Wracałam do domu i rozmyślałam o różnych sprawach. Myślałam o Boyle'u – przyznała. – Pogodziliśmy się.

– Och, w takim razie wszystko w porządku. – Branna dwoma szybkimi ruchami wyjęła z włosów spinki i rzuciła je na stół. – Sytuacja opanowana.

– Nie zeszłam ze ścieżki, nie specjalnie. A kiedy zdałam sobie sprawę, że jestem w innym miejscu, niż powinnam, chciałam wracać. Ale… najpierw pojawiła się mgła.

Iona spojrzała na pustą szklankę i ją odstawiła.

– Wiedziałam, co to oznacza.

– I nie zawołałaś ani nas, ani swojego przewodnika? Nikogo nie wezwałaś.

– Wszystko wydarzyło się bardzo szybko. Drzewa zaczęły się poruszać, otoczyła mnie mgła. I nagle pojawił się wilk. Jakim cudem wy się tam znaleźliście? Skąd wiedzieliście?

– Connor był na spacerze z Roibeardem i jastrząb zobaczył cię z góry. Możesz mu podziękować za to, że nas wezwał.

– Podziękuję na pewno. Branna… – urwała, ponieważ do domu wszedł Connor.

– Nic się nie dzieje. Uciekł do nory, w której się chowa. – Podszedł do barku i też nalał sobie whisky. – Jak się czujesz, kuzynko?

– Już lepiej. W porządku. Dziękuję. Przepraszam, że…

– Nie chcę twoich przeprosin – warknęła Branna. – Chcę, żebyś postępowała rozsądnie. Gdzie jest twój amulet?

– Ja… – Iona sięgnęła do szyi, po czym sobie przypomniała. – Zostawiłam go rano w pokoju. Zapomniałam…

– Nie zapominaj i nie zdejmuj go.

– Nie bądź taka surowa. – Connor dotknął ręki siostry i podszedł do Iony. – Przestraszyłaś nas. – Pogładził ją po ramieniu, a wtedy poczuła, jak ogarnia ją spokój. – To nie twoja wina. To nie jej wina – zwrócił się do Branny, zanim ta zdążyła zaprotestować. – Ona oswaja się z tym ledwo od tygodnia, my mieliśmy na to całe życie.

– Nie będzie miała ani czasu, ani okazji, by oswajać się dłużej, jeżeli nie będzie na tyle rozsądna, by nosić amulet i wzywać swojego przewodnika albo nas, kiedy potrzebuje pomocy.

– A czy to nie ty ją uczysz? – odparował Connor.

– Ach, zatem teraz to moja wina, że ona ma mniej rozumu niż niemowlę w beciku?

– Nie kłóćcie się z mojego powodu i nie rozmawiajcie o mnie, jakby mnie tu nie było. To moja wina. – Trochę już spokojniejsza Iona wstała i podeszła bliżej do ognia, ciepła. – Zdjęłam amulet i nie byłam skupiona. Ani jedno, ani drugie już się nie powtórzy. Przepraszam, ja...

– To naprawdę paradne. Przysięgam, jak jeszcze raz przeprosisz, na tydzień zaszyję ci usta.

Iona tylko wyrzuciła ręce w górę.

– Nie wiem, co innego powiedzieć.

– Opowiedz nam dokładnie, co się stało, zanim przyszliśmy, ze szczegółami – poleciła Branna. – Ale chodź do kuchni, zrobię herbatę.

Iona poszła za nią, ale jeszcze ukucnęła przy Kathelu, żeby go pogłaskać i mu podziękować.

– Wracałam do domu z dużej stajni.

– Co tam robiłaś?

– Och, Fin mnie wezwał. Powierzyli mi pierwszą uczennicę, miałam uczyć ją skoków. Pojechałam na Alastarze i po drodze trochę frunęliśmy.

– Słodka Brygido.

– Nie zrobiłam tego specjalnie, nie do końca i zaraz przestałam. Fin musiał jechać, ale Boyle został, żeby mnie nadzorować, pewnie chcieli się upewnić, że niczego nie sknocę. Poprosiłam go, żeby przedstawił mi Kochaną, ale najpierw poznałam Aine i Boże, ona jest cudowna.

– Nie jestem zainteresowana raportem na temat koni – poinformowała ją sucho Branna.

– Wiem, ale próbuję wszystko wyjaśnić. Potem poznałam Kochaną i patrzyłam na nią i na Boyle'a i już nie mogłam się na niego złościć. I wtedy to się stało, ponieważ już nie byłam na niego zła.

– A dlaczego wcześniej byłaś? – chciał wiedzieć Connor.

– Och, mieliśmy mały epizod, kiedy przyjechał po mnie dziś rano.

– Pocałował ją tak, że mózg jej wyciekł uszami – wyjaśniła usłużnie Branna, a Connor uśmiechnął się szeroko.

– Boyle? Doprawdy?

– Potem zrobił się niemiły, co mnie wkurzyło. Jednak kiedy patrzyłam na niego i na Kochaną, nie mogłam już się dłużej złościć i powiedziałam mu o tym, i jakoś tak wyszło, że znowu mnie pocałował. Tym razem prawdopodobnie straciłam jakieś dwadzieścia procent komórek mózgowych. Lekcja poszła mi naprawdę świetnie, jak dobrze znowu mieć ucznia, więc czułam się wyśmienicie i nie byłam skupiona – przyznała – i właśnie się zastanawiałam, czyby nie zaprosić Boyle'a na drinka albo do kina. Miałam taki udany dzień, choć poranek tego nie zapowiadał, i myślałam o tym wszystkim, i nagle się okazało, że jestem w zupełnie innym miejscu, niż powinnam.

Opowiedziała im dokładnie wszystko, co zapamiętała.

– Nie skoncentrowałaś się – stwierdziła Branna. – Jeśli używasz ognia, czy to do ataku, czy do obrony, musisz być w pełni do tego przekonana.

– Ona nigdy nie używała go przeciwko nikomu ani niczemu – przypomniał siostrze Connor. – A jednak miała na tyle rozumu i mocy, by się bronić ogniem. Następnym razem spali mu dupę. Prawda, Iona, kochana?

– Masz cholerną rację. – Ponieważ już nigdy nie zamierzała czuć się równie bezbronna i sterroryzowana. – Miałam zamiar spróbować jeszcze raz i owszem, byłam przerażona. Wtedy z nieba zapikował Roibeard. To najpiękniejsze stworzenie, jakie w życiu widziałam.

– Jest wyjątkowy – przyznał z uśmiechem Connor.

– Potem pojawił się Kathel i wy. Spanikowałam – przyznała. – Czułam się jak we śnie. Mgła, czarny wilk, czerwony klejnot lśniący na jego gardle.

– Ten kamień podsyca jego moc – wyjaśniła Branna – i wzmaga twój strach. Musimy intensywniej pracować. I nie wolno ci zdejmować amuletu. Rano Connor będzie odprowadzał cię do stadniny i zadbamy, żeby zawsze ktoś przyprowadzał cię z powrotem.

– Och, ale…

– Branna ma rację. Minął zaledwie tydzień, a on już prześladował cię zarówno w snach, jak i w rzeczywistości. Dopóki nie zdecydujemy, co zrobimy, musimy zachować wszelkie środki ostrożności. Idź teraz po amulet i zabieramy się do pracy.

Iona wstała.

– Dziękuję, że przyszliście.

– Jesteś nasza – powiedział Connor z prostotą. – A my twoi.

Słysząc te słowa, Iona poczuła, że szczypią ją oczy, i szybko wyszła z kuchni.

– W krótkim czasie wzięła na siebie bardzo duży ciężar – zaczął Connor.

– Wiem. Doskonale zdaję sobie z tego sprawę.

– Byłaś wobec niej taka ostra, ponieważ się o nią martwisz.

Branna milczała przez chwilę, pochłonięta uspokajającym rytuałem parzenia herbaty.

– To ja ją uczę.

– To nie była ani twoja, ani jej wina. Wszyscy musimy wyciągnąć z tego naukę. Zrobił się bezczelny, odkąd ona się pojawiła.

– Wie równie dobrze jak my, że czas się zbliża, skoro jest nas troje. Jeśli uda mu się ją skrzywdzić albo przeciągnąć na swoją stronę…

– Ona nie da się przekabacić.

– Nie, nie świadomie. Ma twoją lojalność i jest bardzo wdzięczna, choć tak mało dostała.

– Kiedy pod pewnymi względami masz mniej niż mało, jesteś wdzięczna za każdą odrobinę. My zawsze mieliśmy siebie. I zawsze byliśmy kochani. Ona pragnie miłości, pragnie ją dawać i brać. Nie węszyłem – dodał szybko.

– Po prostu trudno tego nie zauważyć.

– Sama to widzę. Cóż, teraz ma nas, czy nam się to podoba, czy nie.

Connor przyjął od siostry kubek z herbatą.

– A zatem to Boyle, tak? Obściskuje naszą kuzynkę i całuje ją do utraty tchu, z tego, co słyszałem. Ledwo postawiła stopę na naszym progu, a mój kumpel już rzuca się na nią jak królik.

– Och, nie zachowuj się jak dzieciak.

Connor roześmiał się i wypił łyk herbaty.

– Dlaczego miałbym tego nie robić, skoro tak doskonale się przy tym bawię?

Rozdział dziesiąty

Skup się. Branna bezustannie to powtarzała. Iona próbowała się skoncentrować. Była coraz lepsza – choć Branna wydzielała pochwały nad wyraz skąpo – ale musiała jeszcze osiągnąć poziom, który jej surowa nauczycielka uznałaby za zadowalający.

Zastanawiała się, jak, u diabła, ktokolwiek mógłby się skupić, będąc przemoczonym do suchej nitki i przemarzniętym do szpiku kości.

Deszcz lał z ołowianoszarego nieba bez przerwy od dwóch dni i nocy, co oznaczało, że Iona zaprzestała pracy i nauki na dworze. Tak naprawdę jej to nie przeszkadzało. Dobrze się czuła, porządkując z Mearą siodlarnię i razem z Mickiem udzielając na arenie lekcji młodej amazonce oraz zażywnemu osiemdziesięciolatkowi.

Była zachwycona, gdy miała trochę wolnego czasu, żeby oporządzać konie i poznawać je bliżej. Wszystkim klaczom zaplotła grzywy w warkocze i patrzyła z radością, jak cieszyły się poświęconą im uwagą. Czuła, że ogiery też nie miałyby nic przeciwko nowym fryzurom, wiedziała jednak, że Boyle nie byłby zadowolony, więc zaplotła im tylko po jednym cienkim warkoczyku, żeby jednocześnie sprawić przyjemność zwierzętom i nie narazić się szefowi.

I uczyła się. W pracowni Branny, przy płonącym ogniu, w słodkim zapachu ziół i świec, uczyła się, jak rozumieć więcej, zaakceptować własną moc, polerować ostre kanty. Wieczorami czytała, studiowała, gdy wiatr siekł nieprzerwanie deszczem o szyby.

Lecz jak teraz, u diabła, miała myśleć, a co dopiero się skupić, kiedy deszcz lał się jej na głowę, a zimno przenikało ją do cna.

Co gorsza, Branna stała obok, zupełnie sucha, z rozpuszczonymi, cudownymi włosami i przyglądała jej się bezlitosnym wzrokiem.

– To tylko woda – przypomniała Ionie. Stała w łagodnych promieniach słońca, które sama stworzyła, i uśmiechała się chłodno do potoków deszczu lejącego się poza jej oazą.

– Wiem, że to woda – mruknęła Iona. – Spływa mi po plecach i zalewa oczy.

– Przejmij nad nią kontrolę. Myślisz, że zawsze będzie ci sucho, ciepło i dobrze, kiedy będziesz musiała sięgnąć po to, kim jesteś, co masz? Czy Cabhan będzie czekał na piękną pogodę?

– Dobrze, dobrze, dobrze! – Z koniuszków palców Iony strzeliły iskry zmieniające deszcz w parę.

– Nie w ten sposób. Nie chcesz jej zmienić. Przesuń ją. – Swobodnie, bez wysiłku, Branna powiększyła swój słoneczny krąg o kilka centymetrów.

– Chwalipięta – mruknęła Iona.

– To jest w tobie tak samo jak we mnie. Odsuń deszcz od siebie.

Iona lubiła to uczucie, kiedy ogniste iskry strzelały w niej i z niej, ale je powściągnęła. Wykorzystała frustrację i złość, aby popchnąć, odsunąć, otworzyć.

Centymetr, a potem dwa – i zobaczyła to, poczuła. To była tylko woda. Taka sama jak w misce. Podekscytowana pchnęła mocniej, i jeszcze mocniej, aż w końcu deszcz przestał się lać jej na głowę. Ulewa uderzyła z pewną siłą o granice Branny.

– Nie chciałam cię ochlapać.

– Nic by się nie stało, gdyby ci się udało – pogodnie powiedziała Branna. – Jeszcze raz, dobra robota. Musisz popracować nad subtelnością, finezją i pełną kontrolą, ale udało ci się, a to już jakiś początek.

Iona zamrugała, otarła mokrą twarz i zobaczyła, że udało jej się utworzyć wąski, ale satysfakcjonujący skrawek suchego nieba. Jej kawałek nie kąpał się w złotych promieniach słońca, ale też nie tonął w deszczu.

– Brawo dla mnie!

– Nie strać go. I nie powiększaj. Jest tylko dla ciebie.

– Reszta hrabstwa też pewnie nie obraziłaby się za odrobinę słońca, ale rozumiem. Zatrzymaj deszcz tu, a spowodujesz powódź tam.

– Nie możemy tego wiedzieć, dlatego nie podejmujemy ryzyka. Przejdź się z nim. – Branna zademonstrowała, zataczając szerokie koło, cały czas z suchym niebem nad głową.

Iona spróbowała i chociaż brzegi jej kręgu nieco zwilgotniały, nie utraciła nad nim kontroli.

– Doskonale. Jesteśmy w Irlandii, więc deszczu do ćwiczeń ci nie zabraknie, ale na dzisiaj skończymy. Pójdziemy do domu i nauczymy się przygotowywać prosty napar.

Branna ruszyła w stronę pracowni, a Iona za nią, nadal utrzymując swój suchy krąg.

– Mogłabym ci pomóc w pakowaniu i butelkowaniu mikstur do twojego sklepu – zaproponowała. – Gotujesz prawie wszystkie posiłki i razem z Connorem spędzacie mnóstwo czasu na lekcjach ze mną, a ja jestem całkiem niezła w wypełnianiu poleceń.

– Zauważyłam.

Branna zawsze wolała pracować w samotności. Zatrudnianie ekspedientów czy pomocników w sklepie w Cong to jedno, ale warsztat stanowił jej azyl. Na ogół.

Ale jednak lekcje rzeczywiście zajmowały jej sporo czasu.

– W sumie mogłabyś mi pomóc – zdecydowała. – Tylko muszę się zastanowić jak.

Branna weszła do pracowni, a Iona dreptała za nią, kapiąc wodą na podłogę.

– Właśnie miałam zostawić wam wiadomość – powiedziała Meara, stojąca przy blacie.

– A tak napijesz się herbaty i z nami porozmawiasz. Stęskniłam się za tobą. Iona, nie mocz podłogi.

– Łatwo ci powiedzieć. Ty jesteś sucha, a ja przemoczona do nitki. Pewnie wyglądam jak mokry kot.

– Raczej jak podtopiony – zauważyła Meara.

Branna podeszła do czajnika.

– Wykorzystaj czar urody.

Iona bez słowa łypnęła na Mearę.

– Meara wie wszystko i jeszcze więcej. Doprowadź się do porządku.

– Uroda mi nie wychodzi. Mówiłam ci, raz spróbowałam i poniosłam sromotną klęskę.

– Dlatego właśnie potrzebna ci praktyka. Zwykle uważam, że korzystanie z czaru urody albo suszenie ubrań jest oznaką lenistwa i próżności, ale dla ciebie to będzie dobre ćwiczenie. Jeżeli narobisz sobie brodawek lub pryszczy, to cię poprawię. – Branna obejrzała się z łobuzerskim uśmiechem. – Może.

– Pamiętasz, Branna, kiedyś rzuciłaś na mnie czar urody, jak miałyśmy piętnaście lat i rozpaczliwie pragnęłam zostać blondynką, ponieważ Seamus Lattimer, moja ówczesna miłość, wolał jasne włosy.

Czując się jak u siebie w domu, Meara zdjęła kurtkę i powiesiła ją obok szalika i czapki.

– Akurat miałam farbować włosy środkiem, na który oszczędzałam przez dwa tygodnie, kiedy pojawiła się Branna, rzuciła czar i stałam się blondynką.

Iona przyjrzała się Mearze z namysłem.

– Nie mogę sobie ciebie wyobrazić jako blondynki, nie z twoją kolorystyką.

– To była totalna porażka. Wyglądałam, jakbym dostała żółtaczki.

– I byłaś zbyt uparta, by to przyznać – przypomniała jej Branna.

– Och, to prawda i chodziłam tak prawie przez tydzień, zanim ją ubłagałam, żeby zwróciła mi mój kolor włosów. Pamiętasz, co mi wtedy powiedziałaś?

– Że zmienianie się dla samej siebie to jedno, ale dokonywanie zmian dla mężczyzny to oznaka słabości i głupoty.

– Taka mądra, już w tak młodym wieku – podsumowała Meara z tym swoim gromkim śmiechem. – A Seamus obcałowywał się po kątach z Catherine Kelly, jasnowłosą jak żonkil. Jednak jakoś przeżyłam ten zawód miłosny.

– Można powiedzieć, że wyciągnęłaś naukę – powiedziała Branna. – Tak czy inaczej, teraz potraktujemy to jak ćwiczenie. Doprowadź się do ładu, Iona, i napijemy się herbaty.

– No dobrze. Zaczynam. – Wypuściła oddech, z całego serca mając nadzieję, że się nie podpali, po czym skoncentrowała się na kurtce, swetrze i dżinsach.

Z ubrań buchnęła para, ale nie pojawił się żaden płomień.

Iona poczuła, jak jej stopy odmarzają, a skóra staje się ciepła, i z uśmiechem przesunęła ręką po suchym rękawie kurtki.

– Udało się.

– Pomyślcie tylko, ile czasu zaoszczędziłabym na praniu, gdybym miała takie sztuczki w zanadrzu – westchnęła Meara.

Uśmiechając się szeroko, Iona przesunęła ręką po ociekających wodą włosach i przemieniła je w suchą, słoneczną fryzurę. Z chichotem zakryła twarz rękami, zamknęła na chwilę oczy. Kiedy opuściła dłonie, jej policzki jaśniały, usta lśniły różem, a rzęsy wydłużyły się i pociemniały.

– Jak wyglądam?

– Na gotową, by pójść do pubu i flirtować z każdym przystojniakiem – oceniła Meara.

– Naprawdę? – Wniebowzięta Iona podbiegła do lustra. – Wyglądam super!

– Bardzo dobra robota, i nawet z odrobiną finezji. Coraz lepiej ci idzie.

– Zamieszkaj z nami – poprosiła Iona Mearę. – Ona nigdy mnie nie chwali.

– Dlatego kiedy już to robię, wiesz, że pochwała jest zasłużona. Meara, mam kruche ciasteczka i tę herbatę jaśminową, którą tak lubisz.

– Nie odmówię ani jednego, ani drugiego. – Usiadła wygodnie przy stole i podrapała za uszami Kathela, który położył wielki łeb na jej kolanach. – Deszcz trochę psuje nam interesy, a podobno jutro też ma padać. Boyle zaprosił kilka klas ze szkoły, żeby dzieciaki obejrzały sobie konie. Damy im pojeździć na lonży po arenie.

– Doskonały pomysł.

– Och, Boyle miewa doskonałe pomysły. – Meara uśmiechnęła się do Iony, biorąc ciastko. – Branna, mam do ciebie prośbę w związku z urodzinami mojej siostry, są w przyszłym miesiącu. Maureen mieszka w Kerry – wyjaśniła Ionie. – Robisz takie zestawy: mydło, świeca, balsam i tak dalej, dla konkretnej osoby, biorąc pod uwagę jej cechy charakteru i osobowość, prawda?

– Robię. Chcesz, żebym przygotowała taki zestaw dla Maureen?

– Chciałabym. Ona jest z nas najstarsza, kończy trzydzieści pięć lat. Z jakiegoś powodu doprowadza ją to niemal do szaleństwa, wbiła sobie do głowy, że jej młodość dobiegła kresu i nie czeka jej już nic oprócz udręk starości.

– O rety, nasza Maureen zawsze lubiła dramatyzować.

– To prawda. Wyszła za Seana, kiedy miała zaledwie dziewiętnaście lat, więc od szesnastu znosi jego ślimacze tempo. W głębi duszy to naprawdę porządny facet – ciągnęła Meara – ale straszna guzdrała. Do tego Maureen ma w domu dwójkę nastolatków doprowadzających ją do kresu wytrzymałości i najmłodsze dziecko, które niewiele im ustępuje. Ostatnio całymi dniami i nocami wysyła

SMS-y do mnie, naszej siostry lub mamy, żeby informować nas na bieżąco o swoich mękach i cierpieniach. Może taki kobiecy prezent, stworzony specjalnie dla niej, do rozpieszczania, poprawi jej nastrój na tyle, by przestała mnie nękać.

– A więc to prezent dla ciebie – powiedziała Branna ze śmiechem.

– Chcę uratować jej życie, ponieważ jestem wspaniałą siostrą.

– W przyszłym tygodniu będzie gotowy.

– Zawsze chciałam mieć siostrę – rozmarzyła się głośno Iona.

– Chcesz jedną z moich? Możesz wziąć, którą chcesz. Braci zatrzymam, oni na ogół nie zachowują się jak dupki.

– Kiedy się jest jedynakiem, człowiek często czuje się samotny i nie może narzekać na rodzeństwo.

– Narzekania by mi brakowało – przyznała Meara. – Kiedy na nich zrzędzę, czuję się lepsza i bystra.

– Ja miałam wyimaginowane rodzeństwo – powiedziała Iona.

Rozbawiona Meara usiadła wygodniej.

– Naprawdę? Jak się nazywali?

– Katie, Alice i Brian. Katie była najstarsza, cierpliwa, bystra i każdego umiała pocieszyć. Alice najmłodsza, zawsze nas rozśmieszała. A Brian był prawie w moim wieku. Ciągle pakował się w kłopoty, z których próbowałam go wyciągnąć. Czasami widziałam tych troje równie wyraźnie, jak teraz widzę was.

– Moc twoich życzeń – powiedziała Branna. Iona była bardzo samotnym dzieckiem, pomyślała. Pozostawionym samemu sobie, niezrozumianym i nikomu niepotrzebnym.

– Chyba tak. Nie rozumiałam tego, ale ta trójka często wydawała mi się bardziej realna niż prawdziwi ludzie. Oni i konie wypełniali prawie cały mój czas.

Przerwała i wybuchnęła śmiechem.

– Czy tylko ja spędzałam czas z wyimaginowanymi ludźmi?

– Connor aż nadto mi wystarczył.

– Tak, Connor wystarczy każdemu – zgodziła się Meara.

– I oboje, Connor i ja, dużo wcześniej od ciebie dowiedzieliśmy się, kim jesteśmy.

– A mimo to oboje znaleźliście sobie własne zajęcia. Ty pracujesz tutaj i w sklepie, Connor w szkółce i pomaga ludziom jako złota rączka. A ty, Meara, co prawda nie jesteś współwłaścicielką stadniny, ale nie wyobrażam sobie tego miejsca bez ciebie.

– Mam nadzieję, że nie będziesz musiała.

– Na pewno nie. Zarówno Boyle, jak i Fin bardzo wysoko cenią twoje umiejętności i opinie, polegają na tobie. Nie sądzę, żeby traktowali w ten sposób każdego. Ja też tego pragnę. Chciałabym coś stworzyć, zasłużyć na szacunek i żeby ludzie, którzy są dla mnie ważni, wiedzieli, że mogą na mnie liczyć. Czy któraś z was pragnie czegoś więcej?

– Dobrze jest mieć to, o czym mówisz – powiedziała z namysłem Meara – ale nie obraziłabym się, gdybyś dorzuciła do tego garniec złota.

– I co byś z nim zrobiła?

– No cóż, niech pomyślę. Chyba najpierw wybudowałabym porządny dom. Nie mówię o żadnych luksusach, po prostu chciałabym mieć solidny dom z kawałkiem ziemi i małą stodołą, w której mogłabym trzymać własnego konia lub dwa.

– Żadnego mężczyzny?

– A po co? – Meara roześmiała się. – Na dłużej czy dla zabawy?

– Jakbyś wolała.

– Wybieram zabawę, w ostatnich czasach nie mogę narzekać na nadmiar rozrywki. Ale nie chciałabym go zatrzymać. Mężczyźni przychodzą i odchodzą – dodała, popijając aromatyczną herbatę. – Może poza porządnym Samem-guzdrałą, jak wynika z moich obserwacji. Najlepiej nie oczekiwać ani nie chcieć, żeby zostawali na dłużej, mniej się nacierpisz.

– Ale cierpienie oznacza, że żyjesz – powiedziała Iona.

– Ja chcę mężczyzny, który ze mną zostanie i będzie mnie pragnął równie mocno jak ja jego. Chcę przeżyć dziką, szaloną miłość, taką, która nigdy się nie kończy. Chcę mieć dzieci, na pewno więcej niż jedno, psa, konia i dom. Wielką, szczęśliwą rodzinę. A ty? – zapytała Brannę.

– Czego ja chcę? Przeżyć swoje życie. Położyć kres przekleństwu, które wisi nad nami, i zmiażdżyć to, co pozostało z Cabhana.

– To nie dotyczy tylko ciebie. Ale czego pragniesz dla siebie, Branna? – nalegała Iona. – Pieniędzy, podróży, seksu? Domu, rodziny?

– Chciałabym mieć wystarczająco dużo pieniędzy, żeby podróżować do egzotycznych krajów i uprawiać dziki seks z egzotycznymi mężczyznami. – Uśmiechnęła się, dolewając sobie herbaty. – To powinno ci wystarczyć.

– Będę podróżowała z tobą. – Meara położyła dłoń na dłoni przyjaciółki. – Będziemy łamały serca na całym świecie. Możesz pojechać z nami – zezwoliła Ionie.

– Obejrzymy wszystkie cuda świata i będziemy garściami

czerpały przyjemności wszędzie tam, gdzie je znajdziemy. Potem wrócisz, wybierzesz sobie mężczyznę, którego zechcesz mieć, i zrobicie sobie te dzieci. Ja zbuduję dom i stodołę, a Branna będzie żyła tak, jak tego pragnie, bez żadnego przekleństwa wiszącego nad głową.

– Zgoda. – Branna uniosła filiżankę w toaście. – Musimy tylko pokonać odwieczne zło i zdobyć wielkie bogactwo, reszta to drobiazgi.

– Przecież już teraz możecie uprawiać egzotyczny seks – zaprotestowała Iona. – Wyglądacie jak celtyckie boginie, możecie przebierać w mężczyznach jak w ulęgałkach.

– Zatrzymamy ją – powiedziała Meara do Branny. – Iona potrafi zdziałać cuda z moim ego.

– Mówię prawdę. Branna bez żadnego wysiłku wygląda jak wróżka z bajki, a ty jesteś ucieleśnieniem wojowniczej księżniczki. Mężczyźni powinni słać się wam do stóp.

Drzwi się otworzyły, i wpadł przez nie deszcz razem z Connorem, Boyle'em i Finem.

– Nie wszyscy – mruknęła Meara.

– Zobaczcie, kogo znalazłem. – Connor otrząsał się jak pies, a Kathel podbiegł przywitać gości. – Miałem wybór: albo ich tu wpuszczę, albo zbudujemy cholerną arkę. Nie macie za dużo ciastek i herbaty?

– Mamy. Nie lejcie wody na podłogę. Mam rozumieć, że świat interesów zamknął podwoje?

– Na dzisiaj tak – odrzekł Boyle. – Udało nam się namówić Fina, żeby postawił obiad, ale prawie utonęliśmy, próbując podjąć decyzje, dokąd mamy pójść.

– A tu i tak jest najlepiej. – Connor wyciągnął ręce do ognia. – Zwłaszcza gdyby ktoś dał się namówić na ugotowanie wiadra gulaszu.

– Ktoś?

Connor uśmiechnął się do Branny,

– Pomyślałam o mojej własnej ukochanej siostrze.

– Stanowczo zbyt często widzisz mnie w kuchni.

– To dlatego, że jesteś w niej taka wspaniała. – Pochylił się, żeby ją pocałować.

– Mogę obierać i kroić wszystko, co trzeba – zaproponowała Iona, uznając, że to prawie jakby zaprosiła Boyle'a na kolację. – Umiesz obierać i kroić, prawda, Boyle?

– Umiem, zwłaszcza jeśli dostanę za to kolację.

– W taką pogodę jak dzisiaj mogę zostać niewolnicą kuchenną za gorący posiłek – zgłosiła się Meara. – A ty, Fin?

Fin rozwiązywał szalik.

– Zrobię wszystko, czego sobie zażyczy Branna.

– W takim razie pójdę sprawdzić, co ewentualnie wrzucić do tego wiadra. – Branna wstała i wyszła tylnymi drzwiami, a pies, stojący dotychczas obok Fina, wybiegł za nią.

– Poczuje się swobodniej, jeśli pójdę – powiedział Fin.

– Nigdzie nie idziesz. – W głosie Connora zabrzmiała złość. – Tak być nie może i ona wie o tym równie dobrze jak ty. Jesteś nam potrzebny. Opowiedziałem Finowi i Boyle'owi, co się wydarzyło kilka dni temu – wyjaśnił Ionie.

– A co się wydarzyło? – chciała wiedzieć Meara.

– Za chwilę ci powiem. Koniec dyskusji, Fin. Jesteś nam potrzebny i ona to rozumie. Nie pozwoli, żeby to, co się wydarzyło między wami, stanęło nam na przeszkodzie.

– Może ktoś powinien mi powiedzieć, co się wydarzyło. – Iona odstawiła filiżankę. – Byłoby mi łatwiej, gdybym

211

poznała wszystkie szczegóły, zamiast bezustannie próbować wszystkiego się domyślać.

Fin podszedł do stołu i obnażył szyję.

– To jego znak, piętno, które wasza krew wycisnęła na mojej. Noszę go i Branna nie widzi nic poza tym, ani tego, kim jest dla mnie, ani kim ja jestem dla niej.

Iona wstała, żeby obejrzeć znak z bliska. Pentagram, jak głosiła legenda, równie wyraźny jak tatuaż.

– Nie wygląda na znamię, przypomina raczej bliznę albo tatuaż. Urodziłeś się z tym?

– Nie. To… ukazało się dużo później. Miałem ponad osiemnaście lat.

– Zawsze wiedziałeś?

– Wiedziałem, że mam moc, ale nie wiedziałem, skąd pochodzi. – Zakrył szyję swetrem. – Masz mocne nerwy, Iona.

– Nie bardzo, w każdym razie niewystarczająco. Jeszcze nie.

– Myślę, że się mylisz. – Uniósł jej podbródek. – Myślę, że zachowasz spokój, kiedy będzie najbardziej potrzebny. A Branna będzie potrzebowała twojej równowagi i otwartego umysłu.

– Connor mówi, że cię potrzebujemy, a ja mu ufam. Pójdę jej pomóc.

– Ja też. – Meara wstała. – Dajcie nam chwilę, ale nie objadajcie się ciastkami. Branna zrobi, co będzie trzeba, Fin, bez względu na koszty.

– Ja także.

Iona z Mearą wyszły tylnymi drzwiami łączącymi warsztat z domem.

– Poczekaj chwilę. – Iona przystanęła. – Co się wydarzyło między Finem a Branną? Nie proszę cię, żebyś

212

plotkowała czy zdradzała sekrety, które powierzyła ci Branna. Myślę, że mnie rozumiesz. Mam taką nadzieję.

– Rozumiem, a jednak nie jest mi łatwo mówić o tym, co ona przemilczała. Powiem ci, że byli w sobie zakochani. Młodzi i bezgranicznie spragnieni siebie. Byli bardzo szczęśliwi, chociaż często się kłócili i sprzeczali. Branna miała siedemnaście lat, kiedy byli z sobą po raz pierwszy. Właśnie po tym u Fina pojawił się znak. Nic jej nie powiedział. Nie wiem, czy należy go za to winić, ale zachował to w tajemnicy. I kiedy ona się dowiedziała, była bardzo zła, a jeszcze bardziej zdruzgotana. On przyjął postawę obronną i też pogrążył się w rozpaczy. Od tamtej pory zieje między nimi otwarta rana. Dwanaście lat pragnienia, niepokoju i braku zaufania.

– Oni nadal się kochają.

– Miłość nie wystarczyła – ani jej, ani jemu.

A powinna, pomyślała Iona. Zawsze wierzyła, że miłość wystarczy. I z tą myślą poszła za Mearą do kuchni, żeby pomóc najlepiej, jak tylko potrafiła.

Tak mogłoby wyglądać zwykłe spotkanie przyjaciół i krewnych w deszczowy wieczór. W kuchennym kominku buzował ogień, na podłodze chrapał pies. Connor odkorkował butelkę wina i lał je hojnie do kieliszków. Ochotnicy z zapałem obierali i szatkowali małe góry ziemniaków i marchewki, wyciskali czosnek i kroili cebulę, podczas gdy gospodyni panierowała w mące kawałki wołowiny, które potem podsmażała w wielkim, pękatym garnku. Kuchnię wypełniały zapachy, kuszące zapowiedzią wyśmienitego smaku, i kakofonia głosów.

Tak mogłoby wyglądać zwykłe spotkanie, pomyślała Iona, krojąc marchewkę i czując, jak ciepło rozchodzi się po jej ciele, pławiąc się w tym, czego – co ostatnio zrozumiała – tak bardzo jej brakowało przez całe życie. Jednak nie spotykali się tylko w celach towarzyskich, pod powierzchnią pulsowały i wirowały zabójcze prądy.

Mimo to Iona nie chciała zepsuć tej chwili, zmącić spokojnej tafli wody. W końcu stała ramię w ramię z Boyle'em – który bez wątpienia lepiej sobie radził z kuchennym nożem niż ona – a on wydawał się o wiele bardziej zrelaksowany, niż kiedy pracowali razem w stajni.

I tak cudownie pachniał deszczem i końmi.

Lepiej nic nie mówić, uznała, niż chlapnąć coś niewłaściwego. Dlatego tylko obserwowała i słuchała. Patrzyła, jak Connor ociera łzę z policzka Meary, która kroiła cebulę, dostrzegła zalotny błysk w jego oczach.

– Meara, najdroższa, gdybyś była moja – powiedział – zabroniłbym wnoszenia cebuli do domu, żebyś nigdy nie uroniła nawet łzy.

– Gdybym była twoja – odparowała – miałabym o wiele więcej powodów do łez niż tylko cebula.

Roześmiał się, a Iona dalej ich obserwowała. Zamyślona patrzyła, jak Fin dolał Brannie wina i podał butelkę oleju. Zwracali się do siebie uprzejmym tonem, ich mowa ciała niczego nie zdradzała, ale pod powierzchnią – wszędzie te prądy – buzowały takie namiętności, kłębiły się tak nieokiełznane emocje, że musiałaby być ślepa i pozbawiona serca, żeby ich nie poczuć.

To Connor był duszą towarzystwa, uznała, wtrącał dowcipne uwagi, zadawał pytania, ożywiał atmosferę niewyczerpanym humorem i życzliwością.

Ionie wydawał się mężczyzną, któremu nie można się oprzeć, więc dlaczego Meara…

– Studiujesz uważnie wszystko i wszystkich – zauważył Boyle – jak gdybyś za chwilę miała zdawać egzamin. A w głowie aż ci się roi od wniosków i pytań.

– Zachowujecie się jak rodzina – wypowiedziała na głos pierwszą myśl, jaka wyłoniła się z plątaniny w jej głowie. – Zawsze chciałam się czuć częścią takiej rodziny.

– Ponieważ jesteśmy rodziną – potwierdził Connor. – Twoją też.

– Jesteś otwarty na ludzi. Taką masz naturę. Nie każdy jest tak hojny, a jeśli nawet, to ludzie z większą ostrożnością otwierają drzwi. Jestem tu pod wieloma względami nowa, i cały czas staram się was lepiej zrozumieć. Na przykład już widzę, że Boyle obiera i kroi dużo lepiej i szybciej niż ja.

– No cóż, nie jest Branną O'Dwyer – powiedział Fin – ale radzi sobie w kuchni. To jeden z powodów, dla których ja i Connor go tolerujemy.

– Jeśli mężczyzna nie potrafi wrzucić kilku składników do garnka, będzie chodził głodny. Poczekaj, pokażę ci. Połóż rękę na ostrzu, ale palce unieś do góry, z dala od czubka. – Boyle ujął dłoń Iony, żeby zademonstrować. – Druga ręka na rękojeści, żebyś mogła kierować ostrzem.

Pozwoliła mu prowadzić swoje dłonie, spod których wyskakiwały teraz zgrabne kółka marchewki, z przyjemnością czuła lekki nacisk jego ramion.

– Będę musiała poćwiczyć – uznała. – A potem wymyślić, co zrobić z tą pokrojoną marchewką. Chyba lepiej, że nie miałam okazji zaprosić cię na kolację.

Spojrzała na niego i dostrzegła wyraz zaskoczenia na jego twarzy, wyczuła jego zakłopotanie, gdy w kuchni zapadła cisza.

– Lepiej na tym wyszedłeś, że Branna gotuje – ciągnęła. – Będę musiała wykombinować jakiś inny sposób, by zwabić cię na randkę.

Kiedy Connor nieudolnie próbował zamaskować chichot chrząkaniem, Iona tylko wzruszyła ramionami.

– Wszystko zostanie w rodzinie – stwierdziła. – Ta rodzina ma wspólny cel, przez który możemy dostać solidny wycisk jutro czy też w niedalekiej przyszłości. Dlatego nie mamy zbyt wiele czasu do stracenia, nie mamy czasu, żeby krążyć wokół tego, co może dać nam szczęście. Ponieważ ja nigdy w życiu nie zaznałam prawdziwego szczęścia, chciałabym dokonać swoich dni – biorąc pod uwagę wspomniany wycisk – niewiarygodnie szczęśliwa.

Fin oparł się plecami o blat i posłał jej uśmiech.

– Wydaje mi się, że właśnie sam prawie się w tobie zakochałem.

– Ty już nie masz ani grama miłości do oddania. – Westchnęła. – Zobaczmy, kogo jeszcze mogłabym wprawić w zakłopotanie?

– Mnie nie wprawiłaś – zaprotestował Fin. – A co do miłości, *deirfiúr bhyeag*, jej pokładów nie można wyczerpać.

– Zawsze miałam taką nadzieję. Co znaczy to, jak mnie nazwałeś?

– Mała siostrzyczko.

– Ładnie. Powinnam się nauczyć irlandzkiego. Wszyscy mówicie po irlandzku?

– Biegle mówią Branna, Connor i Fin. – Meara skończyła swoje zadanie i podeszła do zlewu, żeby umyć ręce. – Ale Boyle i ja jakoś byśmy się porozumieli, prawda, Boyle?

– Dogadalibyśmy się.

– Myślicie, że magia po irlandzku ma więcej mocy? – spytała Iona. – Przepraszam – dodała natychmiast. – Nie powinnam poruszać tej sprawy i psuć nastroju. I nie powinnam była wprawiać cię w zakłopotanie – zwróciła się do Boyle'a.

– Zbiłaś go z pantałyku, ponieważ nie jest przyzwyczajony do kobiet, które prosto z mostu wyrażają swoje zdanie i uczucia. Connor – Branna zwróciła się do brata – potrzebuję guinnessa do gulaszu i chyba przyda nam się jeszcze jedna butelka wina. Masz rację, Iona. Nie wiemy, czy został nam dzień czy rok, zanim stawimy czoło temu, co nadchodzi, ale logika podpowiada, że raczej dzień. Ale niech mnie diabli, jeśli którekolwiek z nas dostanie wycisk. Dlatego wstawimy gulasz, dolejemy sobie wina i będziemy o tym rozmawiać.

Odwróciła się do nich; twarz miała zarumienioną od pary, a w oczach błyszczała taka determinacja, że Iona nie wierzyła, by ktokolwiek mógł pokonać jej kuzynkę.

– No dobrze, dawajcie te warzywa. Same się nie ugotują.

Rozdział jedenasty

To spotkanie nadal mogło wyglądać jak zwykła kolacja przyjaciół i krewnych zebranych wokół dużego stołu, przy winie, z psem chrapiącym przed kominkiem.

Iona jednak wiedziała dokładnie, w czym uczestniczy.

W naradzie wojennej.

– Najpierw chciałabym coś powiedzieć Mearze i Boyle'owi – zaczęła Branna. – Ta sprawa nie dotyczy waszych przodków, nie otrzymaliście też mocy, która mogłaby was chronić i służyć jako broń.

– Obrażanie nas nie wydaje się dobrym początkiem – zauważył Boyle.

– Nie chciałam was obrazić, tylko uzmysłowić wam, co oznacza dla nas świadomość, że jesteście z nami. Naprawdę nie wiem, jak Connor i ja byśmy sobie bez was poradzili. Jesteście najwspanialszymi przyjaciółmi, jakich kiedykolwiek miałam i jakich będę miała. Nie potrafię powiedzieć, czy, jak twierdzi Fin, miłość nie ma granic, ale wiem, że moja miłość do was jest bezgraniczna. Tyle miałam wam do powiedzenia.

– Nie posiadamy mocy, ale nie jesteśmy bezbronni. W żadnym wypadku. – Meara spojrzała na Boyle'a, który pokiwał głową.

– Oboje mamy głowę na karku i pięści. On nigdy się nami nie interesował i to jego błąd.

– Dlatego musimy znaleźć sposób, żeby to wykorzystać. Jednak wyjątkowo zainteresował się Ioną. – Connor wskazał na kuzynkę. – Branna i ja doszliśmy do wniosku, że chciał wyrządzić jej krzywdę i odebrać moc, aby wzmocnić własną. Myślimy, że ta pułapka, którą na nią bezskutecznie zastawił kilka dni temu, drogo go kosztowała.

– Jaka pułapka? – chciał wiedzieć Boyle. – Stało ci się coś?

– Złapał Ionę za ramię. – Dlaczego nic nie powiedziałaś?

– Niełatwo mi mówić o tych sprawach w stadninie. Ale nic się nie stało, Branna i Connor o to zadbali.

Fin mówił cicho.

– Co się wydarzyło? Opowiedz dokładnie, Iona, bez ogródek, jak to ty potrafisz.

– To było tego dnia, kiedy miałam pierwszą lekcję z Sarah, jak wracałam do domu.

Opowiedziała wszystko ze szczegółami, otwarcie przyznając się do strachu, jaki wtedy ją ogarnął.

Kiedy mówiła, Fin podszedł do okna wychodzącego na ogród, a Boyle zacisnął dłonie w pięści.

– Od tej pory nie będziesz chodziła sama ani do pracy, ani do domu.

Iona spojrzała na niego szeroko otwartymi oczami.

– To niedorzeczne. Muszę…

– Nie musisz. Koniec dyskusji.

Zanim Iona zdążyła się odezwać, Meara pochwyciła jej wzrok i delikatnie pokręciła głową.

– Connor może odprowadzać ją do stadniny – zaproponowała Branna. – Chodzą w tę samą stronę, a wy z Finem musicie tylko zadbać, żeby mieli podobne grafiki.

– Załatwione – powiedział stanowczym tonem Boyle. – A ja będę odprowadzał ją do domu. Załatwione – powtórzył.

– Doceniam waszą troskę. Czy ktoś będzie mi towarzyszył za każdym razem, kiedy wystawię stopę za próg domu lub będę chciała wybrać się do wioski? I chyba będziesz musiał zacząć ze mną sypiać – zwróciła się do Boyle'a. – Ponieważ on nachodzi mnie także w snach. Wolno mi się bać, ale nie wolno mi być bezradną. I nikomu nie wolno myśleć, że taka jestem.

– Daleko ci do bezradności – zapewnił ją Connor. – Alc jesteś dla nas bardzo cenna. I niezbędna. Potrzebujemy cię, a jeśli zastosujemy pewne środki ostrożności, nie będziemy tak bardzo się martwić.

– Cenna. Niezbędna. – Fin z nieprzeniknionym wyrazem twarzy odwrócił się od okna. – Zgadzam się. A jednak nie wezwaliście mnie, kiedy tak cenna i niezbędna Iona znalazła się w niebezpieczeństwie.

– To działo się tak szybko – powiedział Connor. – Szczerze mówiąc, zdążyłem tylko pomyśleć, żeby jak najprędzej dotrzeć do Iony i sprowadzić Brannę najszybciej, jak się da. Dlatego masz rację, wina leży całkowicie po mojej stronie.

– Potrafiłbyś zrobić coś więcej? – spytała Fina Branna.

– Nie wiemy tego, prawda? Jednak musicie podjąć decyzję, czy mam stanowić część tego wszystkiego, czy też będziecie trzymali mnie na dystans.

Branna nie odpowiedziała wprost.

– Potrafisz go rozszyfrować? Wyczuć jego myśli?

– Nie, nie potrafię. Zablokował mnie. Wie, że sam wybrałem stronę, po której jestem. Oczywiście nadal wierzy, że uda mu się zmienić moją decyzję, i będzie mnie kusił. W snach i na jawie.

– Ty go nie zablokowałeś.

Fin zmełł w ustach przekleństwo.

– Żyję własnym życiem, prawda? Jego egzystencja ma tylko jeden cel, ja mam ich więcej. A gdyby mi się udało go zablokować, straciłbym jakąkolwiek szansę, że dowiem się czegokolwiek, co mogłoby nam pomóc to zakończyć. Jeżeli nie wierzycie, że pragnę położyć temu kres, zobaczyć, jak nawet ostatnie o nim wspomnienie zostanie zniszczone, to nie mam żadnego argumentu, żeby was przekonać.

– Wcale w to nie wątpię. Wcale. – Branna wstała, żeby pomieszać zupę. – Ona musi mieć swojego konia. Iona potrzebuje przewodnika.

Na twarzy Fina odmalował się wyraz bezbrzeżnej frustracji.

– Ten koń należy do niej, odkąd tylko go zobaczyłem. Nie macie tutaj miejsca dla Alastara, dlatego trzymamy go u nas. Jeśli mi nie ufacie, jutro przekażę jej go na piśmie.

– Nie! – Wzburzona Iona zerwała się na równe nogi. – To nie w porządku!

– Nie to miałam na myśli. To wy musicie powiedzieć Ionie, że koń należy do niej, ty, ponieważ go tu sprowadziłeś, i Boyle, ponieważ go dla niej trzyma. Tylko tyle chciałam powiedzieć.

– Nawet bez żadnej magii koń należał do Iony od chwili, gdy tylko się poznali. – Boyle uniósł ręce, a potem je opuścił. – I Fin ma rację, tutaj nie macie dla niego odpowiednich warunków. Rozmawialiśmy o tym pierwszego wieczoru po jego powrocie.

– Jestem wam obu bardzo wdzięczna. – Ton Branny złagodniał. – I przepraszam, naprawdę, jeśli odnieśliście wrażenie, że jest inaczej.

– Nigdy nie prosiłem o twoją wdzięczność ani przeprosiny – odparł Fin.

– Ale je masz, bez względu na to, czy chcesz tego, czy nie, i możesz z nimi zrobić, co ci się podoba. – Branna odłożyła łyżkę i wróciła do stołu.

Iona, tak jak Fin, nadal stała.

– Dziękuję.

– Bardzo proszę – odpowiedział.

– I tobie też dziękuję – zwróciła się do Boyle'a. – Skoro jest mój, ja będę płaciła za jego wyżywienie i boks. Koniec dyskusji – ucięła, kiedy otworzył usta, żeby zaprotestować. – Rzadko miewałam coś, co było dla mnie naprawdę ważne, ale dbam o to, co do mnie należy.

– W takim razie dobrze. Uzgodnimy szczegóły.

– W porządku. Wiem też, jakie to uczucie być wykluczonym. Nie ma zimniejszego miejsca niż tuż za kręgiem ciepła. Żadne z was nie zna tego uczucia oprócz mnie i Fina. Wszyscy zawsze stanowiliście część większej całości albo jej centrum. – Spojrzała na Brannę. – Dlatego nie wiecie, jak to jest, gdy czujecie się niechciani, nieakceptowani lub niezrozumiani. To, co wydarzyło się między tobą i Finem, to wasza osobista sprawa, ale stawka jest o wiele wyższa. Powiedzieliście, że należę do tego, że to również moja rodzina. Dlatego chcę powiedzieć, że Fin też należy do mojej rodziny.

Wiedziona impulsem wzięła swój kieliszek i dolała kilka kropli wina do prawie pustego kieliszka Fina.

– Powinieneś z nami usiąść – zaprosiła go.

Mruknął coś po irlandzku, po czym wrócił na swoje miejsce przy stole. I uniósł kieliszek.

– Powiedział, że jego serce i dłoń należą do ciebie – przetłumaczyła Branna.

– Och, nawzajem. I właśnie dlatego zwyciężymy.

– Zawstydziłaś mnie w moim własnym domu.

– Och, och, Branna, nie chciałam...

– Bardzo dobrze zrobiłaś. Zasłużyłam na to i twoje słowa były równie potrzebne jak te, które tak otwarcie i bez skrępowania wypowiedziałaś wcześniej do Boyle'a. Albo jesteśmy kręgiem, albo nie, a krąg z luźnymi ogniwami łatwo zerwać. Dlatego od tej pory stanowimy krąg, od tej chwili aż do końca. – Uniosła kieliszek w stronę Fina, który po chwili namysłu stuknął się z nią swoim.

– *Sláinte.* – Connor stuknął kieliszkiem w kieliszek Fina, potem siostry, a następnie pozostałych biesiadników. – Albo lepiej, niech wszyscy bogowie, jacy kiedykolwiek istnieli, nam błogosławią i pomogą posłać tego pieprzonego sukinsyna do diabła.

– Jestem za. – Odrobinę wyczerpana nadmiarem emocji Iona usiadła. Boyle pod stołem wziął ją za rękę. Zaskoczona spojrzała mu prosto w oczy i napotkała jego spokojne spojrzenie.

Poczuła, jak coś rozlewa się w jej sercu, coś pełnego ciepła, światła i nadziei.

– No dobrze – odezwała się Meara z drugiej strony stołu. – Skoro już to ustaliliśmy, to co teraz mamy, do cholery, zrobić?

Nad stołem zaczęły krzyżować się pomysły, teorie, argumenty za i przeciw. W pewnej chwili Meara wstała i czując się jak u siebie w domu, przygotowała półmisek krakersów, sera i oliwek, żeby zaspokoić pierwszy głód, zanim gulasz się ugotuje.

– Nie jesteśmy gotowi do konfrontacji. – Connor wrzucił do ust oliwkę, wyliczając argumenty przeciwko proponowanemu przez Boyle'a frontalnemu atakowi. – Nie mamy porządnego planu ani planu awaryjnego, który na pewno będzie nam potrzebny, a poza tym Iona jeszcze nie jest uzbrojona na tyle, na ile powinna.

– Nie zamierzam ponosić odpowiedzialności za wstrzymywanie kogokolwiek.

– W takim razie więcej ćwicz i się ucz – poradziła jej Branna.

– Zrzęda. Czy nie powstrzymałam deszczu?

Boyle uniósł brwi i wskazał na szybę okienną, smaganą ulewą.

– Tylko na chwilę i na ograniczonej przestrzeni. Lepiej radzę sobie z ogniem.

– Który sprawuje nad tobą większą kontrolę niż ty nad nim – wytknęła jej Branna.

– Brutalne słowa, ale prawdziwe. I… – Iona skupiła się i uniosła stół kilka centymetrów nad podłogę, po czym delikatnie go opuściła. – Coraz lepiej radzę sobie z powietrzem, a w warsztacie udało mi się stworzyć kwiaty, więc z ziemią też dobrze mi idzie. Gdybym mogła wypróbować jakieś zaklęcie…

– Jeszcze nie przerabiałaś z nią zaklęć? – zdziwił się Fin.

– Ona dopiero zaczyna kontrolować żywioły.

– Rozumiem twoją ostrożność, Branna, ale jak sama powiedziałaś, nie wiadomo, ile czasu nam zostało.

– Pokaż mi – błagała Iona. – Chociaż kilka.

– Pewnie będziesz żałowała, że mnie o to poprosiłaś, ale dobrze, zrobię to.

– Myślę, że jeśli on będzie pchał się w wasze sny, powinniście je zapisywać. – Meara posmarowała krakersa serem i podała Brannie. – Dzięki temu będziecie je lepiej pamiętać i będziecie mogli je porównać. Może coś w nich znajdziecie.

– Bardzo rozsądny pomysł – pochwalił Connor.

– A co z ruinami w lesie? – zapytała Iona. – Ruinami chaty, w której mieszkała pierwsza czarownica. Kiedy będę mogła je zobaczyć?

Zapadła cisza, w którcj Iona wyczuła napięcie, gniew i smutek. Boyle znów wziął ją pod stołem za rękę.

– Jeszcze nie jesteś gotowa – odparła Branna. – Musisz mi uwierzyć na słowo.

– Jeśli nie jestem gotowa, to czemu nie możesz mi powiedzieć dlaczego?

– To miejsce jest zawieszone pomiędzy światami – powiedział Fin powoli, zapatrzony w swój kieliszek. – Czasami to zwykła polana z ruinami starej chaty, gdzie rozbrzmiewają echa dawnego życia, dawnej mocy. Grobowiec, w którym spoczywa pod ziemią siła, a na ziemi panuje spokój.

– A czasami – dokończył Connor – wymyka się rzeczywistości i staje się najbardziej samotnym miejscem na świecie, niepołączonym ze światem, z teraźniejszością. Jeżeli o tym nie wiesz, możesz utknąć w innym wymiarze, w tej samotności. A tam on może cię znaleźć, o wiele silniejszy, i odebrać ci to, czym jesteś.

– Ale wy tam chodzicie, bywaliście tam. Ja też muszę wiedzieć, jak tam się dostać i jak stamtąd wyjść.

– To przyjdzie z czasem – obiecała jej Branna.

– On zabrał mnie tam we śnie.

– Myślę, że to nie on, tylko Teagan. Żeby ci pokazać, ale żebyś pozostała bezpieczna. Bądź cierpliwa, Iona.

– On mnie tam naznaczył.

Po słowach Fina zapadła cisza.

– Wiedziałem o nim, chociaż nie miałem pojęcia, że od niego pochodzę. I w miejscu, które uważałem prawie za sanktuarium, w czasie radości i obietnic, on odcisnął na mnie swoje piętno, wypalił je tak, że miałem wrażenie, iż sięga płomieniem aż do kości. Pokonał wszystkie granice i mnie naznaczył. Przybył pod postacią mężczyzny, a w tym mężczyźnie zobaczyłem siebie. Powiedział, że da mi moc większą, niż potrafię sobie wyobrazić, że będę miał wszystko, czego zapragnę. Jestem krwią z jego krwi i to wszystko dostanę. Miałem tylko zrobić jedną rzecz.

– Jaką?

– Zabić Brannę, gdy będzie spała obok mnie. Tylko tyle.

Iona, nie spuszczając wzroku z Fina, całą siłą woli powstrzymywała drżenie.

– Ale tego nie zrobiłeś.

– To jego bym zabił, gdybym wiedział jak. Pewnego dnia jednak się dowiem i skończę z nim raz na zawsze. Albo umrę, próbując to zrobić. Dlatego musisz jeszcze trochę poczekać, zanim cię tam zabierzemy. A kiedy nadejdzie czas, pójdziemy wszyscy. To postanowione, Branna. Nie pozwolę się zepchnąć na boczny tor.

– Kiedy nadejdzie czas – zgodziła się Branna. – A na razie będziemy czekać i obserwować. Uczyć się i planować.

– I więcej rozmawiać na ten temat – dodał Connor. – To także da nam siłę.

– Masz rację. Nikogo nie będziemy wykluczać. – Branna dotknęła przelotnie ramienia Fina. – Popełniłam błąd. Fin i Connor mogą patrolować z jastrzębiami lasy. Meara i Iona, prawie codziennie jeździcie konno, miejcie oczy i uszy otwarte. Boyle, będziesz odprowadzał Ionę do domu, zrobię więc ci amulet, który będzie cię chronił.

– Ja się tym zajmę – powiedział Fin.

– W porządku. Ja będę dalej pracowała z Ioną i być może od czasu do czasu poproszę was o pomoc przy lekcjach. Jeżeli zaczną nas nawiedzać sny, będziemy je zapisywali, ze szczegółami.

– Przyjdzie czas, kiedy ta ochrona przestanie wystarczać – wtrącił Boyle.

– Wiem. Nie wiem tylko, co jeszcze będzie nam potrzebne i jak to zdobyć.

– Najwyższa pora zacząć szukać.

Branna skinęła głową.

– Miejmy nadzieję, że w szóstkę znajdziemy. A teraz, jak już zostało powiedziane, pora trochę pożyć. Możecie zacząć od nakrycia stołu, a ja zajrzę do gulaszu.

– Korzystajmy z życia. – Connor pocałował siostrę. – To będzie dla niego jak kopniak w dupę.

– W takim razie włącz muzykę, Connor, i zacznijmy korzystać od razu.

Odsunęli myśli o czarnej magii na bok, przynajmniej na razie. Meara sprzeczała się z Connorem o muzykę, aż Connor włączył jakiś szybki utwór, rozbrzmiewający fletami i bębnami, i porwał ją do tańca.

– O kurczę – westchnęła Iona. – Są naprawdę dobrzy.

– Oboje mają skrzydła u stóp. – Boyle wziął od niej miski i porozstawiał je na stole.

– Ty też tak potrafisz?

– Skrzydeł nie mam, ale wiem, co robić z nogami.

– To poproś panią do tańca, ty ośle. – Fin położył serwetki na stole.

Iona pokręciła głową.

– Ja nie potrafię.

– W takim razie najwyższy czas, żebyś się nauczyła – stwierdził Connor, chwytając ją za rękę.

– Ależ ty jesteś powolny, bracie – mruknął Fin do Boyle'a.

– Działam w takim tempie, jakie mi odpowiada.

– Powolny – powtórzył Fin – jak ślimak na grzbiecie żółwia.

Boyle tylko wzruszył ramionami. Z przyjemnością patrzył, jak Iona próbowała nadążyć za szybkimi, zręcznymi krokami Connora, a jeszcze bardziej podobało mu się, jak się śmiała, wirując dookoła.

I kto mógłby walczyć z tą radością, pomyślał, kiedy Fin obrócił Mearę w trzech szybkich piruetach, a stojąca przy piecu Branna klaskała w rytm.

Światło i śmiech sprawiały mu przyjemność, były potrzebne. Dlatego bez reszty się w nich zanurzył.

Ani Boyle, ani nikt inny z bawiących się w ciepłej kuchni, wypełnionej zapachami, wesołą muzyką i śmiechem, nie dostrzegł cienia, który stał za chłostaną deszczem szybą i obserwował. I nienawidził.

Kiedy skończyli posiłek i posprzątali kuchnię, zrobiło się późno i Boyle zaczął się zbierać do wyjścia.

– Przyjechałem samochodem, Meara, więc odwiozę cię do domu. Branna, chciałem cię zapytać, czy masz jeszcze to lekarstwo na katar. Mick kicha i smarka już od dwóch dni i chciałbym wlać mu trochę tej mikstury do gardła.

– Tak, mam. – Branna chciała wstać.

– Ja przyniosę – zaproponowała Iona. – Niebieska butelka, po prawej stronie, na półce najbliżej okna.

– Właśnie ta. Możesz uregulować należność teraz, Boyle, albo w sklepie pod koniec miesiąca.

– W sklepie i dzięki za kolację. Czekam na was przed domem – rzucił do Meary i Fina.

Wyszedł z Ioną, razem poszli do pracowni. Iona zapaliła światło.

– Staram się zapamiętywać, co Branna tutaj trzyma i co sprzedaje w wiosce. Jeszcze nie pozwala mi nic samej robić, w każdym razie nie bez nadzoru, ale przynajmniej uczę się, co się z czym miesza.

Sięgnęła po butelkę, oznaczoną etykietą Czarownicy z Ciemności.

– Mam nadzieję, że to pomoże Mickowi. Ostatnio fatalnie się czuł.

– Poczułby się lepiej, gdyby wcześniej wziął lekarstwo.

– Nie wszyscy są tacy chętni do picia eliksirów od czarownic.

– On to wypije, nawet jeśli osobiście będę musiał zatkać mu nos. – Boyle wsunął buteleczkę do kieszeni. – Chciałbym powiedzieć, skoro mamy chwilę, że jestem pod wrażeniem tego, jak wstawiłaś się za Finem.

– Wykluczenie boli, tak samo jak kiedy ktoś cię obwinia za to, kim jesteś. Rozumiem uczucia Branny, ale instynkt mi mówi, żebym zaufała Finowi, a z doświadczenia wiem, że jeśli nie posłucham instynktu, popełnię błąd. Zresztą kiedy go słucham, też czasami się mylę.

– To, co powiedziałaś, było naprawdę ważne. No i...

– Szurnął nogami. – Umówimy się kiedyś na kolację.

– Och? – Jej serce wywinęło fikołka, ale Iona robiła co w jej mocy, by zachować uprzejmy wyraz twarzy. – No dobrze.

– Wolę, kiedy ja zapraszam. Może to staroświeckie, ale taki już jestem.

– Dobrze wiedzieć. Mój kalendarz towarzyski nie jest zbyt wypełniony.

– W takim razie jakoś się umówimy. Do zobaczenia rano.

Ruszył do wyjścia, pokonał połowę drogi do drzwi i nagle się odwrócił.

Tym razem Iona była przygotowana.

Uwielbiała, jak unosił ją na palce. Nie czuła się wtedy malutka, czuła się pożądana. Jego wewnętrzny opór tylko czynił Boyle'a jeszcze bardziej seksownym. Wszystko w tym pocałunku – żar ust, silny uścisk dłoni – sprawiało, że czuła się jak kobieta, której nie można się oprzeć.

A to uczucie uderzało jej do głowy, przyprawiało o ciarki.

Boyle miał zamiar postępować z nią powoli – o ile w ogóle zdecydowałby się na jakieś kroki. Uważał się za opanowanego, sądził, że potrafi zrównoważyć namiętność i temperament rozsądkiem i logicznym myśleniem.

A jednak znowu wpadł w te same sidła, obejmował ją i tonął w niej. I Bóg mu świadkiem, że jedyne, czego pragnął, to zatopić się w niej do reszty, zostać tak i chłonąć tę jej naturalną słodycz, energię, przepełnioną radością.

Pragnął położyć dłonie na wszystkich kuszących wypukłościach i zagłębieniach, poczuć to zaskakująco twarde, drobne ciało, poruszające się pod jego ciałem.

Iona przytrzymała go chwilę, gdy sam już chciał się odsunąć, i już niewiele brakowało, a poddałby się i spełnił swoje pragnienia.

– No dobrze – wykrztusił i zmusił się do opuszczenia rąk, po czym, dla bezpieczeństwa, schował je do kieszeni.

Dalej tam stała, z tymi ślicznymi oczami zasnutymi mgłą, z ustami, których kąciki unosiły się w uśmiechu, ustami tak miękkimi, że chciał...

– Mógłbyś wrócić, jak odwieziesz Mearę. Mógłbyś podrzucić Fina i przyjechać tu z powrotem. A rano odwiózłbyś mnie do pracy.

– Ja... – Sama myśl o tym, o nocy spędzonej z nią, sprawiła, że krew mu zaczęła wrzeć. – Obawiam się, że z Branną i Connorem za ścianą sytuacja byłaby co najmniej niezręczna. Poza tym pozostaje jeszcze kwestia zbytniego pośpiechu.

– Rozumiem, najpierw chcesz kolację. – Uśmiechnęła się jeszcze szerzej, gdy zobaczyła, że nie zrozumiał jej dowcipu. – W porządku. Chciałabym tylko, żebyś wiedział, że kiedy sytuacja będzie mniej niezręczna i żadne z nas nie będzie się spieszyło, chciałabym z tobą być. I nie chodzi o to, że traktuję seks lekko, tylko o to, że go tak nie traktuję.

– Iona, jesteś dla mnie zagadką. Chciałbym lepiej cię poznać.

– To miłe. Nie sądzę, żebym kiedykolwiek w życiu stanowiła dla kogoś zagadkę. Chyba mi się to podoba.

– Znowu uniosła się na palce i musnęła wargami jego usta.

– Pomogę ci odkrywać elementy tej zagadki, jeśli będę potrafiła.

– Sam ją rozwiążę w odpowiednim czasie. W takim razie do jutra.

– Spokojnej nocy.

Zamknęła za nim drzwi i patrzyła, jak Boyle idzie w deszczu do furgonetki. A gdy światła samochodu omiotły ścianę domu i zniknęły w ciemności, odtańczyła w miejscu krótki taniec.

Czyż to nie cudowne, stanowiła dla niego zagadkę. Iona Sheehan, co-w-sercu-to-na-języku, dziewczyna, która zbyt często najpierw mówiła, a potem myślała, stanowiła tajemnicę dla Boyle'a McGratha!

I co tu mówić o mocy. O cudzie.

Wniebowzięta poszła do kuchni, gdzie objęła Brannę i obróciła w koło.

– Widzę, że uściski z Boyle'em dodały ci energii.

– To były bardzo namiętne uściski. Zaprosił mnie na randkę, w ten swój Boyle'owy sposób. Pójdziemy na kolację.

– Jezu Chryste! – Branna otworzyła szeroko oczy i uniosła dłoń do serca. – Toż to zupełnie jak oświadczyny!

Iona, zbyt szczęśliwa, by dać się zbić z tropu, wybuchnęła śmiechem.

– To ogromny krok od warczenia na mnie. On uważa, że jestem zagadkowa, wyobrażasz to sobie? Naprawdę, kto mógłby mnie nie rozszyfrować? Jestem prosta jak budowa cepa.

– Naprawdę tak myślisz?

– Och, na pewno nie kryję w sobie żadnych tajemnic. Napiję się herbaty. Masz ochotę? Boże, szaleję na jego punkcie.

– Trochę wcześnie na takie szaleństwo, nie sądzisz?

– Nie rozumiem tego, nigdy nie rozumiałam. – Iona wstawiła wodę i zaczęła kontemplować kolekcję domowych mieszanek herbacianych Branny. – Czasami od razu masz pewność. Pięć minut, pięć lat – w jaki sposób czas może zmienić to, co już wiesz? Czekałam na tę świadomość z mężczyzną, z którym byłam poprzednio. Starałam się zyskać pewność. Lubiłam go i dobrze się z nim czułam. Powtarzałam sobie, że muszę dać nam więcej czasu, ale czas niczego nie zmienił. Dla żadnego z nas, jak się okazało.

Branna pomyślała o tym, co powiedział Connor.

– Chcesz dawać miłość i ją otrzymywać.

– Zawsze tego najbardziej pragnęłam. Wybieram mieszankę z lawendą, nie tylko dlatego, że cudownie pachnie, ale też działa uspokajająco. – Obejrzała się przez ramię. – Wypiję ją na dobry sen. Jestem tak podekscytowana, że ta herbata naprawdę mi się przyda. Mam rację?

– Dobry wybór i rzeczywiście się uczysz. No właśnie, wiem, że jest późno, ale myślę, że damy radę popracować jeszcze z godzinę. Poćwiczymy rzucanie czarów. Zaczniemy od czegoś bardzo, bardzo prostego – dodała, gdy Iona aż zarumieniła się z radości. – Ledwie liźniemy temat.

– Zwykle od razu zjadam całą porcję, ale tym razem zadowolę się liźnięciem. Dziękuję, Branna.

– Podziękujesz mi za godzinę, i to jeśli opanujesz zaklęcie. Proszę.

– Miotła. Czy będę na niej latać?

– Nie. Nauczysz się zaklęcia ochronnego. Miotłą będziesz odsuwała negatywną energię, śmieci i kurz ciemnych mocy, a przyciągała ku sobie to, co silne i pozytywne.

233

Nasz dom zawsze musi być chroniony. To pierwsze, czego powinnam była cię nauczyć już dawno temu.

Iona wzięła miotłę.

– W takim razie naucz mnie teraz.

Iona spała głęboko i bez snów i powitała nowy dzień – wilgotny, choć deszcz nieco zelżał – z entuzjazmem. Ponieważ pierwsza zeszła do kuchni, zaparzyła kawę i zastanawiała się, czy nie spróbować się zmierzyć ze śniadaniem dla trzech osób. Jej talenty kulinarne były ograniczone, ale chyba udałoby jej się przygotować jajecznicę. A gdyby dodała szynkę i ser, można by uznać jej danie za omlet leniwej gospodyni.

Organizacja, powiedziała do siebie. Najpierw musi zgromadzić składniki i narzędzia. Wyjęła patelnię, miskę i trzepaczkę, tarkę do sera, nóż i deskę do krojenia szynki.

Na razie szło jej znakomicie.

Jajka, szynka, ser z lodówki – och, zapomniała o maśle.

Wbij jajka do miski, poinstruowała samą siebie i otworzyła szafkę pod zlewem, żeby wrzucić skorupki do pojemnika z kompostem. I zobaczyła, że podczas wczorajszego wieczornego sprzątania zapomnieli wyrzucić śmieci.

Wyciągnęła worek, zawiązała i zaniosła do drzwi, żeby wyrzucić do kubła na zewnątrz.

Przed domem, kilka centymetrów od ostatniego stopnia, leżał stos martwych szczurów. Czarne jak smoła, pokryte zakrzepłą krwią i poklejoną sierścią, leżały w kręgu spalonej ziemi.

Worek wysunął się Ionie z rąk i upadł z głośnym plaśnięciem. Już chciała ze wstrętem cofnąć się do domu, zatrzasnąć drzwi i je zaryglować, ale się powstrzymała.

Nie wolno ci uciekać, powiedziała do siebie. Nie możesz się chować. W ogrodowej szopie na pewno jest łopata. Musiała tylko po nią pójść, wykopać dół i zakopać to obrzydlistwo. Posypać ziemię solą.

Postąpiła krok naprzód, chcąc obejść potworny krąg.

– A ty, wchodzisz czy wychodzisz?

Słysząc za plecami zaspany głos Connora, podskoczyła i omal nie krzyknęła.

– Nie chciałem cię przestraszyć. Robisz śniadanie? Wyniosę śmieci, jak będziemy wychodzić…

Connor podszedł do drzwi i sięgnął po worek. Na widok szczurów zamarł.

– Widzę, że dostaliśmy prezent. – W jego głosie nie było już ani śladu senności. – No dobrze. – Złapał Ionę za ramię i poczuła promieniujące z jego dłoni ciepło, pociechę. – Zajmę się tym.

– Właśnie miałam to zrobić. Szłam do szopy po łopatę.

– Po to właśnie są duzi, silni kuzynowie. – Pocałował ją w czoło.

– A dokładnie po co, poza budzeniem śpiących ludzi śpiewami pod prysznicem, jakby się było cholernym finalistą *X Factor*? – Rozdrażnienie Branny zniknęło, gdy tylko dostrzegła twarz Iony i brata. – Co się stało?

– Sama zobacz. – Connor otworzył drzwi.

– Co za bezczelność – stwierdziła chłodno, wyglądając na zewnątrz. – Żeby zostawić coś takiego na naszym progu.

– Moje zaklęcie nie zadziałało. Wczorajszy czar ochronny. Ja…

– Czy ten obrzydliwy bałagan jest w domu? – zapytała Branna. – Czy te gryzonie żyją i biegają po naszej kuchni?

– Nie.

– W takim razie wszystko dobrze zrobiłaś. Myślisz, że on wolałby, aby martwe szczury leżały przed domem, gdyby mógł sprawić, by weszły do środka i po nas harcowały?

Na samą tę myśl Iona zadrżała.

– Nie. Masz rację. – Wypuściła oddech, pozwalając, by wraz z powietrzem opuściły ją resztki poczucia winy. – Zamierzałam je zakopać.

– Nie, najpierw musimy je spalić. – Branna odwróciła się do niej. – Wszyscy troje weźmiemy w tym udział, ale pierwszy płomień musi wyjść od ciebie. Silny, biały i gorący.

Wzięła Ionę za rękę i razem wyszły przed dom, Connor szedł tuż za nimi.

– Powtórz po mnie słowa, a potem wznieć ogień. Białą nad czarną wzywam siłę, niech ogień spali szczury zgniłe. Niechaj zła siła nam nie zagrozi ani naszemu domowi nie szkodzi. Na me wezwanie niech tak się stanie. Powtórz – poleciła Branna. – Poczuj to. I zrób.

Iona powtórzyła; jej głos stawał się coraz mocniejszy, wściekłość wzrastała. Aż jej moc wystrzeliła, silna i biała.

Płomienie trafiły w sam środek kręgu i zaczęły się szybko rozprzestrzeniać.

– Jeszcze raz – rozkazała Branna i wszyscy troje powtórzyli zaklęcie.

Ogień płonął, biały jak błyskawica, a gdy zgasł, na ziemi pozostała jedynie garść czarnego popiołu.

– Zakopiemy popiół? – Całe ciało Iony wibrowało jak po porażeniu prądem. Nawet krew wydawała się wrzeć.

– Tak.

– I posypiemy ziemię solą.

– Są lepsze środki, ale sól też spełni swoje zadanie. Przynieś zmiotkę i śmietniczkę – poleciła Ionie – a ty, Connor, łopatę. Mam na to specjalne miejsce.

Poczekała, aż oboje wykonają polecenia.

– Tak, doskonałe miejsce.

Poprowadziła ich na róg domu.

– Tutaj? – Iona spojrzała na nią szeroko otwartymi oczami. – Tak blisko domu i twojego miejsca pracy? Ja nie…

– Nie daj się zwieść, Branna ma plan. – Connor wbił łopatę w miękką od deszczu ziemię. – Właśnie tak chciałem spędzić dzisiejszy poranek. W strumieniach deszczu, kopiąc dół na szczurze prochy.

– Na to mogę coś poradzić. – Przypominając sobie lekcję z poprzedniego dnia, Iona odsunęła na bok deszcz, tak że stali w suchym kręgu ciepła.

– Doskonale. – Branna potrząsnęła wilgotnymi włosami i oparła ręce na biodrach, patrząc na kopiącego Connora.
– Wystarczy. Wrzuć popiół, Iona. Wszyscy troje wzięliśmy w tym udział, więc efekt będzie silniejszy.

– W takim razie ty możesz je zakopać – zasugerował Connor, kiedy Iona wrzuciła czarny popiół do dołu.

– Tobie to doskonale wychodzi, a ja zrobię swoje, kiedy wy skończycie.

– On nas obserwuje – powiedział cicho Connor, zakopując dół. – Czuję to.

– Spodziewałam się tego. Tym lepiej. Teraz moja kolej.

We flanelowych spodniach, z bosymi stopami i mokrymi włosami, Branna uniosła dłonie wnętrzem do góry.

– Ogień dla oczyszczenia, światło dla upiększenia. Z czarnej mocy Cabhana powstaniecie, lecz tęczą zakwitniecie. Na me wezwanie niech tak się stanie.

Ze świeżo skopanej ziemi wystrzeliły rośliny, rozkwitły kwiaty. Tęcza nasyconych kolorów zalśniła w półmroku deszczowego poranka, wiotkie kształty zatańczyły w podmuchach wiatru.

– Jakie piękne. Prześliczne. – Iona klasnęła w dłonie na widok mieniącej się palety barw. – Jesteś wspaniała.

Branna z satysfakcją kiwnęła głową, odgarnęła do tyłu włosy.

– Muszę przyznać ci rację.

– No to zagrałaś mu na nosie. – Connor oparł łopatę na ramieniu. – Jestem głodny.

Rozpromieniona Iona wzięła kuzynów pod ręce.

– Robię śniadanie.

– Boże, miej nas w opiece, ale jestem tak głodny, że podejmę to ryzyko.

Branna poszła za nimi, tylko raz obejrzawszy się z satysfakcją za siebie.

Rozdział dwunasty

Iona polubiła swój nowy rozkład dnia: poranny spacer z Connorem, wycieczki po okolicy z turystami na Alastarze, od czasu do czasu lekcje z uczniami i powrót do domu w towarzystwie Boyle'a.

Późne popołudnia, wypełnione nauką i ćwiczeniami, dodatkowa godzina wieczorem na szlifowanie nowych umiejętności.

Znów pojawiło się słońce i rzeka lśniła w jego promieniach. Jeziora błyszczały jak lustra, a zieleń pól i wzgórz stawała się coraz bardziej soczysta, w miarę jak przez chmury przebijało się coraz więcej światła.

Iona prawie mogłaby zapomnieć o tym, jak poważna była stawka i czemu muszą stawić czoło. Przecież przeżywała romantyczne uniesienia.

Co prawda nie był to romantyzm pełen poezji i kwiatów, do czego zawsze tęskniła jej wrażliwa dusza. Ale jeśli twoje serce drżało na widok takiego mężczyzny jak Boyle, musiałaś się nauczyć dostrzegać poezję w krótkich słowach i długich chwilach ciszy, w niespodziewanym kubku herbaty wciśniętym w dłonie czy zdawkowym, aprobującym skinieniu głową.

I kto by potrzebował kwiatów od mężczyzny, który całował ją tak, że traciła oddech? W zielonym cieniu drzew lub zabałaganionej kabinie jego furgonetki.

Romantyzm, dom, stała wypłata, wspaniały koń, którego mogła nazywać swoim, i coraz lepsze zrozumienie własnych umiejętności. Gdyby tylko mogła wyeliminować zagrożenie, czyhające ze strony odwiecznego zła, jej życie byłoby doskonałe.

Skończyła lekcję z Sarah, obie bardzo zadowolone z jej postępów.

– Naprawdę jesteś w coraz lepszej formie. Popracujemy jeszcze nad zmianą kierunków, żebyś swobodniej operowała wodzami.

– A kiedy dodamy kolejną poprzeczkę? Jestem gotowa, Iona, wiem o tym. – Dziewczynka wpatrywała się w nią błagalnym wzrokiem.

– Zobaczymy, jak nam pójdzie na następnej lekcji. – Iona poklepała konia Sarah po szyi. I przypomniała sobie, jaka sama była w jej wieku. – Coś ci powiem. Jedna poprzeczka, jeden skok, a potem odprowadzisz Winnie.

– Mówisz serio? Och, dziękuję! Dziękuję! To cudownie.

– Jedna poprzeczka, jeden skok – powtórzyła Iona i podchodząc do przeszkody, zerknęła na matkę Sarah. Uniosła jedną poprzeczkę i wstawiła na miejsce.

To tylko metr, pomyślała przekonana, że jej uczennica doskonale sobie poradzi. Jeśli nie, koń będzie o tym wiedział.

Spojrzała na Winnie.

Ona chce latać, chce poczuć, jak ty fruniesz razem z nią. Zachowaj spokój.

Iona cofnęła się; zauważyła, że matka Sarah skręca końce szala, który miała na szyi.

– No dobrze, Sarah. To tylko jedna poprzeczka, ale Winnie musi wiedzieć, że pokonujecie tę przeszkodę razem. Zaufaj jej i pokaż, że może ufać tobie. Bądź uważna, zacznij spokojnie i pamiętaj, w jakiej jesteś formie.

Iona wiedziała, że serce dziewczynki wali jak szalone. Z podniecenia i zdenerwowania. Dopiero zaczynała skakać i nawet jedna poprzeczka stanowiła nowe wyzwanie i otwierała nowe perspektywy.

– Dobrze, bardzo dobrze – zawołała, kiedy Sarah oprowadzała Winnie po torze. – Postawa, Sarah, lekkie ręce. Obie wiecie, co macie robić.

Przygotuj się, pomyślała, zachowaj spokój i pewność siebie. Przygotuj się. Skacz.

Sama poczuła się, jakby frunęła, kiedy jej uczennica poszybowała wysoko nad przeszkodą i elegancko wylądowała po drugiej stronie. I uniosła zaciśniętą dłoń w geście triumfu.

– Och, to jest jak magia! Mogę skoczyć jeszcze raz, Iona? Tylko ten raz?

– Ostatni, potem musisz zająć się Winnie.

Teraz patrzyła na Sarah bardziej krytycznym okiem, zauważała szczegóły, nad którymi pracowały.

– Czuję, że mogłabym tak skakać przez całą wieczność i o wiele wyżej.

– Jedna poprzeczka naraz – powiedziała Iona.

– Widziałaś, mamo! Widziałaś mnie?

– Widziałam. Pięknie to zrobiłaś. Idź teraz i zajmij się koniem, a potem pojedziemy do domu, żeby powiedzieć tacie. Mogę zamienić z tobą słówko? – Kobieta zwróciła się do Iony.

– Oczywiście. Sarah, zaraz przyjdę. Powiedz Mooneyowi, że Winnie zasłużyła na jabłko.

– Już miałam was powstrzymać – powiedziała pani Hannigan. – Już miałam wołać, że jeszcze za wcześnie. Oczami duszy widziałam, jak Sarah spada i leży połamana na ziemi.

– Trudno jest pozwolić jej przekraczać kolejne granice.

– Och, to prawda i sama się o tym przekonasz, kiedy będziesz miała dzieci. Ale w głębi serca wiedziałam, że nie pozwoliłabyś jej na coś, na co nie byłaby gotowa. Ona robi przy tobie ogromne postępy i świetnie się z tobą czuje. Chciałam, żebyś o tym wiedziała.

– Lekcje z Sarah to czysta przyjemność.

– Dla niej też. Zrobiłam telefonem zdjęcie, kiedy skakała. – Wyjęła komórkę i obróciła ekranem do Iony. – Obawiam się, że ręka mi drżała, więc jest trochę niewyraźne, ale chciałam uwiecznić tę chwilę.

Iona spojrzała na pełne dynamiki zdjęcie: młoda dziewczyna na grzbiecie silnego konia, poprzeczka pod nimi. Wysłała odrobinę, dosłownie ziarenko mocy i oddała aparat.

– Piękne ujęcie i bardzo wyraźne. Doskonale widać radość i koncentrację na jej twarzy.

Pani Hannigan wydęła wargi, uważnie studiując zdjęcie, po czym się uśmiechnęła.

– Och, jak to dobrze. Musiałam mieć zamglone oczy, kiedy wcześniej na nie patrzyłam.

– Przychodzi pani na każdą lekcję. – Jej matka tego nie robiła. – Myślę, że dzięki temu Sarah stara się jeszcze bardziej, kiedy wie, że jest pani tu specjalnie dla niej, że ją pani wspiera.

– Oczywiście, że wspieram. Jestem jej mamą. Zaraz zadzwonię do jej ojca i powiem, żeby kupił lody truskawkowe. To jej ulubione. Zrobimy sobie małe święto po kolacji. Nie zamierzam cię zatrzymywać, ale chciałabym ci podziękować za to, że podbudowujesz jej wiarę w siebie, i moją też. Twoi szefowie mają szczęście, że dla nich pracujesz.

Iona nie była pewna, czy choć raz dotknęła stopami ziemi, idąc do stajni. Kiedy jej oczy przyzwyczaiły się do półmroku, zauważyła Boyle'a.

– Nie wiedziałam, że tu jesteś.

– Dopiero co przyszedłem i już wszystko wiem od Sarah. Jest w siódmym niebie.

– Ja też. Szkoda, że jej nie widziałeś. Powinnam sprawdzić, czy zajmuje się Winnie.

– Zajmuje się, i to bardzo dobrze, ponieważ dziś zakochała się w niej bez pamięci. Mooney ma na nią oko. Pomyślałem, że może masz ochotę zabrać Alastara na przejażdżkę. Chcę wypróbować Kochaną, zobaczyć, jak sobie poradzi w terenie. On będzie dla niej dobrym towarzystwem. A ty dla mnie – dodał po chwili.

– Bardzo bym chciała, ale zostało mi jeszcze pół godziny do końca dnia pracy.

– Zapewnisz koniom trochę ruchu, więc możesz uznać przejażdżkę za ciąg dalszy swoich obowiązków, jeśli to uspokoi twoje sumienie.

– W takim razie zgoda.

Nie mogła sobie wymarzyć lepszego zakończenia pracy niż przejażdżka z mężczyzną, który przyprawiał ją o drżenie serca.

Patrzyła na Kochaną, kiedy Boyle jej dosiadał, dostrzegła, jak klacz drżała, zauważyła wyraz jej oczu.

– Ona się denerwuje.

– Sam to czuję. – Pochylił się, żeby uspokoić klacz, szeptał jej do ucha, głaskał.

– Wiesz dlaczego?

– Nie jest przyzwyczajona do takiego ciężaru i od tygodni nie miała jeźdźca na grzbiecie.

– To nie to. – Iona obróciła Alastara; Boyle i Kochana szli obok niej. – Ona ci ufa i kocha cię. Denerwuje się, że źle się spisze i nie będziesz chciał więcej na niej jeździć.

– W takim razie jest niemądra. Doskonały dzień na przejażdżkę. Pojedziemy dookoła jeziora, jeśli nie masz nic przeciwko temu.

Iona absolutnie nic nie miała.

– Powiedz mi, jeśli będzie ją coś bolało, a ja tego nie zauważę.

– Powiem, ale ona bardzo dobrze się czuje. Alastar jej się podoba – dodała ciszej. – Uważa, że jest bardzo przystojny.

– Bo jest.

– On udaje, że nie zwraca na nią uwagi, ale trochę się puszy.

– Teraz węszysz romans między końmi?

– Wiem, że on jest dla Aine, ale taki ogier jak Alastar jest stworzony do płodzenia źrebiąt, a Kochana do ich rodzenia. Poza tym nie muszę za niczym węszyć, wystarczy, żebym uważnie patrzyła. Wyraźnie widać, że podobają się sobie nawzajem.

– Nie zamierzałem jej zaźrebiać.

– Potomstwo Aine będzie królewskie i wspaniałe – powiedziała Iona. – A Kochana urodzi słodkie źrebaki, na których będzie można polegać. Taka jest moja opinia – dodała.

– Cóż, Alastar należy do ciebie, więc twoje zdanie też się liczy.

– Myślę, że najbardziej liczy się zdanie jego i obu pań. Już prawie wiosna. – Uniosła twarz, spojrzała przez konary w niebo. – Czuć w powietrzu, jak się zbliża.

– Wciąż jest zimno jak w lutym.

– Może i tak, ale wiosna już nadchodzi. Powietrze jest łagodniejsze.

– Wieczorem będzie padało.

Iona się roześmiała.

– A ja dziś rano widziałam parę srok, flirtującą przy karmniku Branny.

– Jak flirtują sroki?

– Podfruwają i odfruwają, podfruwają i odfruwają, szczebioczą do siebie i znowu odfruwają. Spytałam Connora, dlaczego jastrzębie ich nie ścigają, a on powiedział, że taką mają umowę. Spodobało mi się to.

Zaczęli iść gęsiego, ponieważ ścieżka się zwężała, wijąc się wzdłuż rzeki, która przelewała się z hałasem po zerwanym moście linowym.

– Czy oni kiedyś go naprawią? – zastanowiła się na głos Iona.

– Nie sądzę, ponieważ ludzie byliby na tyle głupi, by po nim chodzić i wpadaliby do wody. Ty weszłabyś pierwsza.

– A kto mówi, że bym wpadła? A gdyby nawet, to jestem niezłym pływakiem. – Ponieważ lubiła flirtować, posłała mu uwodzicielskie spojrzenie spod rzęs. – A ty?

– Mieszkam na wyspie, byłbym kretynem, gdybym nie umiał pływać. I to dobrze.

– Musimy kiedyś pójść popływać razem. – Obejrzała się przez ramię i przypomniała sobie, jak zobaczyła Boyle'a po raz pierwszy, jak oszałamiająco wtedy wyglądał – wielki, hardy mężczyzna na wielkim, hardym ogierze.

Zdała sobie jednak sprawę, że teraz wygląda jeszcze lepiej, siedząc na grzbiecie konia, którego przywrócił do życia, z luźnymi wodzami w dłoniach, podczas gdy oczy jego klaczy lśniły dumą.

– Ona już się nie denerwuje.

– Wiem. Bardzo dobrze sobie radzi. – Ścieżka rozszerzyła się i znowu szli obok siebie.

– Wczoraj wieczorem rozmawiałam z moją babcią – powiedziała Iona. – Już nie miałam ochoty pisać, chciałam usłyszeć jej głos. Przesyła ci pozdrowienia.

– Ja też ją pozdrawiam.

– Zamierza przyjechać na kilka tygodni latem albo jesienią. Bardzo bym tego chciała, ale jednocześnie...

– Martwisz się, że nadal będziemy toczyli naszą wojnę. Nie chcesz narażać babci na niebezpieczeństwo.

– Jest dla mnie najważniejszą osobą na świecie. Pomyślałam... Za dużo mówię.

– To nie ulega wątpliwości, ale równie dobrze możesz dokończyć, skoro już zaczęłaś.

– Chciałam powiedzieć, że matka Sarah zawsze przychodzi z nią na lekcje, a jej ojciec był już dwa razy, żeby obejrzeć postępy córki. Moja matka tylko mnie podwoziła, a i tak najczęściej zabierałam się z którąś z koleżanek. Mój ojciec nigdy nie przyszedł, ani razu. Nawet rzadko bywali na zawodach. Ale moja babcia kibicowała mi, jak tylko mogła. Czasami przychodziła nawet wtedy, kiedy w ogóle nie miałam pojęcia, że zamierza to zrobić. Płaciła za moje lekcje i wpisowe. Nie wiedziałam o tym, dopóki kiedyś nie odsłuchałam przypadkiem wiadomości na jej sekretarce o odnowieniu umowy ze stadniną.

– Dawała ci to, co kochałaś.

– Chciałam, żeby była ze mnie dumna. Pewnie tak samo jak Kochana. Chciałam się spisać jak najlepiej, żeby widziała, że jej czas i wysiłek nie idą na marne.

– W takim razie też jesteś niemądra.

– Wiem. Ale nic na to nie poradzę.

Spojrzała na jezioro, na elegancką sylwetę zamku w oddali, na ogrody, nadal spoczywające w ostatnim uścisku zimy. Ludzie spacerowali, chcąc oglądać, czuć, podziwiać.

Iona rozumiała, że ten widok był jak zdjęcie Sarah, moment, który chciała zatrzymać. Dlatego, gdy tak szli nad wodą, zapomniała o wszystkim innym i poddała się nastrojowi chwili.

Zanurzyła w ciszy.

– Powinniśmy wracać – powiedział Boyle po dłuższym milczeniu. – Nie chciałbym jej przemęczyć.

– Tak, poza tym Branna na mnie czeka.

– Jak ci idzie nauka?

– Całkiem nieźle. Co prawda Branna ma pewne zastrzeżenia, ale uważam, że idzie mi po prostu… znakomicie.

Spojrzała na niego z szerokim uśmiechem i zobaczyła jego wzrok utkwiony w jakiś punkt za jej plecami.

– Co się stało?

– Nic. Ja… patrzyłem na tamtą chatę. To restauracja, podają w niej bardzo dobre jedzenie. Może po lekcji miałabyś ochotę zjeść tam kolację?

Iona uniosła brwi.

– Z tobą?

Boyle zmarszczył czoło.

– Oczywiście, że ze mną, a z kim innym?

– Nie ma nikogo innego – odpowiedziała. – Z radością. Mogę być gotowa na siódmą lub pół do ósmej.

– Pół do ósmej. Zarezerwuję stolik i przyjadę po ciebie.

– Świetnie.

Wjechali w półmrok lasu, a Iona zaczęła robić w myślach przegląd garderoby. Co powinna włożyć? Nic zbyt eleganckiego, ale też nie dżinsy ani żadne inne spodnie. Może Branna ją poratuje, ponieważ sama miała bardzo ograniczony wybór.

Coś prostego, ale ładnego. I szpilki, żadnych buciorów. Miała naprawdę zgrabne nogi, jeśli sama mogła tak o sobie powiedzieć. Chciałaby zrobić na Boyle'u wrażenie, więc…

Alastar stanął, Kochana zarżała.

Na ścieżce pojawił się wilk.

Pierwsze, o czym pomyślała Iona, to bezpieczeństwo koni, dlatego zadziałała instynktownie i zapaliła w poprzek ścieżki linię ognia.

– On nie zrobi wam krzywdy. Nie pozwolę mu na to.

Boyle wydobył przypięty do paska nóż, którego wcześniej nie zauważyła.

– A niechby tylko, kurna, spróbował.

– Nie zsiadaj! – krzyknęła Iona. – Kochana jest przerażona, a jak stanie dęba, on może skoczyć jej do gardła. Musisz ją trzymać, Boyle.

– Weź cugle, uspokój ją i zabierz oba konie w bezpieczne miejsce. Ja go powstrzymam.

– Staniemy się łatwym łupem, jak się rozdzielimy.

– Tego właśnie chciał, taką miał nadzieję. – Iona to czuła.

– Zaufaj mi, proszę.

I ze wszystkich sił próbując się skupić, zaczęła mamrotać kolejne słowa, spokojnym, cichym głosem powtarzała zaklęcie, które przeczytała w książce, a którego jeszcze nigdy nie próbowała.

Wilk biegał wzdłuż linii ognia, szukając przejścia, a tam, gdzie postawił łapy, płomienie przygasały, bladły.

Iona schwyciła cugle jedną ręką, a drugą uniosła wysoko.

– Ze wschodu i zachodu, z południa i północy, przywiejcie tu wiatry dla mojej pomocy. Dodajcie mi siły, wzniećcie płomienie, niech wieża ognia płonie niestrudzenie. Dmuchajcie z mocą, nieokiełznanie, na me wezwanie niech tak się stanie.

– Myślisz, że jestem na to za słaba – wycedziła przez zaciśnięte zęby. – Ale się mylisz.

Niebo nad nimi spieniło się jak morskie fale. Iona zacisnęła palce wyciągniętej dłoni w pięść, którą ściągnęła trąbę powietrzną, podszytą ogniem.

Wyrzuciła przed siebie ramię i cisnęła rozszalały kłąb wiatru w ogień.

Gwałtowny podmuch uniósł wilka nad ziemię, a potem odrzucił w tył, wyjącego z wściekłości – Iona miała nadzieję, że też ze strachu. Drapieżnik wirował wokół własnej osi, siekając pazurami powietrze, które niosło go coraz dalej.

Iona walczyła, aby zachować kontrolę nad tym, co sama wywołała, czuła, że żywioły zaczynają żyć własnym życiem. Obok niej drzewo złamało się jak zapałka, sypiąc drzazgami dookoła.

– Ucisz wiatr. – Usłyszała spokojny głos Boyle'a. – Nie potrzeba ci go aż tyle. Uspokój go, Iona, tak jak to potrafisz. Wycisz go. Pozwól mu odejść.

Próbowała z całych sił wypełnić jego polecenie, czując, jak pot ścieka jej po plecach. Wiatr zaczął cichnąć, jego gwałtowne uderzenia osłabły.

– Ucisz go do końca, Iona.

– Staram się, ale jest bardzo silny.

– To ty go stworzyłaś, ty jesteś silna.

Sama to wywołałam, pomyślała. I teraz przejmie kontrolę, zakończy.

– Już spokój – powiedziała. – Miękko. Łagodnie i słodko. Odejdź.

W lekkich podmuchach wiatru wilk opadł na ziemię jak kamień. Skoczył do przodu, szczerząc kły. Czy czerwony klejnot trochę nie przygasł?, pomyślała przelotnie Iona.

Wilk odwrócił się i zniknął między drzewami, ciągnąc za sobą ogon szarej mgły. Z głębi lasu dobiegło wycie i znowu zapadła cisza.

– On może wrócić. – Opuścił ją cały spokój, ręce jej się trzęsły, głos drżał. – Może wrócić. Musimy zaprowadzić konie do stajni. Muszę się upewnić, że stadnina jest bezpieczna. On…

– Już jedziemy. Oddychaj głęboko. Jesteś blada jak śmierć.

– Nic mi nie jest. – Alastar uderzał kopytem w ziemię i Iona zdała sobie sprawę, jak bardzo chciał pognać za wilkiem. Żeby uspokoić konia, najpierw musiała uspokoić siebie. – Dosyć zrobiliśmy – powiedziała miękko. – Na razie wystarczy. Muszę wszystko opowiedzieć Brannie i Connorowi, ale konie…

– Już jedziemy, spokojnie.

– Spokojnie. – Zrobiła kilka głębokich wdechów i położyła dłoń na szyi Alastara, a drugą pogładziła Kochaną.

– Spokojnie – powtórzyła. – On was nie skrzywdzi. Ja... nie wiedziałam, że masz nóż. I to taki wielki.

– Szkoda, że nie miałem okazji go użyć. – W jego nakrapianych złotem oczach pojawił się stalowy błysk. Schował nóż. – Ale przydał się na pokaz. Musisz się jeszcze trochę poduczyć.

– To nie ulega dyskusji. Dzisiejszej sztuczki nie miałam nawet w planie lekcji.

– Co masz na myśli?

– Przeczytałam to zaklęcie w książce. Chyba można powiedzieć, że dołożyłam sobie jedną poprzeczkę.

– W książce. Ona to przeczytała w książce. Jezu Chryste!

– Naprawdę przydałoby mi się coś mocniejszego.

– Nie tylko tobie.

Nic więcej nie powiedziała, musiała się uspokoić. Musiała o wszystkim opowiedzieć kuzynom. I naprawdę musiała usiąść na czymś, co się nie poruszało.

Dotarli prawie do stajni, zanim odzyskała – lub prawie odzyskała – jasność umysłu.

– Kochana była taka przerażona. Bała się o siebie, ale o ciebie też. Mój ogień też ją przestraszył. Szkoda, że nie wymyśliłam czegoś innego.

– Doskonale sobie poradziła. Chciała stanąć dęba, ale tego nie zrobiła. Może nie zauważyłaś, ale ten tutaj stał pod tobą jak skała. Od pierwszej chwili nie drgnął mu ani jeden mięsień. Myślę, że zrobiłby wszystko, o co byś go poprosiła, nawet gdyby musiał przeskoczyć ogień i złapać tę bestię za kark.

– Nie musiałam myśleć. Nie musiałam mu nic mówić. On po prostu wiedział. Powinnam zadzwonić do Branny.

– Zajmę się tym.

Kiedy dojechali do stajni, Boyle zsiadł i podszedł do Iony.

– Zeskakuj.

– Nie jestem pewna, czy dam radę.

– Po to tu jestem. – Wyciągnął ręce i pomógł jej stanąć na ziemi. – Usiądź tam, na ławce, na minutę lub dwie.

– Konie.

– Zaopiekujemy się nimi, a co ty myślisz. – Nuta irytacji w jego głosie sprawiła, że Iona posłuchała. Na drżących nogach dotarła do ławki i siadając, niemal zaszlochała z ulgi.

Kiedy Boyle wyszedł, z trudem podniosła się na nogi.

– Muszę rzucić ochronny czar na stadninę.

– Myślisz, że Fin już tego nie zrobił? – Boyle złapał ją za ramię i pociągnął za sobą. – On wróci do domu dopiero za kilka godzin, ale myślę, że zna się na tej robocie. Branna wie, dokąd idziesz, i powie Connorowi.

– A dokąd idę?

– Do mnie, wypijesz drinka i jeszcze chwilę posiedzisz.

– Naprawdę przyda mi się i jedno, i drugie.

Poszła za Boyle'em po schodach. Wyobrażała sobie, że pierwszą wizytę w jego domu złoży w nieco innych okolicznościach, ale nie miała zamiaru narzekać.

Boyle otworzył drzwi prowadzące z wąskiego przedsionka do mieszkania.

– Nie spodziewałem się gości.

Iona zajrzała do środka i uśmiechnęła się.

– Dzięki Bogu, że nie masz idealnego porządku, inaczej czułabym się onieśmielona. Jak tu ładnie. – Weszła i rozejrzała się.

Mieszkanie pachniało Boyle'em – końmi, skórą i mężczyzną. Przestrzeń, stanowiąca połączenie salonu, kuchni i jadalni, tonęła w miękkim świetle wczesnego wieczoru. Obok zlewu stał kubek, a na blacie, oddzielającym kuchnię od reszty pokoju, leżała rozłożona gazeta.

Tu i ówdzie poniewierały się książki – kryminały, jak zauważyła Iona – i magazyny o koniach. W drewnianej skrzyni leżała sterta butów, na wieszakach wisiała plątanina kurtek. W pokoju stała kanapa, lekko zapadnięta pośrodku, dwa wielkie fotele, a na ścianie – ku zaskoczeniu Iony – wisiał wielki, płaski telewizor.

Boyle zauważył jej zdziwioną minę.

– Lubię oglądać w nim mecze. Teraz napijesz się whisky.

– Z wielką chęcią i poproszę o krzesło. Po czarach zawsze jestem nieco roztrzęsiona.

– Kiedy było trzeba, byłaś niewzruszona.

– Prawie straciłam kontrolę – powiedziała, gdy Boyle poszedł do kuchni i zaczął otwierać szafki. – Ty mi pomogłeś ją zachować.

Ponieważ siedziała obok bezpieczna, a wszystko dobrze się skończyło, mógł o tym mówić. A przynajmniej spróbować.

– Jaśniałaś jak płomień. Oczy miałaś tak głębokie, że mogłyby pochłonąć cały świat. Wyciągnęłaś rękę i ściągnęłaś z nieba burzę. Niejedno w życiu widziałem.

Nalał im obojgu whisky, zaniósł szklankę Ionie, siedzącej w jednym z wielkich foteli.

– Przez większość życia przyjaźniłem się z Finem, Connorem i Branną i niejedno widziałem. Ale czegoś podobnego nigdy.

– Ja nigdy czegoś takiego nie czułam. Trzymać burzę w ręku. – Spuściła wzrok na swoje dłonie i obróciła nimi zdziwiona, że wyglądają tak zwyczajnie. – I ta burza we mnie. Nie wiem, jak to wyjaśnić, ale nawałnica szalała też we mnie, była taka silna, nieokiełznana. A jednak stanowiła część mnie. Złamałam drzewo, prawda?

Boyle widział, jak pękło i niczym sucha szczapa rozpadło się na drzazgi.

– Mogło być o wiele gorzej.

– Tak, mogło. Ale muszę się jeszcze wiele nauczyć, dużo więcej ćwiczyć. I przede wszystkim zachowywać tę kontrolę, o której bezustannie przypominała Branna.

Iona spojrzała na Boyle'a. Surowa, przystojna twarz, brew przecięta blizną. W złotobrązowych oczach nadal tliły się iskierki gniewu.

– Chciałeś z nim walczyć wręcz, tylko nożem.

– On krwawi, prawda?

– Chyba tak. – Znowu westchnęła głęboko. – Pewnie tak. Nie spodziewał się, że stać mnie na to, co zrobiłam. Zresztą ja też nie.

– Myślę, że żadne z was nie popełni więcej tego błędu. Pij whisky. Jesteś jeszcze blada.

– Dobrze. – Iona posłusznie wypiła łyk.

– Chyba dzisiaj to nie jest dobry moment na kolację wśród ludzi.

– Chyba nie. Ale umieram z głodu. Może ma to coś wspólnego z zużyciem energii.

– Coś przygotuję. Mam chyba kilka kotletów schabowych z kością i usmażę frytki.

– Chcesz się mną zaopiekować?

– W takiej chwili ktoś powinien. Pij whisky – powtórzył Boyle, po czym ruszył do kuchni.

Szczęk patelni, stukot noża na drewnianej desce, syk smażonego oleju. Dobrze znane zwyczajne odgłosy szykowania posiłku koiły skołatane nerwy Iony. Wypiła jeszcze łyk whisky i podeszła do Boyle'a, który stał przy kuchence i na jednej patelni smażył kotlety, a na drugiej pokrojone ziemniaki.

Nie była pewna, czy kiedykolwiek jadła schabowego z kością, ale nie zamierzała wybrzydzać.

– Mogę ci pomóc. Zajmę czymś ręce i głowę.

– Tam leżą pomidory, żona Micka mi je dała, są z własnej szklarni. Możesz je pokroić.

Iona zaczęła kroić pomidory, ramię w ramię z gospodarzem, i poczuła się jeszcze lepiej.

Boyle zrobił z wytopionego z mięsa tłuszczu sos, dodał do niego ziół, polał kotlety.

Iona usiadła przy blacie i spróbowała.

– Smaczne.

– A czego się spodziewałaś?

– Nie wiem, ale to dobre. I Boże, naprawdę umieram z głodu.

Kiedy jadła, jej policzki nabierały kolorów, a z oczu zniknął wreszcie lekko nieprzytomny wyraz.

Najpierw jaśniała i ciskała gromy, potem w mgnieniu oka stała się blada jak płótno i zaczęła się trząść, a teraz – co Boyle odnotował z ulgą – znowu była sobą. Po prostu Ioną.

– Nie wykorzystał mgły – powiedziała nagle. – Właśnie zdałam sobie z tego sprawę. On po prostu wyszedł z lasu. Nie wiem, co to oznacza, ale muszę pamiętać, żeby powiedzieć o tym Brannie i Connorowi, i Finowi. I ten czerwony klejnot na jego gardle, wydaje mi się, że pod koniec już nie błyszczał tak jasno. Nie sądzisz?

– Nie potrafię powiedzieć. Byłem bardziej skupiony na jego kłach i na tobie, kiedy zrobiłaś się biała jak ściana. Zastanawiałem się, czy nie zsuniesz się z siodła.

– Nigdy w życiu. – Roześmiała się cicho, przykrywając jego dłoń swoją. Boyle chwycił ją mocno za rękę.

– Śmiertelnie mnie przeraziłaś. Cholera, śmiertelnie.

– Przepraszam.

– Za co ty, do diabła, przepraszasz? Co za irytujący nawyk.

– Ja… staram się go pozbyć.

– W jednej chwili jedziemy sobie konno, wokół sielanka i spokój, myślę sobie: No świetnie, zjedzmy razem kolację i zobaczymy, jak sytuacja się rozwinie, a w następnej ty rozpętujesz pieprzoną trąbę powietrzną.

Wstał gwałtownie i zebrał talerze. Szkoda, pomyślała Iona, bo zostało jej jeszcze kilka frytek, które by z chęcią zjadła.

– Jeśli nie chcesz, żebym przepraszała, to na mnie nie wrzeszcz.

– Nie wrzeszczę na ciebie.

– To na kogo?

– Na nikogo. Po prostu wrzeszczę. Mężczyzna ma prawo wyrażać swoje uczucia, jak mu się podoba, w swoim własnym domu.

– W moim domu nikt nigdy nie wrzeszczał.

– Co? – Wyglądał na szczerze zdziwionego. – Wychowywałaś się w kościele?

Znowu się roześmiała.

– Chyba można powiedzieć, że nikomu nie zależało na nikim na tyle, by krzyczeć. A tobie zależy, Boyle?

– Zależy mi, żebyś nie leżała na ziemi z rozszarpanym gardłem. – Zaklął cicho, gdy Iona znowu zbladła. – Teraz ja przepraszam. Naprawdę. Kiedy się wkurzę, gadam, co mi ślina na język przyniesie. Przepraszam – powtórzył i delikatnie ujął jej twarz w dłonie. – Byłaś taka odważna. Nie wiem, co bardziej mnie zaskoczyło, wilk czy ty.

– Wyszliśmy z tego bez szwanku. To najważniejsze. – Przykryła jego dłonie swoimi. – I zrobiłeś mi kolację, pomogłeś odzyskać spokój. To wiele dla mnie znaczy.

Boyle musnął ustami jej wargi, a palce Iony zsunęły się na jego nadgarstki i zacisnęły.

– A teraz powinienem cię odwieźć do domu. – Odsunął się, ale Iona nie zwolniła uścisku.

– Nie chcę, żebyś mnie odwoził. Chcę zostać z tobą.

– Jeszcze nie jesteś sobą.

– Czy wyglądam na kogoś innego?

Boyle nadludzkim wysiłkiem cofnął się jeszcze o krok.

– Może ja nie odzyskałem do końca równowagi.

– To mi nie przeszkadza. – Wstała. – Chyba nawet może mi się spodobać. Wygraliśmy bitwę, Boyle, razem. A teraz chcę być z tobą, przytulić się do ciebie i pójść z tobą do łóżka.

– Myślę… rozsądniej będzie, jeśli damy sobie trochę czasu, porozmawiamy o tym, zanim… to zrobimy.

– A myślałam, że to ja mówię za dużo. – Zrobiła krok w jego stronę, a potem jeszcze jeden.

– Bo mówisz, Jezu, mówisz. Ale myślę, że w zaistniałych okolicznościach… Później będziemy rozmawiać – dokończył i objął ją mocno.

– Doskonały plan – zgodziła się i również go objęła.

Rozdział trzynasty

Stopy Iony znów uniosły się nad ziemię i aż zakręciło jej się w głowie, gdy Boyle przyciskał wargi do jej ust. Szarpnął jej sweter, jak gdyby miał go z niej zedrzeć, co bardzo by jej odpowiadało. Gdyby mogła, sama natychmiast ściągnęłaby z siebie ten sweter – i całą resztę ubrania.

– Musimy... – Cokolwiek chciał powiedzieć, uleciało mu z głowy, gdy jej usta łakomie kąsały jego wargi.

– Gdzie sypialnia? – Musiała być blisko, a jeśli nie, zapadnięta kanapa też im wystarczy.

– Jest... – Próbował skupić myśli, gdy gorąca mgła zasnuła mu umysł, po czym po prostu chwycił Ionę i uniósł, a ona objęła go w talii nogami i oplotła ramionami szyję.

Wszystko w niej wirowało, wrzało. Ledwo zarejestrowała słabo oświetlony pokój, jakieś przedmioty, które Boyle kopnął na bok, gdy niósł ją do łóżka z drewnianymi słupkami i chłodną, białą pościelą.

Potem mogła być już wszędzie – w lesie, oceanie, na miejskim chodniku lub na łące – ponieważ liczył się tylko on, ciężar jego ciała, jego wielkie, penetrujące dłonie, niecierpliwe usta, które poszukiwały i brały. I tylko ta chłodna pościel była coraz cieplejsza i cieplejsza, gdy Boyle ściągnął jej sweter przez głowę i cisnął go na bok.

Wszystko w niej było takie małe i idealne. Piersi, które wpasowywały się tak doskonale w jego dłonie, ręce, które wędrowały pod jego koszulą, gładziły jego ciało. Nigdy nie był niezdarą, ale obawiał się, że przy niej będzie, próbował więc zwolnić tempo, wyrównać rytm.

Ale ona wysunęła biodra i pośpieszając go, wbiła palce w jego napięte mięśnie.

Chciał, żeby była naga, po prostu. Chciał zobaczyć to śliczne, drobne ciało bcz żadnej osłony, odkryte przed jego dłońmi, ustami.

Sięgnął w dół, pociągnął za jej pasek i usłyszał, że Iona coś mówi z ustami przyciśniętymi do jego ust.

– Co? Co? – Jeśli każe mu przestać, to chyba się zabije.

– Buty. – Błądziła wargami po jego twarzy, skubała zębami brodę. – Najpierw buty.

– Buty. Racja. Racja. – Nieco zakłopotany, zsunął się z łóżka, ukląkł na podłodze i ściągnął jej prawy but. Rzucił go na bok, a traper z głośnym hukiem wylądował na podłodze. Kiedy zdjął lewy, Iona uniosła się, chwyciła go za włosy i przyciągnęła jego twarz z powrotem do swojej.

– Wyglądasz... Tu jest ciemno, słyszę, że właśnie zaczął padać deszcz, a moje serce tak wali. – Punktowała słowa namiętnymi pocałunkami. Boyle cisnął drugi but za siebie, usłyszał, jak coś spadło i roztrzaskało się z brzękiem.

– Twoje, muszę zdjąć twoje. – Sięgnęła do jego buta. – Muszę je ściągnąć, muszę cię rozebrać, bo inaczej oszaleję.

– To samo myślałem o tobie.

– Dobrze, dobrze. – Jej śmiech, drżący od napięcia, sprawił, że ciarki przeszły mu po kręgosłupie. – Odbieramy na tych samych falach. – Rzuciła pierwszy but na ziemię. – Dotknij mnie, dobrze? Gdziekolwiek, wszędzie. Już prawie go mam.

Może o tym nie wiedziała, ale spełniło się jej marzenie. Zaparło mu dech z podniecenia.

– Możesz się w końcu zamknąć?

– Może. Prawdopodobnie. Mam! – Ściągnęła but i rzuciła go.

A potem wskoczyła na Boyle'a.

Nieomal zrzuciła ich z łóżka, ale udało mu się ją schwycić i przeturlać się na wierzch. Zatonął w kolejnym pocałunku, podczas gdy jej dłonie zrywały z niego koszulę.

– Masz takie wspaniałe ramiona. Pragnę tylko... – Ściągnęła mu koszulę i termiczny podkoszulek, który miał pod spodem.

Usłyszał westchnienie kobiety, zlizującej z łyżeczki roztopioną czekoladę, gdy przesuwała dłońmi po jego piersi, ramionach, ściskała bicepsy.

– Jesteś taki silny.

– Nie zrobię ci krzywdy.

Znowu się roześmiała, tym razem bez napięcia.

– Nie mogę ci obiecać tego samego.

Chętna i szybka sięgnęła ręką do tyłu, rozpięła stanik.

– Ułatwię ci zadanie.

– Nie szukam łatwych zadań. – Odrzucił stanik na bok. – A teraz bądź cicho, żebym mógł się skoncentrować.

Przez chwilę nie mogła myśleć, a co dopiero mówić. Zalała ją fala splątanych uczuć, gdy jego dłonie rozpalały ją, brały, poddawały torturom. Te twarde dłonie pracującego mężczyzny, kłujący, jednodniowy zarost – jedno podniecające doznanie za drugim na jej drżącej skórze.

Chłopcy, pomyślała. Wszyscy inni, którzy wcześniej jej dotykali, w porównaniu z nim byli chłopcami. Zbyt gładcy, zbyt ułożeni, wyćwiczeni. Teraz pragnął jej mężczyzna. Nie tracił czasu, zrywając z niej dżinsy, odkrywając jej ciało, fascynując się nim.

Ona sprowadziła burzę w lesie, a teraz on wywołał nawałnicę w niej, równie gwałtowną i nieokiełznaną.

Oddała mu się, bez żadnych zahamowań ani wstydu, pełna rozkoszy i żądań, które podniecały go tak, że prawie tracił rozum. Jej ciężki oddech, jej jęki rozpalały w nim nowe pragnienia, jej zdecydowane dłonie wzniecały iskry pod jego skórą. A jej usta, niezmordowane i głodne, działały na jego krew niczym narkotyk.

Oszalały z pożądania złapał ją za ręce i uniósł do góry, aż oboje zacisnęli dłonie na drewnianej ramie łóżka.

Kiedy w nią wszedł, przez chwilę myślał, że świat eksplodował. Ten wybuch zatrząsł nim, blask oślepił tak, że na ułamek sekundy zupełnie opuściły go siły.

Wtedy Iona uniosła się ku niemu i przyjęła go głębiej, wydychając jego imię.

A on był silny jak bóg, napalony jak ogier, niepowstrzymany jak fala.

Wbijał się w nią, jeszcze i jeszcze, i jeszcze, oszalały od tego żaru, tej miękkości. Dostosowała się do jego dzikiego tempa, splatając palce z jego palcami, jej biodra były jak naoliwione tłoki, prowadzone i prowadzące.

Nagle Boyle poczuł, że frunie – strzała wypuszczona z łuku – w bezradnej chwale. Usłyszał, jakby z daleka, krzyk Iony, gdy wzniosła się razem z nim.

Potem opadł na nią bezwładnie. Jego umysł nadal wirował, płuca walczyły o haust powietrza. A coś w jego galopującym sercu pulsowało jak ból.

Zadrżała pod nim, jej ciało rozluźniło się, mięśnie wibrowały. Tak bardzo chciała owinąć się wokół niego, głaskać go i tulić. Ale nie miała siły.

On ją po prostu wykończył.

Mogła tylko leżeć, skąpana w fali gorąca, słuchając jego urywanego oddechu i powolnego bębnienia deszczu.

– Przyduszam cię.

– Może.

Jego mięśnie też drżały, kiedy się uniósł i zwalił obok niej na plecy. Nigdy wcześniej się tak… nie zatracił.

Co to mogło oznaczać?

Iona zrobiła kilka głębokich wdechów, po czym zwinęła się w kłębek, kładąc głowę na jego piersi. Boyle nie mógł się oprzeć temu słodkiemu gestowi i przyciągnął ją jeszcze bliżej.

– Zimno ci?

– Żartujesz? Wygenerowaliśmy tyle ciepła, że moglibyśmy stopić Arktykę. Czuję się cudownie.

– Jesteś silniejsza, niż na to wyglądasz.

Uniosła ku niemu uśmiechniętą twarz.

– Mała, ale mocarna.

– Trudno zaprzeczyć.

Byłoby tak łatwo, pomyślał, po prostu tak zostać, zasnąć. A potem znowu wziąć się nawzajem. I co to oznaczało, że myślał o powtórce, skoro dopiero co odzyskał oddech?

Może to, że teraz łatwo mógł popełnić błąd.

– Powinienem odwieźć cię do domu.

Iona milczała przez chwilę, a dłoń, którą głaskała go po piersi, znieruchomiała.

– Pewnie Branna na ciebie czeka.

– Och. – Poczuł, że znowu zaczęła swobodnie oddychać. – Masz rację. Będzie chciała dokładnie wiedzieć, co się wydarzyło. Na chwilę zupełnie o niej zapomniałam, to wszystko wydaje się teraz takie odległe. Dobrze, że chociaż jedno z nas zachowało zdrowy rozsądek.

Odwróciła głowę, musnęła go ustami i usiadła.

Gdy spojrzał na nią w półmroku, jaśniejącą w nadchodzącej ciemności, chciał znowu przyciągnąć ją do siebie, mocno przytulić i tak już pozostać.

– W takim razie lepiej się ubierzmy – powiedział.

Branna czekała, próbując usiedzieć na miejscu i się nie zamartwiać. Nienawidziła sytuacji, kiedy miała tylko fragmenty i skrawki wiadomości. Chociaż Boyle ją zapewniał, że nikt nie został ranny i że zaopiekuje się Ioną, dopóki ta się nie uspokoi, od tamtej pory minęły już dwie godziny.

Właściwie więcej.

Co gorsza, Connor powiedział jej, żeby nie zachowywała się jak matka kwoka, i poszedł do pubu, bo inaczej – jak sam to określił – łeb by mu pękł od jej narzekań.

Świetnie się urządził, pomyślała Branna z odrobiną goryczy. Spędzi wieczór, flirtując przy szklaneczce lub dwóch, a ona będzie się tu zamartwiać w samotności.

Jeśli Iona w ciągu dziesięciu minut nie stanie w drzwiach, to ona…

– Nareszcie – mruknęła z ulgą, słysząc dźwięk otwieranych drzwi wejściowych. Wybiegła z kuchni, z gotowym wykładem w głowie, ale stanęła bez słowa, gdy tylko ich zobaczyła.

Nie musiała być czarownicą, żeby wiedzieć, czym byli zajęci ci dwoje przez ostatnie dwie godziny.

– No proszę. – Oparła ręce na biodrach, a Kathel przydreptał powitać gości. – Napijemy się herbaty i opowiecie mi, co się wydarzyło. Ty też – zwróciła się do Boyle'a, uprzedzając jego reakcję. – Chcę poznać wszystkie szczegóły, więc nawet nie myśl, że dasz nogę.

– Jest Connor?

– Nie ma. Poszedł do pubu flirtować z dziewczynami, więc w niczym ci nie pomoże. Jedliście coś? – zapytała, idąc do kuchni.

– Boyle zrobił kolację – odpowiedziała Iona.

– Doprawdy? – Branna spojrzała na niego z ukosa, stawiając czajnik na gazie.

– Umierałam z głodu. Byłam głodna po tym zaklęciu ze szczurami, ale dzisiaj czułam się tak, że gdybym nie zjadła, to chybabym zemdlała.

– To dlatego, że dopiero zaczynasz, głód nie zawsze będzie tak dokuczliwy. Za to teraz wyglądasz na całą i zdrową i chyba dostałaś coś więcej niż tylko kolację. Och, Boyle, przestań szurać nogami, ślepa małpa by zauważyła, jak spędziliście ten czas. Nie stanowi to dla mnie żadnego problemu poza faktem, że ja, zamiast harcować w łóżku, siedziałam i kręciłam młynka palcami, czekając, aż wszystko mi opowiecie.

– Powinnam była wrócić wcześniej, żebyś się nie martwiła.

Branna wzruszyła ramionami, ale jej mina złagodniała.

– Gdyby po takim przeżyciu jakiś facet chciał zrobić mi kolację, a potem zabrać mnie do łóżka, to też bym skorzystała z okazji. Mam nadzieję, że dobrze się spisał pod każdym względem.

Twarz Iony rozjaśniła się w uśmiechu.

– Fenomenalnie.

Boyle poczuł falę gorąca, płynącą w górę po kręgosłupie.

– Czy mogłybyście nie plotkować na temat moich dokonań, przynajmniej dopóki ja tu jestem?

– Dobrze, poplotkujemy o tym później. – Branna nalała mu herbaty i pocałowała go w czubek głowy.

– Jadłaś? – spytała ją Iona.

– Jeszcze nie. Zjem, jak mi wszystko opowiecie. Od samego początku, Iona. A jeśli ona cokolwiek pominie, nieważne, jak drobny szczegół, ty uzupełniaj.

Iona zaczęła opowiadać, starając się pamiętać o wszystkich detalach i zachować spokój.

Branna schwyciła ją za rękę.

– Chcesz powiedzieć, że wywołałaś trąbę powietrzną? Skąd wiedziałaś jak?

– Przeczytałam w książce. Wiem, że to sztuka dla zaawansowanych i niesie z sobą ryzyko, ale… nie wiem jak ani dlaczego, po prostu wiedziałam, że właśnie tak należy działać. Wiedziałam, że mogę to zrobić.

– Dlaczego nie wezwałaś mnie albo Connora? Nas obojga?

– To stało się zbyt szybko. Kiedy odtwarzam fakty po kolei w głowie, wydaje mi się, że upłynęły godziny, ale tak naprawdę wszystko potoczyło się błyskawicznie i chyba nie trwało dłużej niż kilka minut.

– Albo i krócej – potwierdził Boyle.

– No dobrze, ale najlepiej by było, gdybyś wezwała mnie i Connora.

– Albo Fina – wtrącił Boyle.

– Nie pomijam go. – Albo tylko troszeczkę, przyznała w myślach Branna. – Jednak krew wzywa krew, Boyle. W Connorze, Ionie i mnie płynie ta sama krew, a w tego rodzaju sytuacjach to ma ogromne znaczenie. Tym razem aż tak się nie bałaś. Connor wyczułby to, tak jak wcześniej. Nie byłaś taka przerażona jak wtedy sama, w lesie.

– Trochę się bałam, ale nie, nie aż tak jak wcześniej, może dlatego, że nie byłam sama. Myślałam tylko o tym, że on skrzywdzi Boyle'a i konie, i chyba dzięki temu mogłam się skupić.

Branna skinęła głową, odgarnęła włosy.

– Zakłócam ci relację, ale mówiłaś, że nie wykorzystał mgły.

– No właśnie.

– W takim razie pewnie bardziej mu zależało na tym, żeby podejść was znienacka, niż was przestraszyć. Może on czerpie jakąś moc z tej mgły i dlatego nie miał tyle siły co zwykle.

– Może nie sądził, że będzie mu potrzebna? – Boyle pokiwał głową. – W takim razie przekonał się na własnej skórze, jak bardzo się mylił. Iona złamała drzewo jak zapałkę.

– Miałam pewne problemy z zachowaniem kontroli.

– Wzywając trąbę powietrzną bez żadnej praktyki? Wcale się nie dziwię i to prawdziwy cud, że drzewo było jedyną ofiarą.

– Nie widziałem żadnej innej – odrzekł Boyle. – Chyba że liczysz tego sukinsyna, kołującego w powietrzu.

– Gdybym bardziej się skupiła, miała większą kontrolę, może udałoby mi się go zniszczyć.

Branna skwitowała jej słowa wzruszeniem ramion.

– Gdyby to było takie proste, sama już dawno bym to zrobiła. Bardzo dobrze sobie poradziłaś. A teraz opowiedz wszystko do końca.

Potem słuchała, kiwając głową, lecz nie przerwała już ani razu.

– Tak, doskonale sobie poradziłaś. Muszę ci powiedzieć, że podjęłaś ogromne ryzyko, ale nie mogę kwestionować twojego instynktu. Podpowiedział ci, jak masz postąpić, a ty go posłuchałaś i teraz jesteś cała i zdrowa. Myślę, że to ty zaskoczyłaś Cabhana i zabrałaś mu sporo mocy. Być może nawet trochę go zraniłaś, skoro źródło jego siły, ten klejnot, przybladł. Jak się czułaś?

– Przedziwnie. Jakby każda komórka mojego ciała płonęła. Jakby nic nie mogło mnie powstrzymać.

Branna zmarszczyła brwi.

– To niebezpieczeństwo równie realne jak wilk.

– Myślę, że mam tego świadomość. Między innymi dlatego, że czułam się tak niezwyciężona, miałam kłopoty z opanowaniem mocy i to ona zaczynała przejmować kontrolę nade mną.

– Odbyłaś dziś bardzo ważną lekcję. To właśnie upojenie mocą, nieustanne pragnienie posiadania więcej, stworzyło Cabhana.

Ionie wydawało się, że rozumie, jak mogło się to stać, jak owa pokusa niezwyciężonej siły może się okazać nie do odparcia.

– Boyle do mnie mówił. Pomógł mi odzyskać kontrolę, uspokoić wiatr, a w końcu go zatrzymać.

Teraz Branna uniosła brwi.

– Naprawdę? To nie lada wyczyn, powstrzymać czarownicę, która ciska trąbą powietrzną. Inaczej moglibyście szybować po całej krainie Oz w poszukiwaniu szkarłatnych pantofelków.

– Ale ja bym była Dobrą Czarownicą[*].

– No cóż. Cieszę się, że żadnemu z was nic się nie stało. I myślę, że upłynie teraz trochę czasu, zanim on znowu zaatakuje, więc będziemy mogły jeszcze podszlifować twoje umiejętności. Jestem z ciebie dumna, Iona – dodała, wstając.

Proste słowa, powiedziane bez patosu, rozgrzały Ionę niczym stare, dobre wino.

– Dzięki.

– Muszę jeszcze chwilę popracować, skoro wreszcie mogę się skupić – powiedziała Branna. – Opowiem wszystko Connorowi, a ponieważ on cię zaatakował, kiedy byłaś z Boyle'em, dobrze by było, aby Meara również dowiedziała się o wszystkim. I Fin – dodała, uprzedzając Boyle'a. – Spotkajmy się wszyscy razem, powiedzmy za dzień lub dwa, kiedy ja… kiedy wszyscy to sobie przemyślimy.

– Moim zdaniem to doskonały pomysł – oświadczyła Iona. – Razem jesteśmy silniejsi niż osobno, prawda?

– Mam taką nadzieję. Do zobaczenia przy śniadaniu, Boyle – powiedziała Branna, puszczając do niego oko, po czym wyszła.

– Och, nie wiem, czy powinienem…

– Powinieneś. – Iona też wstała, wyciągnęła dłoń. – Naprawdę powinieneś. Chodź ze mną na górę, Boyle.

Pożądanie zalało go taką falą, że ledwo mógł wystawić głowę na powierzchnię. Wstał, wziął Ionę za rękę i poszedł z nią na górę.

[*] Nawiązanie do powieści L.F. Bauma *Czarnoksiężnik z Krainy Oz*.

Ponieważ otrzymała wyraźne polecenie, by stawić się w pracowni Branny zaraz po pracy, a Boyle był na spotkaniu z Finem, Iona uprosiła Mearę, żeby odwiozła ją do domu.

– Muszę kupić samochód. – Patrzyła ze zmarszczonym czołem na krętą, wąską drogę, którą Meara pokonywała jak sześciopasmową autostradę. – Jakieś tanie auto, na którym można polegać.

– Mogę popytać wśród znajomych.

– Byłoby świetnie. I będę musiała się nauczyć jeździć po złej stronie drogi.

– To wy, jankesi, jeździcie po złej stronie i potraficie przerazić człowieka na śmierć podczas cotygodniowego wyjazdu do supermarketu.

– Nie wątpię. Ale właściwie dlaczego wy jeździcie lewą stroną? Czytałam, że chodzi o to, aby mieć prawą rękę wolną, by dobyć miecza, ale już naprawdę dużo wody upłynęło od czasów, kiedy ludzie walczyli na miecze, siedząc na koniach.

– Nigdy nic nie wiadomo, prawda? Większość z nas nie walczy również na trąby powietrzne.

– Tu mnie masz. Może uda mi się jutro namówić Boyle'a, żeby pozwolił mi trochę poprowadzić. Wybieramy się na wycieczkę po okolicy. Byłam tak zajęta pracą i lekcjami, że nie wyściubiłam nosa poza wioskę.

– Dzień wolny ma zbawienny wpływ na duszę. Jednak będziesz musiała użyć wielu bardzo słodkich słów i najprawdopodobniej obiecać mu wyjątkowo atrakcyjne usługi seksualne, żeby Boyle wpuścił za kierownicę kogokolwiek poza sobą.

– Jestem dobrym kierowcą – upierała się Iona. – A właściwie byłam, kiedy miałam kierownicę po właściwej stronie.

Czy wszyscy już wiedzą, że mogę oferować Boyle'owi usługi seksualne?

– Wie to każdy, kto ma oczy. Gdybym miała dzisiaj okazję, wyciągnęłabym z ciebie więcej szczegółów na temat tej trąby i seksu, ale po stadninie kręciło się zbyt dużo ludzi.

– Mogłabyś wejść – zaproponowała Iona, kiedy Meara zaparkowała przed warsztatem. – Wtedy Branna nie zagoniłaby mnie natychmiast do roboty, a ja mogłabym dostarczyć ci mnóstwo szczegółów.

– Dlaczego cudze przygody seksualne są tak fascynujące? Może dlatego, że wtedy sami nie musimy przeżywać związanych z nimi turbulencji. Tak czy inaczej – ciągnęła Meara, zanim Iona zdążyła wymyślić jakąś odpowiedź – na pewno chętnie poznałabym każdy szczegół, ale mam jeszcze kilka spraw do załatwienia. Za to później możemy się spotkać w pubie, o ile nie zaplanowałaś kolejnych przygód z Boyle'em.

– Chyba uda mi się wykroić chwilkę na drinka z przyjaciółką. Wierzysz w reinkarnację?

– Dobre pytanie. – Meara odsunęła czapkę z czoła. – Skąd ci to przyszło nagle do głowy?

– Zastanawiałam się, dlaczego niektóre znajomości wydają się takie łatwe, naturalne, zupełnie jakby zostały nawiązane dawno temu, a teraz tylko odnowione. Tak właśnie czuję się przy tobie, Brannie i Connorze. Przy Boyle'u, a nawet przy Finie.

– Ja chyba nie wykluczam żadnej możliwości. Musisz mieć otwarty umysł, jeśli twoja najlepsza przyjaciółka jest czarownicą. Ale moim zdaniem chodzi przede wszystkim o to, że to ty jesteś otwarta na znajomości. Wyciągasz rękę do ludzi i trudno jest nie odwzajemnić tego gestu, nawet jeśli zwykle jest się ostrożnym w stosunku do obcych.

– A ty jesteś?

– Tak, raczej tak. Mam wąski krąg znajomych. Mniej turbulencji, że tak powiem.

– W takim razie bardzo się cieszę, że poszerzyłaś go dla mnie. Do zobaczenia w pubie.

– Do zobaczenia.

– Dzięki za podwiezienie. – Iona wysiadła z samochodu i pomachała Mearze. Podobało jej się stwierdzenie, że jest otwarta, i cieszyła się na spotkanie w pubie. Może uda jej się namówić Brannę, żeby też poszła, wtedy mogłyby zorganizować spontaniczny babski wieczór.

A potem może będzie miała szczęście i uda jej się ukoronować dzień małą przygodą z Boyle'em.

Zadowolona ze swojego planu, otworzyła drzwi.

– Zaczynajmy lekcję, a potem… och, przepraszam. Nie wiedziałam, że masz gościa… klientkę.

Zawahała się na progu, niepewna, czy powinna wejść czy wyjść, kiedy nagle rozpoznała kobietę stojącą obok jej kuzynki.

– Och, cześć, spotkałyśmy się mojego pierwszego wieczoru w Ashford. Jesteś córką Micka. Iona – dodała, gdy kobieta wpatrywała się w nią zakłopotana.

– Tak, pamiętam. Mój tata bardzo cię chwali.

– On jest wspaniały. Kolejny powód, dla którego uwielbiam swoją pracę. Przepraszam, nie chcę wam przeszkadzać, ja tylko…

– Nie, nie przeszkadzasz. Właśnie wychodzę. Dziękuję, Branna, pozdrów Connora.

Wybiegła z warsztatu, chowając małą buteleczkę w kieszeni płaszcza.

– Przepraszam. Wiem, że tu też zaglądają klienci, chociaż większość przychodzi do sklepu w wiosce.

– Trochę tu, trochę tam. – Branna wsunęła do szuflady kilka euro. – Ci, którzy przychodzą tutaj, na ogół szukają tego, czego nie sprzedaję w wiosce.

– Och.

– Nie jestem lekarzem, ale jestem dyskretna. Jednak tym razem powiem ci, o co chodziło, ponieważ to wcale nie jest taka tajemnica, jak się wydaje Kayleen, i może nadejść chwila, w której ty też spotkasz się z taką prośbą.

Wzięła chochlę i wlała do butelki bladozłoty krem, a powietrze wypełnił zapach miodu i migdałów.

– Do Galway City przyjechał pewien przystojny Włoch, żeby pracować w restauracji swojego wuja. Nasza Kayleen poznała go kilka tygodni temu na przyjęciu i od tamtej pory się spotykają. Poznałam tego młodzieńca, kiedy przyszli razem do sklepu i rzeczywiście jest czarujący jak książę i oszałamiająco przystojny – mówiła, nie przerywając pracy. Napełniała buteleczki, a potem wycierała je do sucha i zatykała korkiem. – Kayleen oszalała na jego punkcie i któż mógłby ją winić? Sama bym spróbowała, gdybym nadal była w obiegu. Inne kobiety darzą go podobnymi uczuciami i wygląda na to, że on nie ma nic przeciwko temu. I któż mógłby go winić? – dodała, przewiązując szyjkę butelki cienką, złotą wstążką. – Jednak Kayleen nie chce się dzielić i czuje, że przystojny Włoch potrzebuje jedynie małej zachęty, żeby ślubować tylko jej. Wymyśliła więc, że to ja dam jej tę zachętę.

– Nie rozumiem.

Branna odstawiła buteleczkę do pudełka.

– Poprosiła mnie o zaklęcie na miłość i chciała mnie sowicie wynagrodzić ze swoich ciężko zarobionych pieniędzy.

– Zaklęcie na miłość? Znasz takie?

– Znam, a wykorzystuję to dwie zupełnie różne kwestie. Oczywiście istnieją pewne sposoby, takie czy inne, nie ma jednak nic bardziej niebezpiecznego ani pełnego bólu i żalu niż czary, które dotyczą serca.

– Odmówiłaś jej. Ponieważ to oznaczałoby odebranie komuś możliwości wyboru. I ponieważ nie powinno się wykorzystywać magii dla zysku.

Branna sprawnymi ruchami zawiązała kolejną wstążeczkę.

– Każde zaklęcie przynosi zysk, taki lub inny. Czegoś pragniesz albo w coś wierzysz, chcesz coś ochronić lub powstrzymać. Ten krem czyni skórę gładką i pachnącą, może poprawić samopoczucie osoby, która go używa, i wpłynąć na tego, kto poczuje jego zapach. Ja robię ten specyfik, ktoś go kupuje i mi płaci. To również zysk.

– Chyba tak, jeśli popatrzeć na to w ten sposób.

– Co do możliwości wyboru, to również czasem ją odbieramy, nawet gdy mamy dobre intencje. Dlatego musimy być gotowi, by zapłacić sporą cenę, ponieważ magia nigdy nie jest za darmo. – Spojrzała Ionie prosto w oczy. – Ani dla nas, ani dla nikogo innego.

– To dlaczego jej odmówiłaś?

– Uczucia to też magia, prawda? Miłość i nienawiść są z nich najsilniejsze. Moim zdaniem nie wolno manipulować uczuciami, nie wolno używać mocy, by kierować je w tę czy w tamtą stronę. To niesie zbyt wielkie ryzyko. A jeżeli miłość już tam jest, gotowa, aby rozkwitnąć? Jeśli ją wzmocnisz, może przerodzić się w obsesję. Albo ten, kto zapłacił za zaklęcie, zmieni zdanie. Lub ktoś inny, kto kocha i mógłby być kochany, zostanie odrzucony. Zbyt wiele pytań i możliwości. Dlatego nie bawię się miłosnymi czarami ani niczym podobnym. Ty sama podejmiesz decyzję, czy chcesz to robić, ale dla mnie przekroczenie tej linii jest ryzykowne i nieetyczne.

– Nieetyczne, racja, ale przede wszystkim po prostu nie fair. – Dla Iony ten argument był jeszcze bardziej istotny.

– I tak, rozumiem, co masz na myśli. Magia często bywa nie fair, ale miłość powinna być, nie wiem, uczciwa. Trzeba ludziom pozwolić kochać tych, których kochają.

– I nie kochać też. Dlatego teraz jej odmówiłam i zawsze będę odmawiać.

– W takim razie co jej sprzedałaś?

– Prawdę. Sama zadecyduje, czy zechce jej użyć. Jeśli tak, oboje będą mogli powiedzieć, co czują, czego pragną i oczekują. Jeśli nie, będzie mogła się cieszyć tym, co ma, tak długo, jak będzie to miała. Myślę, że nie wykorzysta tego czaru. Boi się magii i nie jest gotowa, by usłyszeć prawdę.

– Gdyby go kochała, chciałaby znać prawdę.

Branna uśmiechnęła się i wstawiła do kartonu kolejną buteleczkę.

– Trafiłaś w samo sedno. Ona jest w niego zapatrzona i bardzo go pragnie, ale nawet nie zbliżyła się do granic miłości. Chociaż bardzo by chciała się zakochać. Miłość nie załamuje się pod ciężarem prawdy, nawet jeśli tego chcesz.

Drzwi się otworzyły i do pracowni wbiegł Kathel, a za nim wszedł Fin.

– Dzień dobry paniom. – Odgarnął potargane przez wiatr włosy. – Słyszałem, że mieliśmy drobne kłopoty. Nic ci nie jest, kochana? – zapytał Ionę.

– Nie, wszystko w porządku.

– To dobrze. Chciałbym jednak poznać wszystkie szczegóły i dowiedzieć się, jakie są dalsze plany, bo na tym ataku na pewno się nie skończy.

– Boyle nie przyjechał z tobą?

– Przyjmuje kowala, a Connor poszedł na spacer z sokołami, więc to wy musicie mnie oświecić.

– Boyle też tam był. – Branna postawiła karton na półce. – Widział wszystko równie dokładnie jak Iona.

– Ale własnymi oczami, a ja chcę poznać wersję Iony.

– Mamy dużo pracy, Fin. Ona musi zdobywać wiedzę, ćwiczyć.

– W takim razie pomogę wam. – Zdjął płaszcz, jak gdyby już przyjęły jego propozycję.

– Mamy inne… techniki, ty i ja.

– To prawda, ale spróbowanie czegoś nowego przyniesie Ionie same korzyści.

– Wasz zwyczaj mówienia o mnie w trzeciej osobie, kiedy stoję tuż obok, staje się denerwujący – wtrąciła Iona.

– I jest niegrzeczny – zgodził się Fin, kiwając głową. – Masz rację. Chciałbym pomóc, a kiedy skończymy, mogłybyście opowiedzieć mi dokładnie, co się stało i jak to wyglądało z twojej perspektywy, Iona. Jeśli byłabyś tak uprzejma.

– Ja… miałam później się spotkać z Meárą, ale… – Spojrzała na Brannę, która westchnęła i wzruszyła ramionami. – Możemy zaprosić ją tutaj, Boyle'a też. Myślę, że dobrze byłoby opowiedzieć to wszystkim naraz i zastanowić się, co robimy dalej.

– Dobrze. Zamówię jakąś kolację, nie musisz znowu gotować dla całej hordy, Branna.

– Godzinę temu wstawiłam sos do spaghetti, wystarczy dla wszystkich.

– W takim razie zadzwonię po resztę. – Fin wyjął telefon. – I zaczynamy.

ROZDZIAŁ CZTERNASTY

Iona czuła, że właśnie tak powinno być. Dobrze, że znowu spotkali się wszyscy razem, w kuchni wypełnionej smakowitymi zapachami i przekrzykującymi się ludźmi, mając obok psa chrapiącego przy kominku.

Sytuacja wydawała się taka normalna, jeśli nie brać pod uwagę paranormalnych zdolności zebranych.

Iona przygotowywała wielką misę sałatki, swoją specjalność. W sumie całkiem dobrze radziła sobie w kuchni, dopóki nie musiała rzeczywiście gotować.

Czuła się dobrze, na swoim miejscu i, po tych wszystkich lekcjach z Branną była coraz silniejsza. Nawet opowiadanie o starciu z wilkiem – po raz kolejny – przypomniało jej, jaka moc płynie w jej krwi i ciele. I dodało pewności siebie.

– Jest bezczelny, prawda? – powiedziała Meara, smarując masłem ziołowym grube kromki bagietki. – Żeby tak na was napaść w biały dzień, i to tak blisko Ashford!

– A mnie się wydaje, że on tego nie planował. – Connor porwał kromkę z blachy, zanim Meara zdążyła wstawić ją do piekarnika. – Zobaczył nadarzającą się okazję i z niej skorzystał.

– Może bardziej po to, żeby was wystraszyć, niż skrzywdzić – zasugerował Fin. – Co nie oznacza, że nie zrobiłby wam krzywdy, gdyby miał ku temu sposobność. Jechaliście spokojnie, byliście zrelaksowani.

– I nieuważni. – Boyle skinął głową. – Więcej nie popełnimy tego błędu.

– To pewien rodzaj terroryzmu, nie sądzicie? – Fin zaniósł miskę z sałatką na stół. – Ta nieustannie wisząca nad nami groźba, niewiedza, kiedy i gdzie on może nas zaatakować. Zakłóca nasz normalny rytm życia.

– Na pewno nie wyszedł z tej potyczki zwycięsko. – Branna przełożyła makaron do biało-niebieskiej miski. – I skopała mu dupę czarownica, która ledwo ukończyła podstawówkę.

– Co za satysfakcja.

Jednak Iona dostrzegła spojrzenia, jakie wymienili Fin z Branną.

– Ale co? Bo widzę, że jest jakieś ale.

– Już dwa razy cię zaatakował. No dobrze, siadajmy i jedzmy – zaprosiła ich Branna. – I za każdym razem zmusiłaś go do ucieczki z podkulonym ogonem.

– Nie docenił jej – powiedział Boyle, zajmując miejsce.

– Niewątpliwie i raczej nie popełni tego błędu po raz trzeci. – Branna podała sałatkę Mearze. – Nakładaj sobie. Ja się zajmę grzankami.

Iona potrafiła połączyć kropki, zwłaszcza kiedy były tak wyraźne.

– Myślicie, że jeszcze raz weźmie mnie na muszkę? Celowo?

– To twój przyjazd nadał bieg sprawom, które trwały w uśpieniu od setek lat. Tu są jabłka – odkrył Connor, próbując sałatki. – Dobra.

– A gdyby wystraszył ją na tyle, że wróciłaby do Ameryki?
– Meara zmarszczyła brwi. – Co wtedy?

– Wydaje mi się, że to już nie miałoby żadnego znaczenia. Iona jest trzecia. – Branna postawiła grzanki na stole i usiadła. – On wie o tym równie dobrze jak my. Jej moc zaczęła działać, i to szybciej i bardziej skutecznie, niż on – i ja, skoro już o tym mowa – przypuszczał. Korek nie wróci już do butelki.

Iona doceniała komplement, ale nadal łączyła kropki w stanowczo zbyt szybkim tempie.

– A jeśli on zabije mnie albo kogoś z was?

– Ból jest lepszy. – Connor jadł ze smakiem i mówił prawie radosnym tonem. – Albo uwiedzenie. W ten sposób mógłby przeciągnąć kogoś z nas na swoją stronę, dzięki czemu zyskałby więcej mocy. Z zabójstwa też trochę by wyciągnął, ale dużo mniej. Jednak może spróbować nas zabić, z frustracji albo nienawiści.

– Cóż za urocza perspektywa – mruknęła Meara.

– Jeśli to prawda, to dlaczego nie zaatakował żadnego z was, zanim tu przyjechałam?

– Och, od czasu do czasu próbował, ale nie pozostały nam po tym nawet blizny. – Gdy tylko to powiedział, skrzywił się. – Przepraszam, Fin.

– Nie ma sprawy. On nie mógł wiedzieć, nikt z nas nawet nie przypuszczał, że wy troje to właśnie ta trójka. Dopiero kiedy przyjechałaś, Iona, wszystkie elementy trafiły na swoje miejsce.

– Poza tym chroniły nas amulety – dodała Branna. – A gdyby zabił mnie albo Connora, przyszliby następni. Na świecie jest mnóstwo O'Dwyerów.

– Ale nikogo takiego jak ty – powiedział cicho Boyle.

– Ani jak Connor czy ty. – Spojrzał na Ionę. – Fin, ty

wiedziałeś, że to będzie ich troje i że nadchodzi ten czas.

– Zyskałem pewność dopiero wtedy, kiedy zobaczyłem Alastara. Widziałem ciebie na jego grzbiecie – zwrócił się do Iony. – Siedziałaś na koniu pod księżycem tak pełnym i białym, że wydawał się pulsować na czarnym niebie niczym serce. Widziałem ogień w twoich dłoniach i moc w oczach.

– Nic nam wcześniej nie mówiłeś.

Fin zerknął na Brannę.

– Kupiłem tego konia, ponieważ wiedziałem, że do niej należy. Nie miałem pewności, kiedy przyjedziesz – znów spojrzał na Ionę – ale wiedziałem, że się pojawisz i że będziesz potrzebowała Alastara. A on ciebie.

– Co jeszcze widziałeś? – chciała wiedzieć Branna.

Skrzywił się.

– Zbyt wiele i niewystarczająco dużo.

– Nie mam ochoty na zagadki, Finbar.

– Chcesz usłyszeć prostą odpowiedź, jak zawsze, a ja jej nie znam. Widziałem mgłę i Cabhana, jak sam będąc cieniem, obserwował nas w ciemności. Widziałem ciebie pod tym samym jasnym księżycem, lśniącą niczym tysiące gwiazd. Wiatr targał ci włosy, na rękach miałaś krew. Zastanawiałem się, czy to była moja krew.

Branna bez słowa wstała od stołu, podeszła do kuchenki i przelała wrzący sos do miski.

– Nie wiem, co to oznacza – ciągnął Fin – ani na ile była to prawda, a na ile moja wyobraźnia.

– Gdy nadejdzie czas, to jego krew się poleje. – W głosie Connora nie pobrzmiewało już rozbawienie, lecz chłód z domieszką złości.

– Bracie. Ja jestem z jego krwi.

– Nie należysz do niego. – Prostując ramiona, Iona spojrzała Finowi w oczy. – A użalanie się nad sobą w niczym ci nie pomoże. On się tu pętał i czekał od setek lat – mówiła dalej stanowczym tonem, a Branna posłała jej przez ramię pełne aprobaty spojrzenie. – Co, u diabła, robił przez całe wieki?

– Fin uważa, że on może podróżować między czasami i światami, kiedy ma na to ochotę – powiedział Boyle.

– A jak on… Och, chata, ruiny. To miejsce za ścianą pnączy. Jeśli może to robić, to dlaczego nie zabije Sorchy, zanim ona spali go na popiół?

– Nie może zmienić tego, co było. Jej magia była równie potężna jak jego, może nawet silniejsza – wyjaśnił Fin. – Zanim zachorowała, zanim on zabił jej mężczyznę. Myślę, że to ona rzuciła na to miejsce ochronny czar, który nadal je zabezpiecza. To, co było, stało się i nie można już niczego zmienić. Wiem, bo sam próbowałem.

– No proszę, proszę, jesteś pełen tajemnic. – Branna z hukiem postawiła miski na stole. Zabrała tę z sałatką.

– Gdybym potrafił dokończyć to, co ona zaczęła, i go unicestwić, już dawno bym to zrobił.

– I sam zginął razem z nim – dokończyła Iona. – Tak myślę. Paradoks czasu jest… paradoksalny.

– Tak czy inaczej, nie mogłem niczego zmienić. Moja moc była ze mną, czułem to, ale nic nie znaczyła. I nie mogłem utrzymać się w tamtym miejscu i czasie, wszystko falowało i ciągle wracałem tam, gdzie zacząłem.

– Mogłeś się zgubić – upomniał go Connor. – Mogłeś wylądować w zupełnie innym miejscu lub czasie.

– Ale się nie zgubiłem. Myślę, że chwilę obecną i tamtą łączy jakaś nić, która nie pozwala ci zboczyć z toru.

– Ta nić ciągnie się przez setki lat – zastanawiała się głośno Iona. – Może chodzi o odnalezienie właściwego punktu.

– Jeśli zmienisz jeden drobiazg, wszystko ulegnie zmianie. A ty powinieneś mieć więcej rozsądku – zganiła Fina Branna.

– Byłem młody i głupi. – Posłał Ionie przelotny uśmiech. – I użalałem się nad sobą. Teraz, kiedy jestem starszy i mądrzejszy, rozumiem, że to nie jedno z nas unicestwi jego i jego klątwę, tylko my wszyscy razem.

– A gdybyśmy wszyscy cofnęli się w czasie?

Connor przestał polewać makaron sosem i spojrzał na Boyle'a.

– Wszyscy razem?

– Może to by zmieniło bieg wydarzeń, ale nie wiemy, kiedy on znowu spróbuje nas skrzywdzić ani na co jeszcze go stać. Nie rozumiem, dlaczego nie można zmienić tego, co było, ani dlaczego nie mielibyśmy spróbować, skoro to coś było złe.

– To śliska droga, Boyle. – Branna nawinęła nitkę makaronu na widelec, odwinęła, nawinęła znowu. – Można by zapytać, czy gdybyś miał taką możliwość, cofnąłbyś się w czasie i zabił Hitlera? Ocaliłbyś tysiące ludzkich istnień, jednak ktoś z tych ocalonych mógłby okazać się o wiele gorszy i potężniejszy od Hitlera.

– Ale czy nie możemy jednak spróbować? Nić ciągnie się przez setki lat, jak powiedziała Iona. Czy nie możemy wybrać miejsca i czasu, w którym wypowiemy mu wojnę? Czasu i miejsca, które nie zagrożą życiu Fina?

– Wielkie dzięki za troskę.

– Przyzwyczaiłem się do ciebie – powiedział do przyjaciela Boyle. – I nie mam zamiaru sam użerać się ze stadniną. Czy wy czworo nie możecie wykombinować jakiejś magii, która da nam jak największe szanse?

– Moglibyśmy nie wrócić do takiego świata, jaki opuściliśmy, o ile w ogóle wrócimy – ostrzegła Branna.

– A może wrócimy do lepszego. Fin powiedział, że w tamtym czasie Cabhan jest tylko cieniem.

– Cienie znikają w świetle. – Meara uniosła kieliszek z winem. – Warto o tym pamiętać. Może nie potrafię rzucać uroków, ale znam podstawy fizyki. Czy to fizyka? Nieważne, akcja, reakcja, tak? I wiem, że zawsze lepiej jest zaatakować przeciwnika z zaskoczenia i na wybranym przez siebie polu.

– Ty też byś poszła? – zapytała Iona. – To znaczy, gdybyśmy mogli i chcieli.

– Oczywiście. No chyba że akurat byłabym umówiona na gorącą randkę.

– To nie żarty, Meara.

Meara pogłaskała Brannę po ramieniu.

– Już wystarczająco długo dźwigasz ten ciężar. Pora się nim podzielić. Mówisz, że stanowimy krąg, ale czy naprawdę tak sądzisz? Nie możesz chronić nas wszystkich, Branna, więc chrońmy siebie nawzajem.

– Możemy nad tym pomyśleć. Nad tym, jak znaleźć właściwy czas i miejsce i co zrobić, aby on się o tym nie dowiedział. Jak sprawić, aby ten czas i miejsce były tu i teraz, gdy już znajdziemy sposób, jak unicestwić go raz na zawsze.

– Ona będzie myśleć i pracować – powiedziała cicho Iona do Boyle'a, gdy sprzątali stół – i się zamartwiać. Czasami zastanawiam się, czy miałaby mniej pracy i zmartwień, gdybym nie przyjechała.

– Ten miecz już od dawna wisi nad ich głową. A ty tu jesteś. Nie zastanawiam się zbyt często nad przeznaczeniem, ale wygląda na to, że twój przyjazd był przesądzony. To się kiedyś musi skończyć, prawda? Dlaczego nie teraz? I nie dzięki nam?

– Nie jestem wielką zwolenniczką prokrastynacji. – Iona zamyśliła się, wycierając stół. Starała się mówić cicho, by jej słowa zagłuszył szczęk naczyń wkładanych do zmywarki. – Lubię zrobić to, co mam do zrobienia, i mieć spokój, ale akurat w tym wypadku z radością zamknęłabym cały ten kram do pudełka na następnych kilkaset lat.

– Ktoś musi posprzątać to gówno.

– A my mamy łopaty – dokończyła Iona. – Równie dobrze możemy zabrać się do roboty. Już się nie mogę doczekać jutra i nie tylko dlatego, że wystawię nos dalej niż dwie mile od Ashford.

– Tutaj liczymy odległości w kilometrach.

– Mam wrażenie, że szybciej nauczę się irlandzkiego, niż opanuję wasz system metryczny. Wydaje mi się, że poznanie okolicy może mi pomóc. Poza tym będę miała wyjątkowego przewodnika.

– Przekonamy się.

Korzystaj z chwili, powiedziała do siebie. Kolekcjonuj każdą chwilę normalności i szczęścia.

– Chcę zobaczyć ruiny, stare cmentarze i zielone wzgórza. I owce.

– Po to nie musisz jechać daleko.

– Ale ja będę jechała z tobą. – Odwróciła się i objęła go w pasie.

Poczuła, jak zawstydzony Boyle przestępuje z nogi na nogę, chociaż szczęk naczyń i rozmowy dookoła nie ucichły. A ponieważ uznała jego zakłopotanie za słodkie, wspięła się na palce i pocałowała go w policzek.

– Mogłabym trochę poprowadzić. Poćwiczyć jazdę lewą stroną drogi, zanim kupię sobie samochód.

– Absolutnie nie ma mowy.

– Potrafię prowadzić samochód.

– Potrafisz prowadzić samochód prawą stroną drogi, którą liczysz w milach. Ale nie umiesz jeździć furgonetką po lewym pasie, drogą mierzoną w kilometrach.

I tu ją miał.

– Masz rację. Możesz mnie nauczyć.

– Lepiej, żebyś wybrała na nauczyciela kogoś mniej... wybuchowego – poradziła Branna.

– Ona ma na myśli kogoś, kto nie będzie wrzeszczał na ciebie jak opętany, jeśli muśniesz żywopłot lub wybierzesz zły zjazd na rondzie – wyjaśniła Meara. – Lepiej umów się z Connorem, ma więcej cierpliwości.

– Każdy człowiek na świecie ma więcej cierpliwości niż Boyle. Zabiorę cię na przejażdżkę, kuzynko, kiedy tylko będziesz miała ochotę.

– Dzięki.

– A jeśli chcesz kupić auto, mam przyjaciela w Hollymount, który zajmuje się sprzedażą samochodów i na pewno cię nie oszuka.

– Connor ma wszędzie przyjaciół.

– Jestem bardzo przyjacielski. – Uśmiechnął się do Meary.

– Co mogą poświadczyć wszystkie dziewczęta. Muszę już iść. Wyślijcie mi SMS, jeśli opracujecie jakiś szczwany plan – powiedziała do Branny.

– Mam kilka pomysłów. Dam ci znać, jak się nad nimi zastanowię.

– Uważaj na siebie. – Meara uścisnęła przyjaciółkę.

– Ja też powinienem na siebie uważać.

Meara spojrzała na Connora spod uniesionych brwi i cmoknęła go w policzek.

– Udanej wyprawy, Iona, wy też uważajcie na siebie. I ty również, Fin.

– Pójdę z tobą. Ja także mam kilka koncepcji, które chciałbym przemyśleć – powiedział do Branny.

– Moglibyśmy rozważyć Litha[*].

Branna pokiwała głową.

– Rozważam.

– Czy to… aha, letnie przesilenie – uzmysłowiła sobie Iona. – Dopiero w czerwcu?

– Mielibyśmy jeszcze trochę czasu. Światło zwycięża ciemność, a najdłuższy dzień moglibyśmy wykorzystać na naszą korzyść. Muszę nad tym pomyśleć.

– Wolałabyś, żebym została jutro w domu i pomogła ci?

– Nie, jedź na wycieczkę. Masz rację, dobrze, żebyś poznała trochę okolicę. A ja potrzebuję czasu na myślenie.

– W takim razie zostawimy cię w spokoju – powiedział Boyle. – Iona, mogę po ciebie przyjechać jutro o dziewiątej.

– Możesz. Albo ja mogę pojechać teraz z tobą i wyruszymy od ciebie, o którejkolwiek godzinie będziemy

[*] Litha – dzień letniego przesilenia.

gotowi. – Uśmiechnęła się do niego. Boyle nie przestąpił z nogi na nogę, ale czuła, że ma na to ogromną ochotę.

– Oni wszyscy wiedzą, że z sobą sypiamy.

– Doprawdy? – zapytał Connor z udawanym zdziwieniem. – A ja myślałem, że gracie w szachy i dyskutujecie o aktualnych wydarzeniach na świecie.

– Wyjątkowy z ciebie egzemplarz – mruknął Boyle do Iony. – Możemy wyruszyć ode mnie, jeśli tak wolisz. Tylko nie pakuj połowy swoich rzeczy, bo będziemy chodzić tylko po gruzach i między nagrobkami.

– Już spakowałam torbę, na wszelki wypadek. Zadzwoń do mnie – zwróciła się do Branny – jeśli będziesz mnie potrzebować.

– Niczym się nie martw i dobrze się baw. – Branna zagoniła całą gromadkę do drzwi i pomachała wychodzącym na pożegnanie.

Potem stała jeszcze przez chwilę na progu, otoczona chłodną ciemnością.

– No dobrze, jesteśmy sami, tak jak chciałaś. – Connor położył dłoń na jej ramieniu. – O co chodzi?

Nie chciał sam zaglądać, pomyślała Branna. Chociaż umiała go zablokować, on nie chciał podglądać ani jej myśli, ani serca. Uważał to za wścibstwo.

– Nie chcę niczego ukrywać przed Ioną. Dzisiaj naprawdę doskonale się spisała.

– Ale nadal się do niej przyzwyczajasz, tak samo jak do sytuacji, że nagle wszyscy są w to zaangażowani. Czujesz się nieswojo wśród tych wszystkich ludzi, którzy tłoczą się wokół ciebie.

Jak dobrze ją znał, pomyślała, dziękując wszystkim bogom za to, że go ma.

288

– Tak, to prawda. To cud, że pochodzimy od tych samych rodziców. Ty uwielbiasz tłum, a ja potrzebuję samotności.

– Dzięki temu zachowujemy równowagę.

– Na to wygląda i wydaje mi się, że element równowagi będzie dla nas bardzo istotny.

– Ostara, zrównanie dnia z nocą, równowaga między światłem i ciemnością raczej niż przesilenie?

– Myślałam o tym, najwidoczniej ty też, ale mielibyśmy za mało czasu na przygotowania.

– Nie przypuszczałem, że nasza Iona jest już gotowa – przyznał – ale zastanawiam się, czy się nie myliłem.

– Moim zdaniem potrzeba jej jeszcze praktyki. Zasługuje na więcej czasu, ale ten przełomowy dzień roku mógłby być naszą szansą. Popracuj ze mną trochę, może razem coś wymyślimy.

Connor dotknął czołem czoła siostry.

– Rytuał, zaklęcie równowagi, które zabroni mu dostępu do nas raz na zawsze, gdy dzień trwa najdłużej.

– Widzisz, tobie nie muszę niczego tłumaczyć, dlatego łatwiej nam pójdzie.

– Twoich myśli na pewno nie można zaliczyć do łatwych, ale może do czegoś dojdziemy. Na razie we dwoje, a potem z całą resztą.

Poszli razem do pracowni, a Branna starała się nie czuć winna z powodu ulgi, jaką czuła, gdy zostali tylko we dwoje.

– Wprawiłam cię w zakłopotanie – powiedziała Iona podczas krótkiej przejażdżki do domu Boyle'a.

– Słucham? Nie. Nie jestem zakłopotany.

– Troszeczkę. Pewnie powinnam była na osobności rozmawiać z tobą na temat spędzenia u ciebie nocy. Nigdy nie myślę o takich sprawach. I za późno przyszło mi do głowy, że może wcale nie masz ochoty na czyjąś wizytę.

– Ty już nie jesteś gościem.

I jak świadczył o niej fakt, że te wypowiedziane od niechcenia słowa wydały jej się romantyczne?

– Potem zrozumiałam, że potrafiłbyś mi odmówić i przyjechać po mnie rano.

– Czy wyglądam na idiotę?

– Ani trochę.

– A musiałbym być idiotą, żeby nie chcieć spędzić z tobą nocy, prawda?

Jeszcze więcej romantyzmu, pomyślała, w niepowtarzalnym stylu Boyle'a McGratha.

– Jednak nie powinnam była tego ogłaszać jak protokołu ze spotkania. O ile ktoś spisuje jakieś protokoły.

– To sprawa prywatna.

– Rozumiem i będę bardziej uważna. Ale wydaje mi się, że w zaistniałej sytuacji prywatność nie jest najbardziej istotna. Wiem, że dla ciebie to trudniejsze niż dla mnie.

– Pewnie tak, ale masz rację. Mamy większe zmartwienia.

Zaparkował za samochodem Fina i wysiadając, zadzwonił kluczykami.

– Dobrej nocy! – zawołał Fin. – I bawcie się jutro dobrze.

– Będę miał telefon, gdybyś mnie potrzebował.

Iona otarła się o Boyle'a; szli już po schodach wiodących do jego mieszkania.

– To jest trudniejsze dla ciebie. Ale Fin musi być przyzwyczajony, że od czasu do czasu przyprowadzasz tu dziewczyny, on pewnie robi to samo.

– Nie przyprowadzam tu kobiet. Z zasady – dodał po chwili.

– Och. – Prywatność, pomyślała. I coś jeszcze. – Jeśli idziesz do nich, możesz wyjść, kiedy chcesz.

– To także. – Wszedł do mieszkania.

– Musisz mi powiedzieć, jeśli będziesz chciał, żebym sobie poszła. Wolę zostać wyproszona, niż być tolerowana.

– Mam niewielką tolerancję. – Wrzucił klucze do miski w holu. – Ciebie nie toleruję.

Iona musiała się uśmiechnąć.

– Dobrze. Nie rób tego. Bycie tolerowaną jest żałosne.

Położył jej niewielką torbę na krześle.

– Gdybym nie chciał, żebyś tu była, to byłabyś gdzie indziej. Masz ochotę na coś do picia?

– Myślałam, że już nie jestem gościem.

– Masz rację.

Złapał ją, tak jak lubiła, i pociągnął do sypialni.

– Sama możesz sobie potem zrobić coś do picia.

– Tobie też zrobię. – Ściągnęła mu kurtkę i cisnęła ją na bok. – Buty – powiedziała, a Boyle się roześmiał.

– Pamiętam kolejność.

A mimo to już zbliżali się do łóżka. Ściągając z siebie ubrania, zrzucając buty.

– Ostatnim razem coś stłukliśmy – przypomniała sobie Iona, pośpiesznie rozpinając Boyle'owi koszulę. – Co to było?

– Kryształowy wazon mojej babci.

Jej palce zamarły, otworzyła szeroko oczy ze zdumienia. Boyle wyszczerzył zęby w uśmiechu.

– Och! Kłamczuch! – Przerzuciła przez niego nogę i popchnęła go na plecy. – Zapłacisz za to. – Krzyżując ręce, złapała za dół swetra, ściągnęła go przez głowę i przewiesiła sobie przez ramię.

– Zapłacę więcej – powiedział. Przesunął dłońmi po jej ramionach i piersiach, podczas gdy Iona walczyła z ostatnimi guzikami.

– Żebyś wiedział, koleś. – Opuściła głowę i przycisnęła usta do jego warg w miażdżącym pocałunku, po czym chwyciła zębami jego dolną wargę.

Odwzajemnił się, przewracając ją na plecy i robiąc to samo.

Mocowali się, uwalniając się nawzajem z ubrań, siłowali z sobą w gorączce brania i dawania.

Tak cudownie znajomo, pomyślała, tak samo jak poprzednio, ale teraz wiedziała, co mogą sobie nawzajem dać. Cały ten żar, pożądanie i prędkość, jak lot przez ogień – płomienie, wybuchy i błyski.

' Rozkoszowała się ciepłem jego skóry, przyprawiającym o zawroty głowy. Przesuwały się po niej usta ciemne od głodu i dłonie drżące z pożądania.

Jak mogła żyć, nie wiedząc, jak to jest, gdy ktoś pragnie cię tak absolutnie, tak niecierpliwie, tak do końca?

Musiała dać mu to samo, pokazać, jak dzięki niemu zalewa ją gorąca fala.

Nie mógł się nią nasycić. Ilekolwiek by wziął, każdy następny kęs tylko rozpalał białe, rozżarzone pragnienie, by brać więcej. Gdy była tuż przy nim, gdy poruszała się tak w ciemności, nie mógł myśleć, mógł tylko odczuwać.

Przez nią czuł się jak pijany, jakby postradał rozum. Silny jak bóg, nieostrożny niczym osaczony wilk.

Świat na zewnątrz zniknął, czas przestał istnieć.

Tylko jej ciało, jej kształty, te smukłe mięśnie pod gładką skórą. Jej oddech, westchnienia i miękki, cichy jęk. I jej smak, taki słodki, tak gorący.

Uwolniła się spod niego, szybkie dłonie, zwinne nogi, żeby go dosiąść, a blask gwiazd zalśnił w jej włosach jak diamenty.

Przyjęła go w siebie, szybko i głęboko, przyciskając dłonie do własnych piersi, gdy zalały ją pierwsze fale ekstazy.

I ujeżdżała go, wolna i dzika, z blaskiem gwiazd na skórze, z ciemnym triumfem w oczach.

Złapał ją za biodra, chwytając się jej w ostatnim przebłysku rozumu.

A ona uniosła ramiona wysoko, wydając z siebie okrzyk zwycięstwa.

Na czubkach jej palców zatańczyły płomienie, maleńkie punkciki światła, które zabłysły, jasne i oślepiające niczym słońce. Oszołomiony nimi, opętany przez nią Boyle trzymał ją mocno – i przestał powstrzymywać siebie.

W ciemności, we śnie, wyciągnęła do niego rękę.

– Słyszałeś to? Słyszałeś?

– To tylko wiatr.

– Nie. – Las był tak gęsty, noc taka czarna. Gdzie się podział księżyc? Dlaczego nie widać księżyca ani gwiazd?

I nagle, z drżeniem, zrozumiała.

– On jest w wietrze.

Jej imię, uwodzicielsko wabiący szept. Dotyk jedwabiu na nagiej skórze.

– Musisz spać.

– Ależ śpię. Prawda?

Gdy znowu zadrżała, Boyle roztarł jej zziębnięte dłonie.

293

– Powinniśmy rozpalić ogień.

– Jest tak ciemno. Zbyt ciemno, za zimno.

– Znam drogę do domu. Nie martw się.

Prowadził ją między drzewami, z dala od smug mgły, które pełzały po ziemi, śliskie niczym język węża.

– Nie puszczaj mojej ręki – powiedziała, czując, jak tamten szept muska, głaszcze jej skórę.

– Droga jest zatarasowana, widzisz? – Wskazał na grube gałęzie blokujące ścieżkę. – Będę musiał je odsunąć, inaczej nie przejdziemy.

– Nie! – W przypływie paniki Iona mocniej schwyciła go za rękę. – On właśnie tego chce. Tak jak wcześniej, chce nas rozdzielić. Musimy trzymać się razem.

– Iona, ścieżką nie da się przejść. – Odwrócił się, spojrzał jej w twarz złotymi, spokojnymi oczami. – Powinniśmy rozpalić ogień.

– Mgła się przybliża. I słyszysz?

Wilk; jego ledwie słyszalny warkot doleciał do nich z ciemności, z mgły.

– Słyszę. Ogień, Iona. Potrzebujemy ognia.

Ogień, pomyślała. Przeciw ciemności, przeciwko zimnu. Ogień. Oczywiście.

Rozpostarła ramiona, uniosła twarz. I wezwała go.

Gwałtowny, jasny płomień wystrzelił z trzaskiem przez pełzającą mgłę, doprowadzając ją do wrzenia, zamieniając w parę, która opadała na ziemię rzadkim, czarnym popiołem.

– Do ciemności światło wzywam, bielą czerń nocy wyszywam. Z mojej krwi ten oto płomień iskrzy się po nieboskłonie. W dzień na jawie, we śnie w nocy, nic nie wstrzyma mojej mocy. Na me wezwanie niech tak się stanie.

Smuga mgły uniosła się gwałtownie i ruszyła w ich stronę. Boyle skoczył przed Ionę, zadał cios pięścią.

Poczuł nagły ból w kłykciach, po czym zarówno mgła, jak i popiół zniknęły, pozostały płomienie i światło.

Iona zobaczyła na jego dłoniach krew.

I obudziła się gwałtownie.

Nastał poranek, za oknem lśniła perłowa obietnica dnia.

Sen, to tylko sen, powtarzała w myślach Iona. Wzięła głęboki oddech, żeby się uspokoić. Gdy Boyle usiadł obok niej, chwyciła go za rękę.

I zobaczyła krew.

– O Boże.

– W lesie, razem. – Zacisnął mocno palce na jej dłoni. – Tak to było, prawda?

Pokiwała głową.

– Wydaje mi się, że to jakiś rodzaj projekcji astralnej. Byliśmy jednocześnie i tutaj, i tam. Najwidoczniej pociągnęłam cię za sobą. Ty… ty uderzyłeś pięścią w mgłę.

– Dobrze mi to zrobiło i podziałało, chociaż twój ogień przyniósł lepsze efekty.

– Nie, tak. Nie wiem. Zadałeś cios i przez chwilę wydawało mi się, że wybiłeś w niej dziurę. Ja… Ale ty krwawisz.

– To tylko zadrapanie.

– Nie, to on cię zranił. Nie wiem, czy to tylko zadrapanie. – Mogłaby wezwać Connora albo Brannę, ale czuła, że sama powinna się tym zająć. – Muszę ją wyleczyć.

– Trzeba ją tylko obmyć i posmarować maścią, jeśli już zamierzasz robić z tego wielkie halo.

– Nie tak. – Jej serce biło tak szybko, nawet szybciej niż w przerażającym śnie.

Boyle krwawił i to Cabhan utoczył jego krew.

– To nie jest naturalna rana. Uczyłam się tego, zaufaj mi.

Położyła dłoń na płytkim nacięciu, zamknęła oczy. Zobaczyła jego dłoń – silną, szeroką, z fascynującymi bliznami na kłykciach, wspomnieniem bokserskich przygód, ujrzała krew, a głębiej dostrzegła cienką, czarną linię trucizny Cabhana.

Właśnie tego się obawiała.

Wyciągnij ją, powiedziała do siebie. Usuń i zniszcz. Biel przeciwko czerni, jeszcze raz. Wydobądź ją, zanim wniknie głębiej, zanim zacznie się rozprzestrzeniać.

Czuła, jak trucizna paruje, cząstka po cząstce, jak się wypala. Ręka Boyle'a zesztywniała i Iona zdawała sobie sprawę, że sprawia mu ból, ale w końcu rana była czysta. Powoli, ostrożnie, zaczęła zamykać płytkie nacięcie i teraz to ona odczuwała ból, krótkie, ostre ukłucia, które jednak coraz bardziej słabły.

Gdy usunęła truciznę, zostało tylko zadrapanie, tak jak powiedział.

Iona otworzyła oczy i zobaczyła, że Boyle się w nią wpatruje.

– Zbladłaś.

– To wymagało trochę wysiłku, zwłaszcza że próbowałam po raz pierwszy. – Lekko kręciło jej się w głowie, a żołądek wykonał kilka powolnych fikołków.

Ale rana już się goiła. Iona z satysfakcją popatrzyła na dłoń Boyle'a.

– Użył trucizny. Nie wiem, na ile była groźna, ale mogła się rozprzestrzenić. Nie było jej wiele, ale całą usunęłam. Możesz jeszcze poprosić Connora, żeby na to zerknął.

Boyle rozprostował palce, nie spuszczając z niej wzroku.

– Świetnie sobie poradziłaś.

– Nie wiem, czy on się spodziewał, że pociągnę cię za sobą. I nie mam pojęcia, jak to zrobiłam, ale to ty mi powiedziałeś, co muszę zrobić. Ogień. Podpowiedziałeś mi, po co mam sięgnąć, i to zadziałało.

– Spaliłaś go na popiół.

– Cóż, nie po raz pierwszy i zapewne nie ostatni.

– Nie, na pewno nie ostatni.

– Chciałabym powiedzieć, że jest mi przykro, że cię w to wciągnęłam, ale naprawdę bardzo się cieszę, że miałam cię przy sobie.

– Bez wątpienia jest to nowe doświadczenie.

Po którym był roztrzęsiony i skołowany, chociaż tam, na drodze, czuł ogromny spokój i niezachwianą pewność, że Iona zrobi to, co trzeba.

– Czułem się jak we śnie – ciągnął – wiesz, kiedy twój umysł pracuje na zwolnionych obrotach, i niczemu się nie dziwisz.

– Rzucę czar na łóżko albo lepiej poproszę Brannę, żeby to zrobiła. To powinno pomóc.

– Zraniłem go. – Boyle znowu rozprostował palce. – Wydaje mi się, że nie spodziewał się ciosu, a mój okazał się naprawdę celny. Myślę też, że ta trucizna była przeznaczona dla ciebie. Czy potrafiłbym cię stamtąd wyciągnąć? Wiesz? A gdyby mi się udało, czy zdążyłbym dowieźć cię na czas do Connora, żeby wyciągnął truciznę, gdybym w ogóle wpadł na ten pomysł?

– Wiedziałeś, co robić. – Instynktownie pogładziła go po napiętych ramionach. – Wiedziałeś, że potrzebujemy ognia, i byłeś taki spokojny. Potrzebowałam twojego spokoju. Wierzę, że będziesz wiedział, co zrobić, kiedy on znowu nas zaatakuje.

Odetchnęła głęboko.

– Umieram z głodu. Pójdę zrobić śniadanie.

– Ja pójdę. Ty jesteś okropną kucharką.

– Święta prawda. Dobrze, zrób śniadanie, a ja zadzwonię do Branny i wszystko jej opowiem, tak na wszelki wypadek. Czy nasza wycieczka dalej jest aktualna?

– Nie rozumiem, dlaczego miałaby nie być.

– Świetnie. Wezmę szybki prysznic, a potem zadzwonię do Branny. Jest wcześnie, więc może będzie mniej zrzędzić, jak dam jej jeszcze kwadrans snu.

– Wstawię wodę.

Jednak najpierw wziął telefon i kiedy Iona poszła pod prysznic, wybrał numer Fina. Ważniejsze było, co Fin na to powie, bekon mógł jeszcze chwilę poczekać.

ROZDZIAŁ PIĘTNASTY

To był kraj jej przodków i gdy Iona patrzyła, jak krajobraz wznosi się i opada za oknem furgonetki, zrozumiała, że stąd pochodzi jej serce.

Ten widok rozgrzewał ją i uspokajał niczym łyk whisky w zimną noc. Zielone wzgórza opadały pod niebem zasnutym chmurami przypominającymi warstwy płótna, przez które przedzierało się słońce, ukazując skrawki lśniącego jak opal błękitu. Tłuste krowy i wełniste owce pasły się na szmaragdowych polach, poprzecinanych ciernistymi żywopłotami lub niskimi murkami ze srebrnych kamieni.

Wiejskie domki, szopy, śliczne chatki, rozrzucone po pejzażu jak z pocztówki, przez który wiła się wąska droga. Przydomowe ogrody niecierpliwie czekały na wiosnę, odważne pąki rozkwitały wesołym błękitem, zuchwałym pomarańczem i delikatną bielą, a tu i ówdzie wyłaniały się triumfujące trąbki żonkili.

Wiosna w Irlandii, pomyślała Iona, jej pierwsza w życiu. I jak te odważne kwiaty, ona również zamierzała rozkwitnąć.

Droga zakręcała, wiła się jak tunel między wysokimi żywopłotami z dzikiej fuksji, spływającej kwiatami czerwonymi

299

jak krople krwi, żeby znów się otworzyć na wzgórza, pola i tajemnicze szczyty gór.

– Jak ty to znosisz? – zastanawiała się na głos. – Czy ten widok bezustannie cię nie oszałamia, nie zapiera tchu w piersi, nie przyprawia o ból serca?

– To mój dom – odpowiedział z prostotą Boyle. – Nie ma innego miejsca, w którym wolałbym być. Tutaj mi się podoba.

– Och, mnie też. – Wreszcie czuła, że znalazła swoje miejsce na ziemi.

W przednią szybę uderzył nagły podmuch wiatru, lunął deszcz, a zaraz potem zabłysło słońce, zamieniając krople w maleńkie tęcze.

Magia, pomyślała Iona, prosta i tajemnicza.

Tak jak opactwo Ballintubber.

Proste ściany z szarego kamienia wznosiły się ku niebu z dyskretną elegancją. Opactwo kryło się wśród pól, na których pasły się owce, u podnóża zielonych wzgórz, w cieniu gór.

Pełne prostoty dostojeństwo, pomyślała Iona i uznała, że to określenie doskonale oddaje charakter starej budowli. Wysiadła z furgonetki, popatrzyła na ścieżki, ogrody zmagające się z ostatnim oddechem zimy i uśmiechnęła się, gdy wiatr przywiał odległe beczenie owiec.

Pomyślała, że mogłaby spędzić cały dzień, siedząc tu na trawie, tylko patrząc i słuchając.

– Pewnie chciałabyś poznać historię tego miejsca.

Czytała trochę w przewodniku, ale była bardzo ciekawa opowieści Boyle'a.

– Chciałabym.

– No cóż, opactwo ufundował Cathal Mor z klanu O'Connorów, czyli jeden z twoich.

– Och. Oczywiście. – Jak daleko w przeszłość sięgały jej korzenie, pomyślała z dumą. Czyż to nie cudowne? – Tak jak Ashford, a potem przejęli go Burke'owie.

– No właśnie. W tysiąc dwieście szesnastym roku. Pamiętam tę datę, ponieważ na osiemsetlecie mają odrestaurować wschodnie skrzydło. Stara legenda głosi, że Cathal, syn króla Turlocha, musiał uciekać z królestwa i przez jakiś czas ukrywał się i ciężko pracował, zanim wrócił na tron. Pewien człowiek okazał mu wtedy serce i Cathal, gdy został królem, zapytał go, co może zrobić, by mu się odwdzięczyć. Wówczas ów człowiek, już starzec, poprosił o kościół w Ballintubber, a Cathal kazał go wybudować.

Szli ścieżką; gdy Boyle opowiadał, jego głos opadał i wznosił się na tle owczego chóru. Niedorzecznie szczęśliwa Iona wzięła go za rękę, by ich połączyć, przypieczętować tę chwilę.

– Podobno po kilku latach król znowu spotkał starca i został zbesztany za niedotrzymanie słowa. Okazało się, że wybudowano kościół, ale w Roscommon.

Iona się roześmiała.

– Ups.

– Można tak powiedzieć. Cathal kazał więc zbudować jeszcze jeden kościół i tak powstało opactwo Ballintubber.

– Dotrzymywał słowa.

– Podobno.

– Dobrze wiedzieć, że choć w legendzie mieliśmy wśród przodków wdzięcznych i uczciwych królów.

– I nie jest to martwe dziedzictwo, ponieważ opactwo jest jedynym zbudowanym przez króla kościołem w Irlandii, który nadal pełni swoją funkcję.

– To wspaniałe. Ludzie zbyt często niszczą to, co stare, by zrobić miejsce dla nowego, zamiast próbować zrozumieć przeszłość.

– To, co było kiedyś, też jest ważne – zgodził się Boyle.

– Kilka lat temu żenił się tutaj Pierce Brosnan, więc miejsce zyskało nową sławę. Kiedyś był tu początek Tórchar Phádraig.

– Drogi pielgrzymów na górę Świętego Patryka. Czytałam o tym.

– Mówi się też, że Seán na Sagart, nikczemny zabójca księży, został pochowany na tutejszym cmentarzu. Tam. – Boyle wskazał na wielkie drzewo. – Tak się mówi.

– To dobre miejsce, czyste, pełne mocy. I gdzieś w głębi duszy czuję, że je znam, jestem z nim związana. Czy to nie jest dziwne?

Boyle wzruszył ramionami.

– Zbudowali je twoi przodkowie.

– Dlatego wybrałeś je na nasz pierwszy przystanek. – Z uśmiechem oparła głowę na jego ramieniu. – Dzięki. – Spojrzała na rzeźbiony kamień. – Ukoronowanie?

– No cóż, mają tu nie tylko opactwo, nagrobki i tym podobne. To jedna ze stacji drogi krzyżowej, a w tamtej grocie urządzono stajenkę betlejemską.

– Fascynujące. – Ciągnąc go za rękę, Iona odnajdowała kolejne kamienie wśród zadbanych ogrodów. – Są takie abstrakcyjne, takie współczesne, stanowią doskonały kontrast z tymi starymi murami.

Przystanęła przy strumyku wijącym się wśród kamieni i rozłożystych krzewów. Na brzegu stały trzy krzyże, symbol ukrzyżowania.

– To miejsce powinno być smutne i pełne powagi, ale mnie wydaje się raczej... wzruszające. I jeszcze to. – Weszła do groty, żeby podziwiać figurki Maryi, Józefa i Dzieciątka Jezus. – To też jest śliczne, słodkie i trochę kiczowate. Myślę, że Cathalowi by się spodobało.

– Nie słyszałem, żeby zgłaszał jakieś obiekcje.

Weszli do kościoła wypełnionego nabożną ciszą.

– Żołnierze Cromwella podpalili opactwo – powiedział Boyle. – Poza klasztorem są jeszcze ruiny kwater i innych budynków, ale kościół przetrwał i nadal stoi. Podobno tamta chrzcielnica ma tysiąc lat.

– To pocieszające, że coś, co budujemy, może tyle przetrwać, prawda? Tak tu pięknie. Te witraże, kamienie.

Echo jej kroków, rozbrzmiewających w chłodnej ciszy, potęgowało jeszcze atmosferę.

– Dużo wiesz na ten temat – zauważyła. – Uczyłeś się o opactwie?

– Nie musiałem. Mój wuj robił tutaj remonty i renowacje.

– Moja krew to zbudowała, a twoja pomogła zachować. Kolejny element, który nas łączy.

– Racja. Kilku moich kuzynów i kumpli brało tu śluby, więc byłem tu parę razy.

– To dobre miejsce na ślub. Trwałość, troska, szacunek. I romantyzm – opowieści o królach i prześladowcach księży, żołdakach i Jamesie Bondzie.

Boyle roześmiał się, ale Iona tylko się uśmiechnęła. Coś tutaj czuła, jakieś pokrewieństwo, przebłysk wspomnienia.

Nagle zdała sobie sprawę, że była tu wcześniej, ona sama albo ktoś z jej przodków. Może chciał posiedzieć w tej pobożnej ciszy.

– Świece i kwiaty, światło i zapach. I muzyka. Kobiety w pięknych sukniach, przystojni mężczyźni. – Przechadzała się po kościele, malując w głowie obrazy. – Ktoś uspokaja zaniepokojone niemowlę, słychać szuranie stóp. Radość, oczekiwanie i miłość, składająca przysięgę. Tak, to dobre miejsce na ślub.

Tutaj chciała wziąć swój, w tym miejscu o bogatej historii, pełnym kontrastów.

Wróciła do Boyle'a i znów wzięła go za rękę.

– Obietnice tu składane są ważne i zostają dotrzymane, jeśli wierzą w nie ci, którzy je wypowiadają.

Kiedy wyszli, pospacerowała jeszcze między ruinami, muskając palcami stare kamienie, przeszła przez cmentarz, na którym spoczywali dawno zmarli.

Zrobiła kilka zdjęć, by utrwalić ten dzień i chociaż Boyle marudził, przekonała go, aby do jednego ustawił się razem z nią.

– Poślę je babci – powiedziała. – Będzie zachwycona, kiedy zobaczy…

– Co się stało?

– Ja… światło. Widzisz? – Podała mu telefon z fotografią.

Na zdjęciu widać było ich oboje, Iona wsparła głowę na ramieniu Boyle'a i uśmiechała się wesoło, on trochę poważniej.

A otaczało ich światło, białe jak wosk.

– Może to kąt padania promieni. Jakieś odbicie od słońca.

– Wiesz, że nie.

– No dobrze, wiem – przyznał.

– To miejsce – szepnęła. – Wybudowane przez moich krewnych, zachowane przez twoich. To dobre miejsce, pełne siły. Bezpieczne. Myślę, że oni tu byli, cała trójka. I inni, którzy od nich pochodzili. A teraz ja. Czuję się tutaj… mile widziana. To dobre światło, Boyle. I dobra magia.

Uniosła jego dłoń i spojrzała na miejsce, z którego czarna magia utoczyła krew.

– Connor mówił, że jest czysta – powiedział jej.

– Tak. Światło zwycięża ciemność, Meara miała rację. – Nie puszczając dłoni Boyle'a, spojrzała mu w oczy. – Jednak tak jak przy przysięgach, światło musi w to wierzyć.

– A ty wierzysz?

– Tak. – Uniosła drugą dłoń do jego twarzy, wspięła się na palce i musnęła wargami jego usta.

Wierzyła. Nosiła tę wiarę głęboko w sobie. A jej serce wreszcie przyjęło do wiadomości to, co zrozumiała, spacerując z Boyle'em wśród schludnych ogrodów, oczekujących wiosny, wśród duchów i legend, obietnic, dotrzymywanych przez jej przodków.

Kochała. Nareszcie. Kochała tak, jak zawsze o tym marzyła. To on był tym jedynym. I z nim musiała się nauczyć cierpliwości i polegać jedynie na wierze. Wierzyć, że on pokocha ją tak jak ona jego.

Iona uśmiechnęła się promiennie.

– Co dalej?

– Niedaleko jest opactwo Ross. Właściwie to klasztor, Ross Errilly. Pewnie chciałabyś go zobaczyć.

– Oczywiście.

Idąc do samochodu, rozglądała się dookoła i wiedziała, że tu wróci. Może po to, by przejść drogę krzyżową, a może tylko postać w powiewach wiatru i popatrzeć na pola.

Wróci, tak jak jej przodkowie.

Jednak teraz, odjeżdżając, patrzyła przed siebie.

Zobaczyła ruiny, przytłaczającą masę szarego kamienia, wieże i sterczące ściany. Pod ciężkim niebem wyglądały jak z filmu – miejsce, w którym ukrywały się i knuły spiski istoty żyjące w ciemności.

Iona nie mogła się doczekać, żeby obejrzeć klasztor z bliska.

Furgonetka podskakiwała na wąskiej drodze, wzdłuż której z jednej strony stały śliczne, małe domki, otoczone ogrodami, w których kwiaty rzucały wyzwanie zimie, a z drugiej ciągnęły się pola, pełne krów i owiec.

Przed nimi, w tej sielskiej okolicy, wznosiła się ponura bryła ruin.

– Nie uczyłem się o tym klasztorze – powiedział Boyle – ale wiem, że jest stary. Nie tak stary jak opactwo, ale zawsze.

Iona ruszyła w stronę ruin, słyszała wiatr wyjący w zrębach starego kamienia i trzepot ptasich skrzydeł, nawoływanie bydła.

Główna wieża górowała nad pozbawionymi dachu ścianami.

Iona weszła do środka, żwir zachrzęścił pod jej stopami.

W podłogę wmurowano tablice dla uczczenia zmarłych, może pod nimi kryły się grobowce.

– Wydaje mi się, że Angole wykopali stąd mnichów, kiedy zwyciężyli, a potem, jak sami zostali zwyciężeni, ludzie Cromwella dokończyli robotę i zdewastowali klasztor. Obrabowali i spalili.

– Jest ogromny. – Przeszła pod łukiem, uniosła głowę i spojrzała w środek wieży, w której kołowały czarne ptaki. Powietrze wydało jej się ciężkie, chyba zbierało się na deszcz. Podmuchy wiatru wpadały przez łukowate okna, gwizdały na wąskich schodach.

– Tu musiała być kuchnia. – Nie podobało jej się echo, jakim odbijał się jej głos, ale podeszła bliżej do otworu, wyglądającego na wyschniętą studnię. – Stań tam. – Wskazała na ogromny kominek, w którym można by upiec wołu.

Boyle przestąpił z nogi na nogę i spojrzał na nią z wyrzutem.

– Nie nadaję się do zdjęć.

– Zrób mi tę przyjemność. To wielki kominek, a ty jesteś wielkim facetem.

Zrobiła zdjęcie.

– Mnisi mieli tu własną rzeźnię, hodowali warzywa, mielili mąkę. W tamtej studni trzymali ryby. Franciszkanie.

Iona ruszyła dalej, nawet przy swoim wzroście musiała pochylić się pod łukiem prowadzącym na otwartą przestrzeń.

Łuki, nagrobki, trawa.

– Klasztor. Cisza, habity, złożone dłonie. Wyglądali na takich pobożnych, ale niektórzy miewali humory, inni ambicje. Zazdrość, chciwość, pożądanie, nawet tutaj.

– Iona.

Jednak ona szła dalej, aż przystanęła przy schodach, na których łuku widniała rzeźbiona figura Chrystusa.

– Symbole są ważne. Chrześcijanie przybyli tu za poganami, malowali i rzeźbili swojego jedynego Boga, tak jak

307

poprzednicy malowali i rzeźbili swoich wielu. Nikt z nich nie rozumiał, że jeden jest częścią wielu, wielu częścią jednego.

Wiatr rozwiewał jej włosy, gdy wyszła na wąską galeryjkę. Boyle schwycił ją mocno za ramię.

– Umarłam tu ja albo ktoś z moich przodków. Nie czuję różnicy. Ona przerwała podróż do domu, była zbyt stara, zbyt chora, by iść dalej. Niektórzy chcieli spalić czarownicę, takie były czasy, jednak jej moc ucichła i ją przyjęli. Nosiła symbol, ale nie wiedzieli, co oznacza. Miedzianego konia.

Palce Iony zacisnęły się na amulecie.

– Lecz on wie. Czuje jej słabość. Czeka, ale musi do niej przyjść. Ona nie może dotrzeć do celu podróży. Czuje, jak on się zbliża, chciwy tego, co w niej zostało. Ma mniej niż kiedyś, ale to wystarczy. Nadal mu wystarczy. Ona nie ma już wyboru, nie da rady dokonać tego w miejscu mocy, u źródła. Ona szepcze. Słyszysz ją?

– Chodźmy stąd.

Iona się odwróciła. Oczy miała czarne jak studnie.

– Nie zrobiła tego, a musi. Jest z nią jej wnuczka, łączy je wielka miłość, a w młodości wrze moc. Przekazuje jej to, co ma, tak jak to się działo od początku, jak jej przekazał ojciec, a wraz z mocą przekazuje symbol. Ciężar, kamień w sercu. To zawsze stanowiło dla niej ciężar, nigdy nie przyniosło radości. Dlatego z bólem przekazuje moc i symbol. Gawrony łopoczą skrzydłami, na wzgórzu wyje wilk. Mgła snuje się po ziemi, kiedy ona wypowiada swoje ostatnie słowa.

Głos Iony uniósł się, porwał go wiatr – mówiła po irlandzku. Ponad warstwą chmur coś zadudniło, może grzmot, a może budząca się moc. Kołujące ptaki rozpierzchły się z przerażonym krakaniem, aż zostało tylko niebo, szare jak kamień.

– Dzwony biły, jak gdyby wiedziały – ciągnęła Iona.

– Dziewczynka szlochała, ale czuła, jak moc nabiera siły, gorąca i biała. Silna, młoda, pełna życia i gniewu. Więc znowu mu odmówiono tego, czego pragnął. I znowu, znowu będzie czekał.

Oczy jej uciekły do tyłu. Zachwiała się i Boyle przyciągnął ją do siebie.

– Muszę stąd wyjść – szepnęła słabo.

– Nareszcie. – Wziął ją na ręce, zszedł po wąskich, krętych schodach, pod łukami, pod którymi niemal musiał zginać się wpół, i wyniósł na zewnątrz, na świeże powietrze i deszcz.

Mokre krople na policzkach przyniosły Ionie ulgę.

– Nic mi nie jest. Tylko trochę kręci mi się w głowie. Nie wiem, co się stało.

– Miałaś wizję. Byłem kiedyś z Connorem, jak ją miał.

– Widziałam je, starą kobietę i dziewczynkę, która obmywała babce twarz. Miała gorączkę, była tak rozgrzana, jakby wypalał ją wewnętrzny ogień. Słyszałam je i jego też. Słyszałam, jak on próbował się do niej dostać, wywabić ją. Czułam ból, fizyczny i emocjonalny. Ona tak bardzo kochała wnuczkę, tak bardzo pragnęła jej oszczędzić ryzyka i odpowiedzialności. Ale nie miała wyboru ani czasu.

Boyle pomógł jej wsiąść do furgonetki, zadowolony, że jego ręce nie trzęsły się równie histerycznie jak serce.

– Mówiłaś po irlandzku.

– Naprawdę? – Iona przeczesała palcami włosy. – Nie pamiętam. Co mówiłam?

– Nie jestem do końca pewien. „Ty jesteś jedna, ale musi być was troje". I chyba… – Zmagał się z tłumaczeniem. – „Tutaj jest kres dla mnie, dla ciebie początek". Coś takiego i jeszcze więcej, czego nie zrozumiałem. Miałaś oczy czarne jak u kruka, a skórę bladą jak śmierć.

– Moje oczy.

– Już są normalne – zapewnił ją, głaszcząc po policzku.

– Znowu niebieskie jak niebo latem.

– Muszę więcej ćwiczyć. Teraz jest tak, jakbym startowała w olimpiadzie, a nadal uczyła się zmieniać wodze. To potężne miejsce, pełne energii i mocy.

Boyle bywał tu wcześniej i nigdy nie czuł nic oprócz ciekawości. Jednak tym razem, z Ioną…

– Zadziałało na ciebie – uznał. – Albo ty na nie.

– Albo ona, ta staruszka. Ona jest tu pochowana. Kiedyś powinniśmy tu wrócić, jak już wszystko się skończy, i położyć kwiaty na jej grobie.

W tym momencie Boyle mógłby przysiąc, że absolutnie nigdy z nią tu nie wróci, kiedy jednak obchodził samochód, deszcz ustał.

– Spójrz. – Iona wzięła go za rękę i wskazała na tęczę, która zalśniła za ruinami. – Światło zwycięża.

Uśmiechnęła się i myśląc o tęczy, nachyliła się, by go pocałować.

– Umieram z głodu.

Nie myśląc ani chwili, Boyle przyciągnął ją do siebie i całował tak długo, aż widok Iony, chwiejącej się na krawędzi galeryjki, zniknął mu sprzed oczu.

– Znam niedaleko jedno miejsce, w którym podają świetną rybę z frytkami. I Bóg mi świadkiem, nie pogardziłbym szklanką piwa.

– Dokładnie o tym myślałam. Dziękuję – dodała.

– Za co?

– Za to, że pokazałeś mi dwa cudowne miejsca i złapałeś mnie, zanim upadłam.

Obejrzała się na klasztor, na czarne ptaki i tęczę. Jej życie zmieniło się na zawsze, lecz odwrotnie niż jej poprzedniczka, ona uważała to za dar.

Wieczorem, w przytulnej kuchni z ogniem, buzującym w kominku, Iona opowiedziała wszystko kuzynom. Pies leżał u jej stóp.

– Dzień pełen wrażeń – skomentował Connor.

– Bez wątpienia.

– To oznaczałoby trzy epizody, tak je nazwijmy, w ciągu jednego dnia. – Branna, z upiętymi włosami po dniu pracy, wpatrywała się w kubek z herbatą. – Jednak Cabhan brał udział tylko w pierwszym.

– I w ostatnim – przypomniała jej Iona. – Ona go czuła.

– Wizja z przeszłości. Twojej czy kogoś innego, jednak to przeszłość. Nie sądzę, żeby odważył się na teraźniejszość. – Branna spojrzała na Connora.

– Teraz na pewno nie, bo i po co miałby to robić? Opowiedz mi, co czułaś, przed tą wizją, w trakcie, po niej.

– Nie jestem pewna, co czułam przed. Wydawało mi się, że już tam kiedyś byłam, jak w opactwie, ale to nie było… miłe uczucie, tylko ciemne i pełne smutku. Znałam rozkład pomieszczeń, wiedziałam, gdzie co jest, ale teraz zdaję sobie sprawę, że to była jej wiedza, naszej poprzedniczki. Znałam jej myśli i niektóre były naprawdę cholernie gorzkie. Wiedziała, że umiera, bardziej jednak niż śmierci obawiała się przekazania wnuczce amuletu, mocy, odpowiedzialności. Nie pamiętam, jak wchodziłam po schodach. Po prostu nagle znalazłam się na górze. Stara kobieta o siwych włosach leżała w łóżku. Skórę miała szarą, lśniącą od gorączki. A obok niej siedziała dziewczynka i obmywała jej twarz. Miała długie, rude włosy. Eimear, wydaje mi się, że staruszka nazywała ją Eimear.

– Nie pamiętasz, co mówiłaś po irlandzku? – zapytał Connor.

– Nie, tylko to, co Boyle'owi udało się przetłumaczyć. Pamiętam smutek i strach, a potem światło, które rozbłysło w pomieszczeniu. Przez sekundę czułam moc, nieokiełznaną, ogromną, powiedzmy sobie szczerze, jak naprawdę wspaniały orgazm. A potem wszystko zrobiło się szare i świat zaczął krążyć wokół mnie. Kręciło mi się w głowie, byłam słaba i zdezorientowana, a kiedy te objawy minęły, potwornie głodna.

– Zawroty głowy po pewnym czasie osłabną – pocieszył ją Connor. – Dobrze, że przy pierwszej wizji nie byłaś sama. Rozumiem, że tego się nie spodziewałaś? – zapytał Brannę.

– Nie, jeszcze nie. Muszę powiedzieć, że ona... ty – poprawiła się, zwracając bezpośrednio do Iony – przyspieszasz. Myślę, że ma tu znaczenie to, kim jesteś i z kim jesteś. Jest nas troje, dlatego to, co masz, dojrzewa szybciej. To dobrze, będziesz silniejsza, mniej podatna na zranienie.

– Czy powinnam spodziewać się jeszcze jakichś niespodzianek?

– Musisz być na nie przygotowana.

– Cofnijmy się na chwilę w czasie. Sen. Czy mieliśmy z Boyle'em ten sam sen dlatego, że byliśmy razem?

– Seks. – Connor oparł się wygodnie i wyciągnął nogi. – To silna więź.

– Czyli jeżeli uprawiam seks z Boyle'em, to mogę pociągnąć go za sobą? Ale on go zranił. Rozciął mu dłoń. Wpuścił truciznę.

– Z którą doskonale sobie poradziłaś. Wykazałaś się instynktem.

– Następnym razem może być gorzej.

– Będziesz się tym martwić, jak już się stanie – odparła Branna. – Cabhan zranił Boyle'a, ale Boyle nie pozostał mu dłużny. Cabhan poczuł cios, ludzki cios, i to we śnie, co wydaje mi się bardzo interesujące.

– Trucizna była czarna, zmieszana z krwią Boyle'a. Widziałam ją. Jeżeli używał jej już wcześniej…

– Nie używał – przerwała jej Branna ostro. – Zajmujmy się tym, co jest. Nie możesz mącić teraźniejszości gdybaniem i emocjami.

– Ona go kocha. – Iona aż podskoczyła, a Connor przykrył dłonią jej dłoń. – Miłość wszystko zaciemnia i wszystko rozjaśnia.

– Nigdy nie mówiłam, że… Skąd wiesz to, co ja dopiero odkryłam?

– Miłość emanuje z ciebie tak wyraźnie, że nie można tego nie widzieć. – Poklepał ją po ręce. – Nie miałem zamiaru zerkać przez uchylone drzwi, ale są otwarte na oścież.

– Nic mu nie mówiłam. – Nie mogła i nie powinna była, pomyślała, przypominając samej sobie o przysiędze dotyczącej cierpliwości. – Można powiedzieć, że na razie smakuję to uczucie. Od tak dawna pragnęłam je poczuć. A z Boyle'em nie muszę chcieć ani próbować, ono po prostu we mnie jest.

– To bardzo pięknie i bez wątpienia Boyle jest jednym z najlepszych ludzi, jakich znam, ale nie możesz przepuszczać tego, co masz, przez filtr miłości – ostrzegła ją Branna.

– Mamy na ten temat odmienne zdanie – wtrącił Connor.

– Ja sądzę, że miłość dodaje mocy. Oczywiście, ważne jest, w jakim miejscu przebywa – zwrócił się do Branny – i że jest z nami, ale moim zdaniem to, co czuje Iona, jest także przyczyną, że robi tak szybkie postępy. Skąd wiedziała, że ta trucizna jest w Boyle'u i jak ją wyciągnąć, skoro nigdy tego nie robiła?

– Nie zamierzam się z tobą spierać, u każdego inaczej to wygląda, prawda? Miłość i magia, jak sobie z nimi radzimy i jakich dokonujemy wyborów. Chcę tylko powiedzieć, Iona, że jesteś tu od niedawna i znasz Boyle'a dość krótko, a już mówisz o miłości.

– Wiedziałam od razu, gdy go zobaczyłam. Może to też była wizja, nie wiem. Ale poczułam trzepotanie. – Przycisnęła dłoń do brzucha. – I jak coś się we mnie unosi. – Przesunęła ją na serce. – Wmówiłam sobie, że to tylko zauroczenie, ponieważ Boyle wyglądał tak olśniewająco na Alastarze, ale to było coś więcej. Powiedziałam sobie, że będę się trzymać od niego z daleka, ponieważ na początku myślałam, że jest z Mearą.

Uniosła brwi, gdy Connor parsknął serdecznym śmiechem.

– Nie widzę w tym nic zabawnego. Cudownie razem wyglądają, są tacy wysocy, wysportowani, piękni. I coś ich łączy, to było dla mnie jasne od samego początku.

– Pewnie to samo, co Brannę i mnie, ponieważ są z sobą równie blisko jak brat z siostrą i nigdy nie łączyło ich nic innego. Jednak ty myślałaś inaczej, więc odepchnęłaś od siebie to, co czułaś lub co mogłabyś poczuć. Co działa na twoją korzyść, ponieważ nie wszyscy by tak postąpili. Zastanawiam się, czy ja bym tak zrobił.

– Miłość od pierwszego wejrzenia to bajka – stwierdziła zdecydowanie Branna.

– Uwielbiam bajki. – Iona ze śmiechem położyła łokcie na stole i oparła twarz na pięściach. – Kiedy Meara wszystko mi wyjaśniła, uznałam, że to zauroczenie i już. Wydawało mi się, że tylko chcę się z nim przespać, ale nigdy wcześniej nie czułam tego, co do niego czuję. I wiem, co to jest, wiem, że zaczęło się, kiedy zobaczyłam go na grzbiecie Alastara, kiedy obaj byli tacy wściekli. Zakochałam się w nich obu, tam i wtedy. Staram się być cierpliwa, co zupełnie nie leży w mojej naturze. Alastar już wie, że mnie kocha, teraz muszę tylko poczekać, żeby Boyle zdał sobie z tego sprawę.

– Jesteś bardzo pewna siebie – zauważyła Branna.

– Po prostu mam nadzieję na szczęśliwe zakończenie. Najpierw trzeba w nie uwierzyć, a potem ciężko pracować i podejmować ryzyko. Przechytrzyć smoka, chociaż zawsze uważałam, że smoki nie zasłużyły na swoją reputację, pocałować księżniczkę czy żabę, pokonać złą czarownicę.

– Dla mnie pokonanie złej czarownicy jest wystarczająco szczęśliwym zakończeniem.

A nie powinno być, pomyślała Iona, ale Connor ścisnął ją lekko za rękę, zanim zdążyła powiedzieć to głośno.

– Mam jeszcze kilka spraw do załatwienia, ale po obiedzie znowu zabierzemy się do ćwiczeń – ciągnęła Branna. – Connor może pomóc ci przy wizjach i leczeniu. Letnie przesilenie zbliża się wielkimi krokami, a my mamy jeszcze mnóstwo pracy.

– Macie jakiś pomysł, co zrobimy?

– Powiedziałaś, że Boyle go zranił, we śnie i tylko za pomocą pięści. My mamy bardziej skuteczną broń niż pięść.

– Muszę zajrzeć na chwilę do szkółki, sprawdzić, jak się czują pisklęta, ale za godzinę powinienem wrócić.

– Pójdę z tobą – zaproponowała Connorowi Iona. – Chciałabym rozruszać trochę Alastara, choćby na torze.

– W takim razie w drodze powrotnej przejdę przez stadninę i razem wrócimy do domu.

– Pewnie ktoś będzie mógł mnie odwieźć, ale jeśli nie, to wyślę ci SMS.

– No dobrze, idźcie już sobie oboje i dajcie mi pomyśleć. – Branna wstała od stołu. – Mówiłaś, że Fin ma rzucić czar ochronny na łóżko Boyle'a. Zadbaj, żeby to zrobił, zanim znowu będziecie z niego korzystać.

– Dobrze.

– Następnym razem, kiedy ty lub ktokolwiek z nas znajdzie się we śnie, chcę, żeby zrobił to z własnego wyboru.

Rozdział szesnasty

Iona włożyła buty do konnej jazdy i poświęciła dziesięć sekund, by pomalować usta błyszczykiem, na wypadek gdyby wpadła na Boyle'a. Oboje mieli zajęty wieczór – on musiał zająć się dokumentami, a ona nauką – ale miała nadzieję, że uda jej się namówić go na przejażdżkę jutro po pracy, może niezobowiązującą kolację w lokalu, a potem wspólną noc u niego.

Wyszła przed dom i wzięła Connora pod ramię. Może i powietrze było chłodne i wilgotne, ale czuło się już wiosnę, która kazała rozkwitać tarninie.

– Czy kiedykolwiek byłeś zakochany? – spytała kuzyna.

– Pewnie, niezliczoną ilość razy i nigdy w sposób, o jaki pytasz. Chociaż moje serce zaliczyło kilka kopniaków i siniaków, nigdy nie zostało złamane.

– Moje też dostało parę kopniaków, kilka siniaków. Kiedy byłam w liceum, marzyłam o złamanym sercu tylko po to, żeby poczuć, jak to jest. Wiesz, zawsze pragnęłam gorących uczuć, a trafiały mi się głównie te letnie. Godziłam się na bycie z kimś tylko dlatego, że ten ktoś godził się być ze mną. To sprawia, że czujesz się bardzo przeciętny.

– A teraz?

– Teraz czuję się silna, pewna. – Zatoczyła palcami kółka, a na opuszkach zatańczyły maleńkie światełka.

– Radosna.

– I bardzo ci z tym do twarzy.

– A ty chciałbyś się zakochać?

– Pewnie, kiedyś. Ona wejdzie do pokoju, piękna i wspaniała, seksualna bogini z umysłem naukowca i charakterem anioła. Będzie gotowała jak moja ciotka Fiona, której nikt nie dorówna w kuchni, piła w pubie równo ze mną i uwielbiała chodzić na spacery z sokołami.

– Nie prosisz o wiele.

W jego oczach, zielonych jak mech, zamigotały wesołe iskierki.

– Nigdy nie wiesz, co przyniesie ci życie, więc czemu nie prosić o wszystko?

– Święta racja – zgodziła się Iona i światełka znów zatańczyły.

W stajni Boyle wyczesywał Kochaną, w równej mierze po to, żeby zadbać o konia, co żeby uspokoić siebie. Posłał stajennych wcześniej do domu, aby mieć trochę czasu dla siebie i teraz, w cichej stajni, mając słodką klaczkę jako jedyne towarzystwo, mógł spróbować się przedrzeć przez wszystkie te myśli, które kłębiły się w jego głowie.

Musiał zapłacić rachunki, poskładać zamówienia, właśnie tym miał się dzisiaj zająć, prawda? Miał na to cały wieczór, tak jak potrzebował.

Jak tego chciał, poprawił sam siebie.

Mężczyzna niekiedy potrzebował czasu i przestrzeni dla siebie, bez kobiety oczekującej jego atencji. Dlatego nie powinien się zastanawiać, czy nie pojechać po Ionę, aby wypełniła ten czas i przestrzeń.

Jeżeli już, to jak skończy z papierami, powinien poświęcić trochę czasu, by pomyśleć o wydarzeniach dzisiejszego dnia.

Oczywiście będzie musiał opowiedzieć wszystko Finowi i zrobi to, kiedy tylko przyjaciel wróci do domu. Pogadają sobie przy piwie, więc nie będzie miejsca dla Iony, bez względu na to, jak bardzo miał ochotę na jej towarzystwo.

A miał, przez cały cholerny czas.

Co to, do diabła, znaczy, kiedy mężczyzna nie może trzymać się od kobiety z daleka, nie mówiąc już o tym, że nie może przestać o niej myśleć?

Rzuciła na niego czar, ot co, tymi błękitnymi oczami, wesołym śmiechem i ponętnym ciałem, od którego nie potrafił oderwać rąk. I tą niezachwianą wiarą w dobro i szczęście, chociaż coraz bardziej rozumiał, jak mało dostała w życiu jednego i drugiego.

Jeszcze bardziej martwiło go, że sam chciał zrobić, co w jego mocy, by dać jej i szczęście, i dobro. Czyż nie zaplanował całego dnia tylko w tym celu? Nie, żeby do końca mu się to udało, wziąwszy pod uwagę mroczne wizje i strach, od którego niemal stanęło mu serce. Jednak zaplanował to wszystko specjalnie dla Iony.

Która bezustannie zaprzątała jego myśli.

Najwyższy czas przypomnieć sobie, że wszystko, czego tak naprawdę mężczyzna potrzebuje, to własna przestrzeń, praca, dobry koń i kufel piwa na koniec ciężkiego dnia.

– O to właśnie chodzi, prawda, Kochana? A my mamy tu wszystko, czego nam potrzeba.

W sąsiednim boksie Alastar parsknął i sapnął.

– Z tobą nie rozmawiam, ty humorzasta bestio.

– A ty się znasz na humorach – powiedział Fin za jego plecami. – Czym się martwisz, bracie?

Ten facet potrafił zjawić się równie niepostrzeżenie jak dym z komina, pomyślał Boyle.

– A kto powiedział, że się martwię?

– Ja. – Fin wyciągnął rękę i pogłaskał Kochaną po szyi.

– Zwolniłeś ludzi wcześniej?

– Trochę. Cała robota na dzisiaj jest skończona.

– Myślałem, że będziecie się jeszcze włóczyć z Ioną.

– Mieliśmy aż nadto wrażeń.

– Kłopoty? Z gatunku osobistych czy związanych z magią?

– Chyba jedne i drugie. Zaczęły się od samego rana, jak wiesz, od snu, w którym byliśmy razem i pobiłem się z tym przeklętym sukinsynem.

– Mieliście jeszcze z tego powodu jakieś problemy?

Fin złapał go za ramię, ale Boyle nie przestawał czesać konia.

– Nic poważnego, zaraz ci wszystko opowiem.

I opowiedział, od samego początku aż do chwili, gdy wyniósł Ionę z klasztoru.

– Mówiłem ci, że Iona się tym zajęła, Connor też oglądał – mruknął, kiedy Fin schwycił go za rękę.

– A teraz ja sprawdzę. – Zrobił to, pokiwał głową i puścił dłoń Boyle'a. – Mówiłeś, że go zraniłeś. Nadal jesteś tego pewien, teraz, kiedy upłynęło już trochę czasu i mogłeś wszystko spokojnie sobie przypomnieć?

Boyle zacisnął dłoń w pięść.

– Wiem, kiedy wymierzę dobry cios, bracie.

– Tak, nie wątpię. – Fin chodził tam i z powrotem. – Zastanawiałem się nad tym i na pewno to wykorzystamy. I mam dla ciebie to zaklęcie ochronne, zanim pójdziesz spać. Iona przyjeżdża?

– Nie, dzisiaj nie. Muszę mieć trochę czasu dla siebie, prawda? Mam mnóstwo pracy i muszę pomyśleć w spokoju.

Słysząc jego ton, Fin uniósł brew.

– Pokłóciliście się?

– Nie. Jak już ją wyniosłem z tego przeklętego klasztoru, pochłonęła rybę z frytkami, jakby od lat nic nie jadła. Zabrałem ją do zatoki Clew, bo chciała popatrzeć na wodę, potem wypatrzyła kolejne ruiny i jeszcze jeden cmentarz, więc trochę po nich pochodziła, ale nie zrobiły na niej takiego wrażenia jak dwa poprzednie miejsca. Dzięki Bogu.

– Dobrze sobie radzi jak na kogoś, kto wszedł w to wszystko o wiele później niż my.

– Chyba tak, a naprawdę wiele zwaliło się jej na głowę. Dlatego się zastanawiam.

Fin wykonał zapraszający gest.

– Zastanawiaj się śmiało.

– Chcę, żeby tu była nawet wtedy, kiedy tego nie chcę. Albo myślę, że nie chcę, a potem chcę. – Brzmiało to niezrozumiale nawet w jego własnych uszach, ale gdy już zaczął mówić, nie mógł przestać. – A przecież nigdy nie lubiłem zapraszać kobiet do siebie, bo albo coś zostawiają, albo przynoszą różne drobiazgi i chcą zmienić wygląd twojego domu.

– Hm. A ona?

– Nic nie przynosi ani nie zostawia i to jest podejrzane, nie sądzisz? – Boyle dźgnął powietrze palcem, jakby udowodnił jakąś tezę.

– A zatem, jeśli to robi, wkracza na twoje terytorium, a jeśli nie, to jest podejrzana? *Mo dearthair*, zachowujesz się jak kretyn.

– Wcale nie. – Urażony Boyle odwrócił się do Fina. – Nie jestem kretynem tylko dlatego, że zastanawiam się, czy ona nie ma jakiegoś ukrytego planu. Jeśli chcesz wiedzieć, to mówiła o ślubie. O ślubie w opactwie Ballintubber.

– Ballintubber jest z tego znane. Czy oświadczyła ci się na drodze krzyżowej? Nie widzę pierścionka na twoim palcu ani kółka w nosie.

– Nabijaj się, jeśli chcesz, ale ja się zastanawiam. Za dużo o niej myślę. Nie czuję się z tym komfortowo. Kiedy mam ją w łóżku, jest tak, jakbym nigdy nie miał żadnej innej kobiety, jakby nic innego nie istniało. Dlatego ja zostaję u niej albo ona u mnie, a potem jemy śniadanie i idziemy do pracy. Przecież muszę pracować, no nie? A ona nawet w pracy siedzi mi w głowie. Dopiero kiedy powiedziałem to głośno, zauważyłem, jak cholernie mnie to wkurza.

– Właśnie widzę. To musi być dla ciebie prawdziwa męka, kiedy kobieta, śliczna jak wiosenny poranek i równie słodka i świeża, zajmuje całą twoją uwagę i czas.

– Mam swoje życie, prawda? – warknął Boyle, ponieważ z każdym słowem Fina rzeczywiście czuł się coraz bardziej jak kretyn. – I mam prawo lubić je takim, jakie było wcześniej.

– Jak tu stoję, natychmiast zamieniłbym się z tobą miejscami, żeby móc nosić w myślach i w sercu kobietę, która z radością nosi mnie w swoim. Ale oczywiście ty masz pełne prawo żyć swoim życiem bez słodkiej, świeżej i pięknej kobiety u boku.

– Ona jest kimś więcej i dobrze o tym wiesz. Nigdy nie znałem nikogo takiego jak ona, a przecież znam ciebie, Brannę, Connora. Jednak ona wygląda z tym zupełnie inaczej, aż zapiera mi dech w piersi. Nie wiem, o co chodzi.

– Pokusiłbym się o pewne spekulacje.

Boyle powtórzył wcześniejszy gest Fina.

– Spekuluj śmiało.

– Moim zdaniem, mówisz jak mężczyzna, który się zakochał.

– Och, pewnie, i to ma mi pomóc. – Boyle powstrzymał się przed rzuceniem zgrzebła tylko dlatego, że przestraszyłby Kochaną. – Mówię ci, wepchnęła się w moje myśli, w moje życie i do mojego łóżka, tak że nie mam ani chwili dla siebie. Wziąłem wolny dzień, czego nigdy nie robię, tylko po to, żeby obwozić ją po całym Mayo i Galway. Nie mogę się od niej uwolnić, nawet we śnie. Myślę, że Iona rzuciła na mnie czar.

– Och, Jezu Chryste, Boyle!

Jednak Boyle zacisnął mocniej zęby.

– Sam powiedziałeś, że weszła w to później niż my, a mimo to jest pełna mocy. Dlatego rzuciła na mnie czar miłości.

– Bzdury. Nawet gdyby miała na to ochotę, o co naprawdę jej nie posądzam, Branna nigdy by jej na to nie pozwoliła.

– Branna nie wie o wszystkim – mruknął Boyle i spojrzał ponuro w kierunku Alastara kopiącego w ścianę boksu. – Iona jest nowa, stawia pierwsze, próbne kroki, że tak powiem. Ćwiczy na mnie, dlatego chodzę na te spacerki, jeżdżę na przejażdżki i robię jej śniadanie po nocy, którą ona przesypia oplątana wokół mnie jak bluszcz. I jeżeli ona rzuciła na mnie czar miłości, ty musisz go zdjąć.

– Tak właśnie myślisz? – Iona bardzo cicho podeszła do boksu. – Przykro mi, ale krzyczeliście zbyt głośno, by usłyszeć, jak wchodzę. Masz bardzo wysokie mniemanie o sobie, Boyle, i bardzo niskie o mnie.

– Iona...

Cofnęła się o krok, unosząc wysoko podbródek.

– Naprawdę myślisz, że jestem taka słaba, tak samotna i żałosna, że pragnęłabym kogoś, kto nie chce mnie z własnej, nieprzymuszonej woli? Że wykorzystałabym magię, żebyś spędzał ze mną czas, darzył mnie uczuciem?

– Nie. Po prostu staram się to wszystko rozpracować.

– Rozpracować! – Jej oczy wypełniły się łzami, ale po policzku nie spłynęła ani jedna. – Tak, wiem, że troska o mnie to ciężka praca. Dlatego ci to ułatwię. Nie musisz tego robić, nie rzuciłam na ciebie żadnego uroku. Mam zbyt wiele szacunku dla tego, kim jestem, by wykorzystywać swoją moc w tak małostkowy, egoistyczny sposób. I kocham cię zbyt mocno, by w jakikolwiek sposób wykorzystywać ciebie.

Każde słowo bolało go niczym cios w serce.

– Chodź na górę, porozmawiamy o tym.

– Nie mam nic więcej do powiedzenia i absolutnie nie chcę teraz z tobą rozmawiać. – Ostentacyjnie odwróciła się do niego plecami. – Fin, czy mógłbyś odwieźć mnie do domu?

– Ja cię zawiozę... – zaczął Boyle.

– Nie, nie zawieziesz. Nie chcę być obok ciebie. Jeśli nie możesz, Fin, zadzwonię do Connora.

– Oczywiście, że mogę.

– Nie możesz tak po prostu odejść, po tym jak...

– Nie? To patrz. – Posłała mu spojrzenie pełne tak wielkiego cierpienia i wściekłości, że nie powiedział już ani słowa, po czym odwróciła się i wyszła.

– Zostaw ją na razie – poradził cicho Fin – i wykorzystaj ten twój cenny czas na naukę, jak się porządnie kajać.

– Ach, spieprzaj!

– Sam to właśnie zrobiłeś. – Wybiegł za Ioną i otworzył przed nią drzwi samochodu.

– On nigdy wcześniej do nikogo tego nie czuł… – zaczął tłumaczyć przyjaciela.

– Proszę, nie próbuj go bronić. Zrób mi tę przysługę i po prostu nic nie mów. Absolutnie nic. Chcę tylko jechać do domu.

Fin zrobił dokładnie to, o co go poprosiła, i milczał przez całą krótką drogę. Czuł ból Iony, który zdawał się z niej promieniować, pulsował i ciąć powietrze w samochodzie jak nóż.

Miłość, jak sam dobrze wiedział, mogła posiekać cię na kawałki, nie zostawiając ani jednej widocznej blizny.

Zaparkował przed domem. Z komina leciał dym, kwiaty w ogrodzie jaśniały w wieczornym mroku. A gdzieś w środku krzątała się Branna, odległa niczym księżyc.

– Mam z tobą wejść?

– Nie. Dziękuję za odwiezienie.

Już miała wysiąść, kiedy dotknął jej dłoni.

– Nietrudno cię kochać, *deirfriúr bheag*, ale dla niektórych miłość to niepewny i grząski grunt.

– Może uważać, gdzie stawia kroki. – Chociaż wargi jej drżały, udało się jej zachować spokojny ton. – Ale nie może winić kogoś innego za to, dokąd dojdzie.

– Masz rację. Przykro mi, że słyszałaś to, co było…

– Nie przepraszaj. Wolę się dowiedzieć, że jestem idiotką, niż mieć klapki na oczach i zachowywać się jak idiotka.

Wysiadła szybko. Fin prawie żałował, że sam nie jest w niej zakochany, wtedy mógłby jej pokazać, jak to jest, kiedy ktoś się o ciebie troszczy.

Jednak taka opcja nie wchodziła w grę, a ponieważ powrót do domu i walnięcie Boyle'a młotkiem w zakuty łeb także nie wydawało się mądrym pomysłem, postanowił pojechać po Connora. Usiądą we trzech przy butelce whisky, jak to dobrzy kumple, i upiją Boyle'a w sztok.

Iona poszła do domu. Nie zamierzała wypłakiwać się na ramieniu Branny ani na niczyim innym. W ogóle nie miała zamiaru płakać. Zamierzała podtrzymać w sobie złość, która pozwoli jej przetrwać najgorsze chwile.

Poszła prosto do kuchni, gdzie Branna siedziała nad ogromną książką z zaklęciami w skórzanej, rzeźbionej oprawie, iPadem i zestawem naostrzonych ołówków.

Uniosła wzrok i pytająco przechyliła głowę.

– A ty co, weszłaś do stajni, obróciłaś się na pięcie i wróciłaś?

– Tak. Zamierzam nalać sobie bardzo duży kieliszek wina – powiedziała Iona, otwierając szafkę. – Też chcesz?

Branna zmarszczyła brwi.

– Nie odmówię. Co się stało? Kolejne spotkanie z Cabhanem?

– Nie wszystko kręci się wokół Cabhana i pieprzonego odwiecznego zła. – Zgodnie z zapowiedzią nalała sobie ogromny kieliszek wina i nieco mniejszy dla kuzynki.

– Dwadzieścia minut temu byłaś w zupełnie innym nastroju. Twój koń nie ucieszył się, kiedy przyszłaś?

– Nawet nie dotarłam do Alastara, co też mnie wkurza. Nie widziałam swojego konia, nie przejechałam się na nim. – Podała Brannie kieliszek i stuknęła o niego swoim. – Cholerne *sláinte*.

Iona opadła na krzesło, a Branna upiła łyk wina i przyglądała się kuzynce znad kieliszka. Złość, tak, ale pod spodem dostrzegała też zranione uczucia. Celowo odezwała się radosnym tonem.

– Nie Cabhan i nie koń, więc co nam zostaje? Pomyślmy, czyżby chodziło o Boyle'a?

– Otóż to. Kiedy weszłam do stajni, skarżył się Finowi, jakie to dla niego niewygodne, że jestem obok niego przez cały czas, w jego przestrzeni życiowej, w jego łóżku. Owijam się wokół niego jak bluszcz, to jego własne słowa.

– Co za idiota, mam nadzieję, że dałaś mu za to solidnego kopniaka. Mężczyźni potrafią być wstrętnymi kreaturami, zwłaszcza jak zbiorą się razem.

– Och, na tym nie koniec. Uznał, że ponieważ wepchnęłam się w jego życie, do jego głowy i łóżka, musiałam rzucić na niego miłosny czar.

– Co za farmazony! – wybuchła Branna, czując już nie tylko współczucie, ale i złość. – Musiał żartować, pewnie nabierał Fina, bo on się z nim drażni.

– On nie żartował, Branna. Był wściekły, krzyczał, nawet nie słyszał, jak weszłam. Kiedy się tam pojawiłam, perorował bardzo głośno, jak to ledwo ma chwilę dla siebie, bo wepchnęłam się w jego życie i rzuciłam na niego urok. Jestem w tym wszystkim nowa, dopiero się uczę i postanowiłam potraktować go jak królika doświadczalnego, rzucając na niego miłosny czar. Kazał Finowi go zdjąć.

– Co za para buców.

– Nie wiem, co to znaczy, ale brzmi jak wyzwisko, więc pasuje. Tylko nie do Fina, on też powiedział, że to farmazony.

– Chociaż tyle dobrego. W takim razie nie zamienimy go w ślimaka i nie utopimy w szklance piwa.

Iona próbowała się roześmiać, ale jej się nie udało.

– To dobre słowo, „farmazony", zacznę go często używać. Farmazony, farmazony, farmazony!

Jej oczy wypełniły się łzami, piekło ją w gardle, dlatego potrząsnęła głową i wypiła duży łyk wina.

– Nie, nie, nie, nie będę płakać. A żeby nie płakać, muszę być wściekła.

– Rozmawiałaś z Boyle'em, czy od razu zamieniłaś jego przyrodzenie w parchaty ogryzek?

– Rozmawiałam. – Iona otarła pojedynczą łzę, której udało się wydostać. – Powiedziałam mu, że mam dla siebie zbyt wiele szacunku, aby wykorzystywać magię jako środek przymusu, by ktoś mnie zechciał. Żeby mnie pokochał. On próbował się tłumaczyć, ale mówił same farmazony. Poprosiłam Fina, żeby mnie odwiózł. Fin był dla mnie miły.

On to potrafi, pomyślała Branna. Umiał być niebywale miły. Dla niektórych.

– W takim razie cieszę się, że tam był. Nie zamierzam tłumaczyć Boyle'a. To, co powiedział, było okrutne i obraźliwe dla takich jak ty i ja. A co więcej, bardzo cię zranił, ponieważ darzysz go głębokim uczuciem. Powiem tylko, że chociaż często ponoszą go nerwy i jest dosyć, cóż, gburowaty w obejściu, nigdy nie słyszałam, żeby kiedykolwiek kogokolwiek tak zranił. Wydaje mi się, że kompletnie zaskoczyły go uczucia, jakie w nim wzbudziłaś.

– On nie chce tych uczuć. Nie będę płakała po kimś, kto nie chce nic do mnie czuć. Może trochę się upiję, ale nie będę płakała.

– Bardzo rozsądne podejście. – Zadzwonił telefon Branny. – To Connor. Daj mi chwilę. I gdzie ty jesteś? – powiedziała zamiast powitania. – Tak, obok mnie. Nie, doskonale sobie bez ciebie poradzimy, zwłaszcza że jesteś facetem. Tak, tak będzie najlepiej. A jeśli będę potrzebowała twojej światłej rady, sama cię o nią poproszę. Idźcie, zachowujcie się jak trzy osły i powiedz Boyle'owi, że ma szczęście, że nie potraktowałam tego dosłownie.

Rozłączyła się.

– Fin pojechał po Connora. Jak słyszałaś, powiedziałam mu, żeby z nimi poszedł, bo mężczyźni potrafią tylko wszystko zagmatwać. Jeśli nie masz nic przeciwko temu, może zadzwonimy do Meary? Mogłybyśmy sobie posiedzieć przy winie i poopowiadać te wszystkie obraźliwe i prawdziwe historie o facetach.

– Byłoby wspaniale. Naprawdę. Ale ty pracujesz.

– Zajmę się tym później.

– Litujesz się nade mną.

– Musiałabym być bez serca, żeby się nie litować, ale też jestem wkurzona, ze względu na ciebie, na siebie i każdą szanującą się czarownicę czy kobietę. Czar miłosny, jasna dupa!

Kiedy Fin wszedł z Connorem do domu, Boyle chodził tam i z powrotem po salonie.

– Gdzieś ty się, do cholery, tak długo szwendał – zaczął, po czym zauważył Connora. – No dobrze. Zanim skopiecie mi dupę, chcę powiedzieć, że nie wiedziałem, że ona tam jest, i po prostu miałem ochotę trochę ponarzekać. Mam prawo sobie ponarzekać w mojej własnej stajni.

– Jedno pytanie, zanim pójdziemy dalej. – Connor uniósł palec. – Uważasz, że Iona rzuciła na ciebie czar miłości, żeby cię usidlić?

– Tak powiedziałem, o czym cholernie dobrze wiesz, ale wcale tak nie myślę. Byłem wściekły i plotłem, co mi ślina na język przyniosła.

– Sądzisz, że użyła wobec ciebie magii?

– Nic, nic, kicdy ja…

– „Nie" na razie mi wystarczy – przerwał mu Connor – ponieważ oznacza, że nie muszę wbić ci pięści w twarz, za co ty stłukłbyś mnie na kwaśne jabłko, kiedy wolę się z tobą napić piwa. Do diabła, Boyle, wiesz, kim jesteśmy i jakich granic nie przekraczamy. Powinieneś mieć tę samą pewność co do Iony.

– Mam. Ale… Och, kurde, dawaj, wal. Nie oddam ci, bo zasłużyłem.

– Jeżeli teraz cię uderzę, nie będę miał żadnej satysfakcji.

– Ja to zrobię – zgłosił się Fin.

– Ty nie jesteś jej kuzynem – odparował Boyle, wyrzucił ręce w powietrze i wysunął podbródek. – No dobra, dawaj.

Fin tylko się uśmiechnął.

– Zachowam sobie ten cios na chwilę, kiedy najmniej się będziesz tego spodziewał.

– Dlaczego na to nie wpadłem? – Connor zrzucił kurtkę. – Chcę piwo i możesz mi powiedzieć, jak zamierzasz pogodzić się z Ioną.

– Gdyby ona zachowywała się rozsądnie…

– Nie tędy droga, bracie. – Connor opadł na wielką, skórzaną kanapę. – Są jakieś chipsy do piwa?

– Zaraz przyniosę. Mam też steki, a Boyle może stanąć do garów – zadecydował Fin. – Żeby ćwiczyć pokorę i skruchę.

– Posłuchajcie. – Boyle usiadł i pochylił głowę. – Pytałeś, Connor, czy naprawdę tak uważam. Powiedziałem, że nie, i już. Zachowuję się rozsądnie.

– I oczekujesz, że Iona zachowa się tak samo?

– Byłem zły – upierał się Boyle. – Kiedy się uspokoi, wyjaśnię jej, że ja tylko, jak to się mówi, musiałem spuścić parę i nie miałem nic złego na myśli. To wszystko.

Connor milczał przez chwilę, po czym spojrzał na Fina wracającego z butelkami smithwicka i torebką chipsów.

– Wiem, że on spotykał się już z kobietami – powiedział Connor konwersacyjnym tonem. – Widziałem to na własne oczy, nawet kilka z nich poznałem. Ale gdybym nie widział, mógłbym przysiąc, że ten facet przed chwilą wypełzł z jaskini i nigdy w życiu nie miał kontaktu z żadną kobietą.

– Och, spadaj.

– Płaszcz się i błagaj o litość. – Fin rzucił gościom po piwie i sam opadł na kanapę, położył nogi na wielkim stoliku kawowym, który przywiózł z jednej ze swoich podróży.

– Nie mam zamiaru.

– *Mo dearthair*, założę się z tobą, że będziesz. Postawię na to stówę. On za nią szaleje – wyjaśnił Connorowi.

– I to jedna z przyczyn, dla których tak strasznie to spieprzył.

– Powinienem natychmiast do niej pojechać i wszystko wyjaśnić.

– Nie radziłbym. – Connor wziął garść chipsów. – Siedzą teraz z Branną, a moja siostra chwilowo nie jest do ciebie przychylnie nastawiona. Domyślam się, że wezwały Mearę i wszystkie trzy będą posyłały w twoją stronę co najmniej nieżyczliwe myśli.

– No dobra, Jezu, ale przecież niczego nie naprawię, jeśli Iona nie będzie chciała ze mną rozmawiać, a teraz strzeże jej czarownica i kobieta z językiem ostrym jak brzytwa.

– Dlatego dzisiaj trzymaj się od niej z daleka i może jeszcze dzień lub dwa – poradził Fin. – A potem… Coś mi się wydaje, że kwiaty tu nie wystarczą.

Connor spłukał chipsy piwem.

– Nasza Iona ma romantyczną duszę, ale kwiaty to marne zadośćuczynienie po takiej zniewadze.

– Nie znieważyłem jej – zaczął Boyle, po czym zaklął siarczyście i przyssał się do butelki piwa. – No dobrze, znieważyłem. Przyznaję się. Przyznanie się do winy i przeprosiny powinny wystarczyć.

Fin rozparł się wygodnie na kanapie.

– Chociaż sprawia mi to ból, muszę się z tobą zgodzić, Connor, co do tej jaskini. Ona nie jest facetem, bracie, i nie załatwisz z nią sprawy jednym „sorry, kolego". Rzucę ci koło ratunkowe. Kwiaty, ponieważ jest romantyczką, i coś błyszczącego, aby pokazać, że pojmujesz wagę swojego błędu.

Zaskoczony Boyle wyprostował się jak struna.

– Mam jej kupować biżuterię tylko dlatego, że wybuchłem, kiedy jej nawet nie powinno tam być? Nie ma mowy! – Mężczyzna musiał mieć swoją dumę, kręgosłup, prawda? – To łapówka.

– Potraktuj to raczej jak inwestycję – zaproponował Fin.

– Jezu Chryste, człowieku, czy ty nigdy nie palnąłeś żadnej głupoty przy kobiecie i nie musiałeś znaleźć sposobu, żeby to załatwić?

Boyle zacisnął szczęki.

– Jeżeli się mylę, to przyznaję, że nie miałem racji. A jeśli to nie wystarczy, to trudno. Nigdy nie spotykałem się z kobietą, która byłaby dla mnie ważna, więc...

– A ona jest ważna – wtrącił Connor.

– To chyba jasne. – Wbił posępny wzrok w piwo. – Nie będę kupował kwiatów ani błyskotek, żeby załagodzić sytuację. Przeproszę, ponieważ naprawdę z całego serca żałuję, że przeze mnie miała ten wyraz oczu. Z wściekłością mogę sobie poradzić, wykrzyczysz się i po sprawie. Ale ja ją zraniłem i bardzo tego żałuję.

Wstał.

– Pójdę zająć się stekami.

– Oszalał na jej punkcie – powiedział Fin, kiedy Boyle wyszedł z pokoju.

– I strasznie z tego powodu panikuje, co byłoby całkiem zabawne, gdyby nie dzisiejsze wydarzenia. Iona mu przebaczy, ponieważ ma miękkie serce i również za nim szaleje. Ale nie rozjaśni się znowu, dopóki on nie da jej tego, co ona pragnie dać jemu.

– Czyli czego?

– Miłości, dawanej z własnej woli i bez żadnych warunków. Kwiaty, błyskotki wywołają na jej twarzy uśmiech, kiedy już będzie gotowa, ale żeby znowu zajaśniała, Boyle musi dać jej siebie.

– Od tego wszyscy jaśniejemy – zauważył Fin.

W salonie płonął ogień na kominku i paliły się świece. Iona wtuliła się w róg kanapy. Meara nie tylko przyszła, ale przyniosła też prowiant w postaci pizzy i lodów.

– Pizza, lody z kawałkami czekolady, wino i dziewczyny. – Iona uniosła kieliszek w toaście. – Czy może być coś lepszego? Zawsze trzymam w zamrażalniku pizzę i lody właśnie na takie awaryjne sytuacje.

– Idealnie. Wszystkie powinnyśmy być lesbijkami.

– Mów za siebie. – Rozbawiona Meara wzięła drugi kawałek pizzy.

– Myślę, że Amazonki były lesbijkami. A w każdym razie niektóre. Tak właśnie o tobie pomyślałam, kiedy cię pierwszy raz zobaczyłam.

Meara niemal zakrztusiła się pizzą, więc szybko popiła ją winem.

– Spojrzałaś na mnie i pomyślałaś: oto lesbijka?

– Amazonka. Nie zastanawiałam się nad twoją orientacją seksualną, a potem zobaczyłam cię razem z Boyle'em i uznałam, że jesteście razem, ale się myliłam. Amazonka – powtórzyła Iona. – Wysoka, piękna i doskonale zbudowana. Jestem trochę pijana. – Uśmiechnęła się do Branny. – Dzięki.

– Och, zawsze do usług.

– Wszystkie możemy być Amazonkami.

– Ty jesteś trochę za niska – wytknęła jej Meara.

– W każdym miocie musi być jakiś cherlak.

– Mówi się: mała, ale mocarna – poprawiła ją Branna.

– Cholerna racja! Widzicie, co potrafię? – Umieściła na dłoni małą kulkę ognia.

– Lepiej nie bawić się ogniem ani magią, kiedy jesteś trochę pijana – poradziła jej Branna.

– Masz rację. – Ogień zniknął. – Ale chodzi o to, że umiem to zrobić. Umiem zatroszczyć się o siebie. Kupię sobie samochód i sama będę się wozić. Jestem silna i mam cel. Nie potrzebuję mężczyzny.

– Gdybyśmy były Amazonkami, mogłybyśmy wykorzystywać ich do seksu czy czegokolwiek, co by nam przyszło do głowy, a potem skazywać na wygnanie albo zabijać.

W pełni zgadzając się z Mearą, Iona pokiwała głową.

– Zróbmy tak. Nie musimy ich zabijać, to trochę ekstremalne, ale wykorzystajmy ich do seksu i czegokolwiek innego. Ja naprawdę bardzo lubię seks.

– Wypijmy za to. – Meara uniosła kieliszek, wypiła, po czym spojrzała na Brannę. – Ty nie wypijesz za seks?

– Wypiję, jako że to mój jedyny kontakt z seksem od dłuższego czasu.

Iona westchnęła, lekko pijana.

– Mogłabyś uprawiać seks z kimkolwiek. Jesteś taka piękna.

– Dziękuję bardzo, ale ktokolwiek nie wydaje mi się pociągający.

– Ona jest bardzo wybredna w tej kwestii – dodała Meara.

– Ja też, a raczej byłam. Ale chyba już nie będę. Seks z Boyle'em był fantastyczny.

– Opowiedz – poprosiła Meara. – Serio. Mamy mnóstwo czasu.

Iona ze śmiechem wypiła kolejny łyk wina.

– Gorący, dziki i wyczerpujący. Jakby świat miał się w każdej chwili skończyć, a wy po prostu musicie siebie mieć, zanim to nastąpi.

– No cóż, od dłuższego czasu nie miałam styczności akurat z tym gatunkiem.

– To już historia. – Iona przecięła ręką powietrze. – Pora na solidną dawkę cynizmu, ponieważ miłość jest do dupy. Komu ona potrzebna, skoro ma się pizzę, lody, dziewczyny i mnóstwo wina?

– Zawsze myślałam, że miłość to lukier na torcie.

Iona wycelowała palec w Mearę.

– Lukier jest tuczący i psują się od niego zęby.

– Oczywiście istnieje takie ryzyko, ale... Cóż, pieczesz ciasto, tak? Upiecz je dobrze, a potem albo się zdecydujesz dodać lukier, albo nie.

– Miłość jako wybór? – Nie, pomyślała Iona. O nie. Miłość po prostu podrywa cię z ziemi i rzuca w wir na oślep.

– Ale jak możesz wybrać? Upiekłaś już ciasto, patrzysz na nie i myślisz sobie, że jest całkiem niezłe, na twoje potrzeby na pewno wystarczy, i nagle mrugasz, a ono jest całe oblane tym smakowitym lukrem, który wziął się nie wiadomo skąd.

Meara wzruszyła ramionami.

– Można go zeskrobać.

– Można – zgodziła się Branna. – Ale zeskrobiesz też trochę ciasta, a i tak nigdy nie pozbędziesz się całego lukru.

– To smutne. I prawdziwe – szepnęła Iona. – I smutne. Nie możemy być smutne. Nie zgadzam się na to. Potrzebujemy muzyki – orzekła. – Zagrasz, Branna? Tak bardzo chciałabym posłuchać, jak grasz.

– Dlaczego nie? – Branna wstała. – Mam nastrój do gry. Pójdę po skrzypce, a ty, Meara, nastrój swoje dudy.

Kiedy wyszła, Iona wstała, żeby podsycić ogień.

336

– Wiem, co powiedziałaby Branna, ponieważ widziałam ją z Finem i słyszałam ich historię. A czy ty byłaś kiedykolwiek zakochana?

– Cóż, trzymając się naszej metafory, zanurzyłam palec w misce z lukrem i posmakowałam raz czy dwa, ale nic więcej. – Meara poprawiła się w swoim rogu kanapy. – Chcę ci powiedzieć, że Boyle potrafi być palantem.

– Branna nazwała go bucem.

– To też, jak większość mężczyzn. Jednak z przykrością muszę stwierdzić, że my, kobiety, również miewamy chwile bezdennej głupoty. Chcę też powiedzieć, że znam go od bardzo dawna i nigdy nie widziałam, żeby patrzył na inną kobietę tak, jak patrzy na ciebie.

Iona w to wierzyła. Czuła to. Ale co z tego?

– Tak bardzo bym chciała, żeby mi to wystarczyło. Problem polega na tym, że ja zawsze chcę więcej.

– Dlaczego to stanowi problem?

– Ponieważ tego nie dostaję.

Znowu umościła się na kanapie, a Branna wróciła ze skrzypcami.

– On tam jest – powiedziała, kładąc futerał.

– Boyle? – I, cholera, poczuła, jak serce jej podskoczyło.

– Nie. Cabhan.

Tym razem podskoczyło w niej wszystko, kiedy razem z Mearą zerwały się z kanapy.

– Cały dom jest otoczony mgłą, aż do okien. Stary podglądacz.

– Co zrobimy? – Iona podeszła z przyjaciółkami do okna i zobaczyła szarą kurtynę. – Powinnyśmy coś z tym zrobić.

– Zrobimy. Będziemy grały i śpiewały. On nie pokona mojej tarczy, nie wejdzie do tego domu – powiedziała Branna, spokojnie wyjmując skrzypce i smyczek. – Dlatego napijemy się jeszcze wina i wypełnimy dom śpiewem. I wepchniemy mu naszą muzykę prosto w tyłek.

– W takim razie coś wesołego. – Meara pokazała do okna środkowy palec, po czym się odwróciła. – Coś do tańca. Może uda mi się nauczyć Ionę kilku kroków.

– Szybko się uczę – powiedziała Iona w równym stopniu do Meary jak do tego, co czaiło się za oknem.

Rozdział siedemnasty

Ionę obudził kac, pulsujące łupanie w skroniach, zgodnie współpracujące z łomotem w środku czaszki.

Miewała gorsze kace, pomyślała, ale niewiele.

Zastanawiała się, czyby nie zaciągnąć kołdry na głowę i go nie przespać, ale otworzyła już oczy i natychmiast zmrużyła je pod wpływem światła padającego z okna salonu.

Zdała sobie sprawę, że nie leży we własnym łóżku, tylko na kanapie, otulona kocem w różnych odcieniach fioletu. Nagle sobie przypomniała, że padła na kanapę po tym, jak tańczyła do utraty tchu i zaśpiewała z przyjaciółkami piosenkę lub dwie.

Nie miała ich głosu, lecz dzięki babci znała słowa i zachowywała jako taką harmonię.

I świetnie się bawiła. A do tego śpiewając, pokazały środkowy palec temu, co czyhało za oknem, we mgle.

Jadła, piła, rozmawiała, śmiała się, a potem śpiewała i tańczyła – i tak przetrwała ten pierwszy, najgorszy atak bólu. A teraz miała kaca, który nie pozwalał jej się skupić, i bardzo dobrze.

A co jeszcze lepsze, nie płakała – a w każdym razie nie tak, żeby to mogło się liczyć.

Wypije galon wody, połknie buteleczkę lub dwie aspiryny i zmusi się, by coś zjeść. Potem będzie długo stała pod prysznicem i poczuje się lepiej.

A przez resztę dnia będzie pracować.

Gdzieś pomiędzy pierwszym a ostatnim kieliszkiem wina postanowiła, że pójdzie do stadniny jak zawsze. Nie ucieknie chyłkiem i nie zostawi pracy, którą pokochała, tylko dlatego że jej szef – jej kochanek – złamał jej zbyt kruche serce.

Jeżeli chce, żeby odeszła, to musi ją zwolnić.

Wstała i podreptała do kuchni. Wypiła szklankę wody, wzięła parę aspiryn i zastanawiała się nad suchą grzanką, kiedy do kuchni weszła Meara, irytująco dziarska i świeża.

– Boli cię troszkę głowa, co?

Iona posłała przyjaciółce najbardziej złowrogie spojrzenie, na jakie było ją stać.

– A dlaczego ciebie nie boli?

– Och, mam głowę jak skała i żołądek z żelaza – powiedziała Meara wesoło, biorąc się do parzenia kawy. – Nie pamiętam, żebym kiedykolwiek źle się czuła po przepitej nocy.

– Nienawidzę cię.

– I któż mógłby cię winić? Zostawiłyśmy cię wczoraj tam, gdzie padłaś, tak nam się wydało najlepiej. A ponieważ na wszelki wypadek wzięłam ze sobą ubranie na zmianę, przespałam się w twoim pokoju. Potrzebujesz teraz kawy i śniadania. Najlepsza będzie owsianka.

Iona się skrzywiła.

– Naprawdę?

– To pożywne, zdrowe jedzenie. Przygotuję ci, bo dla Branny jest o wiele za wcześnie.

340

– Czy ona też ma głowę jak skała i żołądek z żelaza?

– Tak, powiedziałabym, że tak. Ale ona uważa, ile pije. Nie lubi tracić kontroli, nigdy. Proszę. – Meara nalała jej kawy. – Jak wstanie, poproś ją, żeby zrobiła ci swoją słynną miksturę na ból głowy.

– Poproszę. Chciałabym pójść do pracy z jasnym umysłem.

– A zatem nie zmieniłaś zdania? – Meara poklepała ją lekko po ramieniu. – I bardzo dobrze.

– Nie zamierzam rezygnować z pracy, którą kocham, ani kryć się po kątach. Potrzebuję tej posady, więc musimy nauczyć się pracować razem, chyba że Boyle mnie zwolni.

– Nigdy by tego nie zrobił. Nie jest małostkowy.

– Tak, wiem. Poza tym chociaż teraz świeci słońce, w każdej chwili może je zasnuć mgła. Mamy zadanie, przy którym wszystko inne musimy odłożyć na bok. Żadnych słabych ogniw, tak?

– Masz kręgosłup. – Meara pogłaskała ją po raz ostatni po ramieniu.

– Jeżeli robisz tę owsiankę, to pójdę na górę i spłuczę trochę kaca pod prysznicem, ubiorę się. – Zawahała się chwilę, po czym objęła Mearę ramionami. – Pomogłyście mi z Branną przetrwać ciężką noc.

– Od czego ma się przyjaciółki?

Zanim Iona wyszła spod prysznica, łupanie i łomot przycichły o kilka decybeli, jednak trzeźwe spojrzenie w lustro powiedziało jej, że potrzebuje silniejszych środków. Dlatego zamiast zwykłego, szybkiego makijażu poświęciła swojej twarzy trochę czasu i uwagi. Nie chciała, aby Boyle pomyślał, że blade policzki i podkrążone oczy to

341

jego zasługa – choć pośrednio tak było, przecież wypiła za dużo, by zagłuszyć ból.

Kiedy zrobiła wszystko, co mogła, ubrała się i zeszła na dół, by stawić czoła owsiance.

W kuchni zaspana Branna w piżamie piła kawę, a Meara nuciła, smarując grzanki masłem.

– A oto i nasza gwiazda. Wygląda tylko na lekko sponiewieraną.

– Jest aż tak źle?

– Wcale nie jest źle – zapewniła ją niezawodna Meara, nakładając owsiankę.

– Ale oczywiście możemy jeszcze to i owo poprawić. – Branna pokiwała na Ionę palcem. – Pochyl się, skoro sama nie chcesz tego zrobić. – Przesunęła delikatnie dłońmi po twarzy kuzynki. – Tylko odrobina, przecież nie chcemy, żeby pomyślał, że specjalnie się dla niego starałaś.

Iona uśmiechnęła się szeroko.

– Czytasz w moich myślach.

– Odrobinka magii dla osiągnięcia idealnego efektu. My kobiety, czarownice, musimy trzymać się razem. Meara mówiła, że trochę boli cię głowa.

– Już mi lepiej.

– Wypij to. – Branna postukała w szklankę wypełnioną bladozielonym napojem.

– Co to jest?

– Lekarstwo na to, co ci dolega. Zioła z małą domieszką. Nie ma sensu, żebyś szła do pracy, czując się słabo i jeszcze pokazując to swoim wyglądem. Udowodniłaś, że masz kręgosłup, radząc sobie z tą sytuacją, dlatego dostaniesz nagrodę.

– Owsiankę. – Meara postawiła na stole trzy miski i tosty, a potem sama usiadła.

– No dobra. – Iona wypiła miksturę jednym haustem i odkryła, że napój ma przyjemny, świeży smak z nutką mięty. – To jest smaczne.

– Lekarstwo nie musi być niedobre. Zjedz, to też ci pomoże.

– Obie tak troskliwie się mną zajmujecie. Pamiętajcie, że jeśli którąś z was miłość też kopnie w tyłek, to zawsze możecie na mnie liczyć.

– Dobrze wiedzieć. – Meara zanurzyła łyżkę w owsiance.

Kac zaczął znikać niczym krople deszczu pod wpływem słońca, powoli i stopniowo, aż Iona poczuła się świeża i wypoczęta.

– Na samym tym napoju mogłabyś zbić fortunę – powiedziała do Branny, wkładając kurtkę. – Czyni cuda.

– Niezupełnie, a zbijanie fortuny raczej nie leży w moich planach. Pracujemy dziś wieczorem, kuzynko, i to dwa razy pilniej, żeby odpracować wczorajszy wieczór.

– Oczywiście. Wiem, że nie przepadasz za uściskami – dodała, obejmując Brannę – ale ja tak. – Wyszła razem z Mearą. – Chyba Cabhanowi nie spodobała się nasza muzyka.

– Mam nadzieję, że nadal dzwoni mu w uszach. Do zobaczenia. – Meara pożegnała się z Branną i ruszyła do samochodu. – Nie powinnam tego mówić – powiedziała, kiedy Iona usiadła obok niej – ale nie bądź dla niego zbyt okrutna. On bez wątpienia na to zasługuje, ta ośla dupa, ale mężczyźni bywają takimi niezdarami.

– Nie chcę być dla niego okrutna. Chcę tylko przetrwać ten dzień.

– W takim razie przetrwasz.

Boyle nie spodziewał się, że Iona przyjdzie do pracy, i irytował go fakt, że nawet nie mógł jej za to winić. Przed porannym sprzątaniem, karmieniem, pojeniem i podawaniem lekarstw pochylił się nad tygodniowym rozkładem zajęć i zdał sobie sprawę, że w stosunkowo krótkim czasie obarczył Ionę taką ilością zadań, uczniów i obowiązków, że trudno mu będzie ją zastąpić.

Zawracanie dupy i naprawdę, jeśli spojrzeć racjonalnie na sytuację, nie miała powodu, żeby aż tak dramatyzować i wyrzucić swoją robotę na śmietnik wraz z całą resztą.

A gdyby on mógł zamienić z nią choć jedno lub dwa rozsądne słowa, na pewno szybko wykaraskałby się z tej niezręcznej sytuacji.

Gdyby kobiety były bardziej podobne do mężczyzn, życie bez wątpienia płynęłoby o wiele spokojniej.

Męczył się i złorzeczył, zmieniał grafik, przesuwał uczniów i godziny. Akurat kiedy wyjął telefon, żeby zacząć dzwonić, usłyszał samochód Meary, który wydawał odgłos przypominający mruczenie kuguara – a nie starzejącego się lwa z bronchitem jak furgonetka Micka.

Boyle wyszedł na zewnątrz zdeterminowany, żeby scedować telefony na Mearę i przy okazji wyciągnąć jakieś wieści o Ionie, ponieważ wieść głosiła, że wszystkie trzy spędziły noc u Branny.

I poczuł się zupełnie zbity z tropu, widząc, jak Iona w roboczym ubraniu wysiada z samochodu.

– Dzieńdoberek – powitała go radośnie Meara i poszła prosto do stajni.

Zdążył powiedzieć tylko:

– Ach…

– Przyszłam do pracy – powiedziała Iona ostrym tonem, którego nigdy u niej nie słyszał. – Tylko i wyłącznie. Potrzebuję tej pracy, lubię ją i jestem w niej dobra, więc jeśli zamierzasz mnie zwolnić...

– Zwolnić cię? – Zaszokowany i jeszcze bardziej zdezorientowany, patrzył na nią szeroko otwartymi oczami. – Absolutnie nie zamierzam cię zwalniać. Dlaczego...

– Dobrze. W takim razie wszystko jasne.

– Zaraz, zaraz, Iona, poczekaj chwilę, musimy porozmawiać o...

– Nie musimy. – Przerwała mu tym samym tonem, chłodnym i lekceważącym. – Wiem już, co czujesz i myślisz, i w pewnym stopniu nawet cię rozumiem. Masz prawo do swoich uczuć, a ja jestem odpowiedzialna za swoje. Dlatego teraz tylko praca, Boyle, i musisz to uszanować.

Odwróciła się na pięcie i poszła do stajni. Mógł ją zatrzymać, po prostu schwycić na ręce i zanieść w jakieś ustronne miejsce, gdzie musiałaby z nim porozmawiać. Rozważał przez chwilę tę opcję, ale postanowił jednak dać sobie spokój.

Wbił ręce w kieszenie i stał tak w chłodzie poranka, żałując, że nie kupił jednak tych cholernych kwiatów.

Musiał jej posłuchać. Ponieważ to on wszystko spieprzył, musiał dać jej czas i przestrzeń, o które prosiła.

Iona zabrała się do pracy i nie zachowywała się tak oficjalnie, jak się spodziewał. O nie, miała mnóstwo do powiedzenia Mearze, Mickowi i reszcie, śmiała się razem z nimi, zadawała pytania. Tylko do niego nie odzywała się ani jednym cholernym słowem, chyba że już nie miała innego wyjścia.

Udawało się jej zachowywać normalnie i jednocześnie utrzymać dystans.

Strasznie go to wkurzało, a kiedy gniew zelżał, pojawiło się poczucie winy.

– Doprowadzasz go do szału. – Meara patrzyła, jak Iona siodła Pyrę na przejażdżkę z turystami.

– Wykonuję tylko swoją pracę, bez żadnych osobistych podtekstów.

– I to właśnie doprowadza go do pasji. Jako mężczyzna, a zwłaszcza jako Boyle, za jedyne logiczne rozwiązanie uznałby oddzielenie spraw prywatnych od zawodowych, ale ty, to właśnie robiąc, złapałaś go za jaja. I teraz on nie wie, czy ma wrzasnąć, czy paść na kolana.

– Przetrwam ten dzień. – Iona poprawiła popręg i włożyła kask. – I tylko to się liczy. Chociaż nie mogę powiedzieć, żeby było mi przykro z powodu jego jaj.

Poprowadziła swoich turystów – rodziców z dwiema nastolatkami, korzystającymi z wiosennych ferii – słuchając jednym uchem, jak gawędzą między sobą. Jednak się obejrzała, tylko raz i poczuła głęboką satysfakcję, gdy zobaczyła, że Boyle za nią patrzył.

Kiedy wjechali do lasu, musnęła palcami amulet na szyi i poklepała się po kieszeni, do której rano schowała ochronny talizman.

Nie będzie się bała lasu, powiedziała do siebie. Nie będzie się lękać tego, co nadejdzie. I nie będzie się bała życia w samotności, jeśli takie jest jej pisane.

Przywołała na twarz profesjonalny uśmiech, poprawiła się w siodle i obejrzała na swoich podopiecznych.

– I jak wam się podoba Irlandia?

Wypełniony pracą dzień szybko mijał, z czego Iona była bardzo zadowolona. Świadomość, że postępuje dokładnie tak, jak powinna, ani trochę nie ułatwiała jej zadania. Chciała uśmiechnąć się do Boyle'a i widzieć, jak on odpowiada jej uśmiechem. Chciała czuć, że ma prawo go dotykać, choćby musnąć ręką jego dłoń, ramię i wiedzieć, że on ma prawo do tego samego.

Chciała znowu czuć się swobodnie w jego towarzystwie. Nawet jeśli nie mogli być już kochankami, nawet jeżeli musiała znaleźć sposób, żeby stłumić w sobie miłość, którą do niego czuła, chciała, by Boyle pozostał częścią jej życia.

Potrzebowała go, poprawiła samą siebie, sprzątając stajnię po lekcji z Sarah. Dopóki Cabhan nie zostanie pokonany, dopóki nie zakończą tego, co dawno temu rozpoczęła Sorcha, potrzebowali siebie nawzajem.

To, czemu mieli stawić czoło, było o wiele ważniejsze niż posiniaczone serce i zraniona duma.

Znajdą jakiś sposób. Jeśli Branna mogła pracować z Finem, to tym bardziej ona da radę z Boyle'em. Może potrwa to trochę czasu, zanim odnajdą właściwą drogę, wygładzą kanty – i na pewno będą musieli o tym porozmawiać.

Ale jeszcze nie teraz. Jeszcze za wcześnie.

Objęła Alastara za szyję, a koń trącił ją nosem.

– Przecież mam ciebie, prawda? Mój przewodniku, przyjacielu i partnerze. Mam rodzinę, która się o mnie troszczy i mnie rozumie. I mam dom, miejsce, gdzie przynależę. To więcej, niż kiedykolwiek miałam.

Odsunęła się i pocałowała ogiera w nos.

– Dlatego nie będę narzekać ani użalać się nad sobą. Do zobaczenia jutro.

Wyszła na zewnątrz w najwłaściwszym momencie, jak się okazało, ponieważ dostrzegła Connora, który pogwizdując, szedł niespiesznie w stronę stajni.

Idealny irlandzki obrazek, pomyślała, przystojny mężczyzna, wysoki i szczupły, o anielsko-niegodziwej twarzy, z rękami w kieszeniach roboczych spodni, na brązowej ścieżce, i zielone wzgórza w tle.

– Skończyłaś na dzisiaj? – zawołał do niej.

– Właśnie w tej chwili. A ty?

– Jestem gotów, aby odprowadzić moją śliczną kuzyneczkę do domu i sprawdzić, czy nasza Branna upiekła dziś świeże ciastka. Mam ogromną ochotę na coś słodkiego.

– A ja jestem gotowa na magię. – Iona poruszała palcami. – I chcę się nauczyć czegoś nowego.

– Nowego?

– Projekcji astralnej. Robię to w snach albo z własnej woli, albo manipulowana przez Cabhana, ale nie umiem tego kontrolować. A chciałabym.

– To byłaby cenna strzała w twoim kołczanie. No dobrze... a jak ci poszło dziś z Boyle'em?

– Momentami było niezręcznie i czułam się trochę spięta, ale jakoś przebrnęliśmy przez ten dzień. Jutro powinno już być łatwiej.

– On naprawdę fatalnie się czuje z powodu tego wszystkiego.

Nie będzie zadowolona (może tylko odrobinę). Nie będzie mu współczuła albo zignoruje to uczucie.

– Czuje to, co czuje, i dlatego znaleźliśmy się w tej sytuacji. Boyle jest twoim przyjacielem. – Poklepała Connora po ramieniu. – Źle się czuje ze świadomością, że mnie zranił, a ty czujesz się źle, ponieważ on czuje się nie najlepiej. Wszyscy musimy przejść do porządku dziennego nad całą sprawą i nie tracić z oczu tego, co najważniejsze.

– A ty potrafisz?

– Przeżywałam już zawody miłosne – rzuciła lekko. Musiała zachować taki ton, ponieważ czuła się głęboko zraniona. – Po prostu niektórzy z nas nie są stworzeni do tego rodzaju związków.

– Ale ty do nich nie należysz. – Connor wziął ją za rękę i mocno uścisnął. – I wcale tak nie myślisz.

– Myślę – powiedziała, teraz już ostrożniej – że jest we mnie coś, co utrudnia innym nawiązywanie ze mną bliskich relacji.

– Co za bzdury – zaczął Connor, ale Iona pokręciła głową.

– Nawet moi rodzice nie mogli. Wina leży po ich czy po mojej stronie? Nie wiadomo, ale skoro oni nie mogli, a przed Boyle'em nie znałam nikogo, z kim naprawdę chciałabym te relacje nawiązać, nie mogę go winić. Jeśli przyczyna tkwi we mnie, to muszę nad sobą pracować. Już zaczęłam. Jestem w trakcie remontu.

– Mylisz się, i to bardzo. Równie łatwo cię pokochać jak letni poranek. Sam bym się z tobą ożenił, gdybyśmy nie byli kuzynami.

Roześmiała się wzruszona, po czym posłał mu uwodzicielskie spojrzenie.

– Jesteśmy dalekimi kuzynami.

– Ale wciąż kuzynami. – Objął ją ramieniem. – A to strasznie komplikuje sytuację.

– Szkoda, bo jesteś taki ładny.

– I nawzajem.

Otworzył drzwi pracowni, zaprosił Ionę do środka szerokim gestem i wciągnął nosem powietrze.

– Ciastka cynamonowe, cóż za doskonałe powitanie.

– Poczęstujcie się i zróbcie sobie herbatę, mamy zaległości w pracy.

Branna stała przy blacie i przelewała płynny wosk do słoika, w którym zanurzyła długi, biały knot. Iona zastanawiała się, jakim cudem Connor wyczuł zapach cynamonu w oszałamiającej woni hortensji.

– I jak ci poszło? – zapytała Branna, przesuwając rondelek nad następny słoik.

– Pierwszy dzień za mną i nie było tak źle.

– Ona myśli, że nie można jej kochać – powiedział Connor z ustami pełnymi ciastek.

– Och, bzdury.

– Nic takiego nie powiedziałam. Miałam na myśli… nieważne. – Iona też wzięła ciastko. – Potrzebna ci pomoc?

– Już prawie skończyłam, ale możesz mi później pomóc przy etykietach i przycinaniu knotów. Zrobiłam całe tuziny tych świec, bo już się kończyły, a wiosną mamy więcej turystów niż zimą. Napij się herbaty, musimy dzisiaj wykonać dwa razy więcej pracy, za wczoraj.

– Jestem gotowa.

– Ona chce spróbować projekcji astralnej – poinformował siostrę Connor.

– Projekcji astralnej, czyżby? – Branna przyglądała się Ionie, wydymając wargi. – Miałam inne plany, ale dlaczego nie? To przydatna umiejętność.

Postawiła ostatni słoik na suszarce i zdjęła biały fartuch, którym zasłoniła jaskrawoczerwony sweter, żeby się nie pobrudził.

– To nie to samo co aktywne sny, jakie miałaś, ale coś bardzo podobnego. Ćwiczyłaś medytację?

Iona się skrzywiła.

– Pewnie nie tyle, ile powinnam. Mój umysł zawsze wydaje się czymś zaprzątnięty.

– Ćwiczenie umysłu jest ci niezbędne. Ćwiczenie, wyciszanie i koncentracja. Usiądź z herbatą przy ogniu. Powinnaś rozluźnić ciało, umysł i duszę.

Iona posłuchała, a Kathel poruszył się i nie przerywając drzemki, położył łapę na jej stopie w ramach powitania.

– Po prostu patrz w ogień i popijaj herbatę. Ona ci smakuje, ciastka też. Oddychaj spokojnie. Wdech, pauza, wydech. Czujesz zapach torfu w ognisku, świeżo lanego wosku i schnących ziół.

– Zwłaszcza rozmarynu.

– Tak, jest najmocniejszy. Słyszysz swój wdech i wydech, słyszysz, jak ogon Kathela szura po podłodze, trzaskanie polan w kominku i dźwięk mojego głosu. Wszystkie odgłosy są kojące, wyciszające. Dotyk mojej dłoni, łapy Kathela. Wszystko to cię uspokaja, tak że możesz odpłynąć, unieść się w powietrze. Cicho i spokojnie.

– Ale ja...

– Zaufaj mi. Ten pierwszy raz będę przy tobie, poprowadzę cię. Pomyśl, dokąd najbardziej chciałabyś pójść, zobacz to miejsce w ogniu, w głowie.

– Do kuchni mojej babci – odpowiedziała Iona bez wahania. – Tęsknię za nią. Ona zawsze we mnie wierzyła, zawsze mnie kochała. Przez tak długi czas tylko ona jedyna. To dzięki niej jestem, kim jestem.

Branna zerknęła na Connora, który usiadł po drugiej stronie Iony.

– Daleka droga jak na pierwszy raz – szepnęła.

– Serce ją tam zaprowadzi.

– I my. Widzisz kuchnię babci, w ogniu, w myślach?

– Jest podobna do waszej. Pod względem atmosfery, bo wygląda inaczej. Jest mniejsza i nie ma w niej kominka. Widzę ściany w ciepłym kolorze brzoskwini i szafki z ciemnego drewna. Widzę stary, drewniany stół. W tej kuchni mogłam powiedzieć babci wszystko. Ona opowiadała mi, kim jestem i o pierwszej Czarownicy z Ciemności. Siedziałyśmy sobie przy stole, przy herbacie i ciastkach, biszkoptach. Zupełnie tak jak teraz. Na parapecie okiennym rosły zioła w doniczkach, a na środku stołu stała niebiesko-zielona ceramiczna misa, którą jej dałam na urodziny wieki temu. Tego dnia, kiedy powiedziała mi wszystko, nie tylko fragmenty i skrawki, ale wszystko, leżały tam czerwone jabłka. Lśniące czerwone jabłka w zielono-niebieskiej misce. Babcia ma takie same oczy jak moje, tego samego koloru i kształtu. A kiedy na mnie patrzy, wierzę w to, co mówi.

– Skup się na misce, na kolorach, kształtach. Pozwól sobie się unieść, pozwól sobie iść tam, dokąd chcesz. Spokojny oddech, spokojny umysł, spokojne dążenie do celu. Unieś się. Dryfuj. Leć.

Iona uniosła się, jakby nic nie ważyła. Powietrze pulsowało uspokajającym błękitem i, czując pierwszy przypływ mocy, pofrunęła.

Lekka, wolna, poszybowała nad zielonymi wzgórzami, zasnutymi niebieską mgłą, nad wodą – bezmiar błękitu pod błękitem.

W głowie słyszała głos Branny. „Oddychaj. Nie dekoncentruj się".

– Jak wspaniale! Jak pięknie! – Rozrzuciła szeroko ramiona i roześmiała się w głos.

„Teraz zwolnij. Kuchnia babci. Zobacz ją".

I ujrzała ją oczami duszy, a potem nagle po prostu w niej stała, obok starego, drewnianego stołu z niebiesko-zieloną misą, w której dzisiaj leżały cytryny i limonki.

Babcia weszła kuchennymi drzwiami, zrzucając po drodze klapki i zdejmując słomkowy kapelusz z szerokim rondem.

Była drobna i niska jak Iona, schludna i ładna. Miała na sobie dżinsy i lekką kurtkę. Włosy w miękkim odcieniu złotej czerwieni okalały jej dyskretnie umalowaną twarz. Babcia nawet do ogrodu nie wyszłaby bez makijażu.

Ruszyła w stronę lodówki, po czym stanęła. I bardzo wolno się odwróciła.

Uniosła dłoń do serca, otworzyła szeroko oczy i wydała cichy okrzyk.

– Iona! Jesteś tu. Och, och, i Branna, i Connor też. Och, spójrz tylko na siebie, moja dziewczynko! Jak wiele już się nauczyłaś!

– Ty mnie widzisz.

– Oczywiście, że cię widzę, przecież tu stoisz, prawda? I jesteś taka śliczna. Siadajcie, siadajcie i wszystko mi opowiedzcie.

– Czy my możemy usiąść? – zastanowiła się na głos Iona.

– W tym pomieszczeniu jest tyle mocy, że można by oświetlić domy w promieniu pięćdziesięciu kilometrów. – Branna wysunęła krzesło i usiadła. – Pewnie, że możemy usiąść.

Iona krzyknęła, rzuciła się do przodu i uściskała babcię.

– Mogę cię dotknąć. Czuję cię. Tak bardzo za tobą tęskniłam.

– Tak jak ja za tobą.

– Tym razem nie możemy zostać długo, kuzynko.

– Branna uśmiechnęła się do nich. – To duża odległość jak na pierwszy raz.

– To twój pierwszy raz? – Ze śmiechem, z błyskiem podziwu w oczach babcia jeszcze raz uściskała Ionę. – Och, nie, w takim razie nie zostaniecie zbyt długo. Jednak wystarczająco, żebym zdążyła ci powiedzieć, jak bardzo jestem szczęśliwa i dumna.

– Przyjedziesz? Mówiłaś, że przyjedziesz do Irlandii.

– I przyjadę, kiedy nadejdzie pora. Będę wiedziała kiedy. Jesteś szczęśliwa, ale... wyczuwam też smutek.

– Miała... pewne nieporozumienie – wyjaśnił Connor. – Z Boyle'em.

– Ach, rozumiem. Przykro mi, ponieważ bardzo go polubiłam. Jeśli to ten jedyny, to wszystko się poukłada.

– On mi nie ufa. Nieważne.

– Oczywiście, że ważne.

– Ale nie w tej chwili. Chcę wiedzieć, jak się masz.

– Doskonale, jak widzisz. Sadziłam dziś bratki, ponieważ dobrze znoszą chłód, a mamy wyjątkowo zimną wiosnę. I kapustę, i trochę innych warzyw. Branna, Iona mi mówiła, że jesteś świetną nauczycielką. I ty, Connor, podobno też doskonale sobie radzisz.

– Iona jest pilną uczennicą. I jest nam bardzo potrzebna. – Branna wzięła babcię za rękę. – Chcę ci powiedzieć, że dobrze postąpiłaś, przysyłając ją do nas, dając jej amulet. Jestem ci za to bardzo wdzięczna.

– Nie musisz. To był mój obowiązek. Mamy w żyłach tę samą krew.

– To prawda, na zawsze. On stał się silniejszy, odkąd trójka zebrała się razem, ale mamy więcej siły od niego. Przykro mi, że nie możemy dłużej zostać. – Branna wstała. – Ale Iona dopiero zaczęła ćwiczyć tę umiejętność.

– Nawet te kilka chwil było cudowną niespodzianką. Uważaj na siebie, moja mała. Miej otwarty umysł i serce. Wtedy może zagościć w nich to, co najlepsze.

– Pamiętam o tym. – Iona pocałowała babcię w policzek i mocno ją przytuliła. – Wrócę, jeśli będę mogła.

– Wiedziona impulsem wzięła z miski cytrynę. Pogładziła ją palcami, uniosła do nosa, by powąchać. – Wiem, że to niemądre, ale czy mogę ją z sobą zabrać? Czy to możliwe?

– Dowiedzmy się. – Branna wzięła ją za rękę, a gdy Iona schowała cytrynę do kieszeni, Connor wziął ją za drugą.

– Tęsknimy za tobą, kuzynko Mary Kate – powiedział Connor.

– A ja za wami. Pewnego dnia, już niedługo, zabierzesz mnie na spacer z sokołem, prawda, Connor?

– To będzie czysta przyjemność.

– Powiedzcie swojej matce, że już nie mogę się doczekać, kiedy osobiście wymienimy najświeższe ploteczki.

– Przyjedź do Czarownicy – zaprosiła ją Branna. – Będzie na ciebie czekał ogień w kominku i czajnik na gazie.

– Przyjadę, dziękuję. Moja miłość i nadzieja są z wami.

– Do widzenia, babciu. Kocham cię.

I znów się uniosła. Pofrunęła.

ROZDZIAŁ OSIEMNASTY

Iona czuła się wspaniale, a mimo to Branna wmusiła w nią napar.

– To był twój pierwszy raz. Musisz trochę się wyciszyć.

– Będę mogła to powtórzyć?

Branna uniosła wysoko brwi, a Connor wziął kolejne dwa ciastka.

– Teraz?

– Nie, nie w tej chwili. Chcę wiedzieć, czy mam to w sobie, czy mogłabym to zrobić sama.

– Connor i ja tylko ci towarzyszyliśmy. – Branna zajrzała do świec. – Pomogliśmy ci się przygotować, a potem ci asystowaliśmy.

– Jak przy prawie jazdy?

– Słucham?

– Kiedy uczysz się prowadzić samochód... naprawdę muszę kupić sobie auto. Ciągle wyskakuje mi coś innego, ale... jestem trochę nabuzowana – przyznała i wypiła napar.

– Prawo jazdy. – Connor zastanowił się chwilę. – Tak, pod pewnym względem. Kiedy potrzebujesz nadzoru, dopóki się nie nauczysz radzić sobie sama.

– Przy następnej próbie przynajmniej jedno z nas powinno być z tobą.

– Ty mnie chyba zahipnotyzowałaś.

– Pomogłam ci wprowadzić się w stan medytacji, to wszystko. Masz bardzo czynny umysł i powinnaś ćwiczyć wyciszanie myśli.

– Tak bardzo się cieszę, że mogłam ją zobaczyć. Spotkać się z nią. – Iona wyjęła z kieszeni cytrynę, którą zabrała z niebiesko-zielonej misy, i wciągnęła głęboko w płuca zapach.

– Rodzina to nasze korzenie i serce. No dobrze, zobaczmy, jak sobie poradzisz z tym zadaniem. – Branna otworzyła szufladę, wyjęła zadrukowaną kartkę.

– Różdżka, zakończona różowym kryształem – przeczytała Iona. – Athame* ozdobione celtycką triquetrą, srebrny kielich z podobizną Bogini Ognia, Belismą, miedziany amulet w kształcie pentagramu. – Iona podniosła wzrok.

– Narzędzia czterech żywiołów?

– Bardzo dobrze, różdżka jako symbol powietrza, a nóż ognia i tak dalej. Czytaj.

– Miecz z heliotropem w rękojeści i na pochwie, włócznia z ostrzem z hematytu. Tarcza, ozdobiona pentagramem, hematytem, ametystem, kamieniem słonecznym i czerwonym jaspisem oraz kociołek z symbolem ognia. Cztery rodzaje broni.

– Widzę, że uczyłaś się pilnie. Teraz użyj czaru i znajdź te wszystkie przedmioty.

– Jak w zabawie w podchody?

---

* Athame – sztylet, zwykle obusieczny, o czarnej rękojeści, jedno z podstawowych narzędzi czarownic, używany przy ceremoniach i rytuałach do kierowania energią zawartą w kręgu. Athame przyporządkowany jest ogień.

– Tak, coś w tym stylu.

– Lubię takie gry.

– Ale to nie jest zabawa – przypomniał jej Connor – tylko ważne ćwiczenie. Będziemy musieli znaleźć Cabhana, kiedy staniemy się gotowi, żeby go wyzwać na ostateczny pojedynek.

– Zyskamy przewagę, jeśli będziemy wiedzieli, kiedy i jak on się pojawi – dodała Branna.

– A może poszukamy go teraz? Musi mieć gdzieś jakąś norę. Moglibyśmy...

– Nie jesteśmy gotowi, poza tym może zauważyć, że go szukamy. Ma moc i jeśli go nie zablokujemy, będzie wiedział, co robimy. Ale gdy już będziemy gotowi, wtedy będziemy chcieli, żeby zobaczył – tylko to, co zechcemy mu pokazać. Kiedy nadejdzie czas – ciągnęła Branna – wszyscy troje połączymy nasze siły i będziemy szukali, aż znajdziemy.

– A Fin?

– Ja...

– To Fin powinien szukać i znaleźć. – Connor odwrócił się do siostry i spojrzał jej w oczy. – W nim płynie jego krew i to zadanie Fina.

– Tak bardzo mu ufasz.

– A ty mu ufasz za mało. To jego rola, Branna, i wiesz o tym równie dobrze jak ja.

– No dobrze, pomówimy o tym, kiedy nadejdzie czas. Na razie zajmijmy się listą. Zaczynaj, Iona. Rzuć czar, znajdź każdy przedmiot po kolei i przynieś tutaj.

– Okej. – Iona jeszcze raz zerknęła na listę, schowała kartkę do kieszeni. Po czym zamknęła oczy i spróbowała zwizualizować różdżkę. – To, co oczami duszy ujrzeć próbuję, gdzieś niedaleko mnie się znajduje. Wskaż mi miejsce, gdzie się kryjesz, a ja szybko cię odkryję. Ukaż się na me wezwanie, niech tak się stanie.

Dostrzegła ją wyraźnie, lśniła w promieniach popołudniowego słońca na stoliku przy oknie w pokoju muzycznym.

– Zaraz wracam.

Connor oparł się o blat, na którym Branna metodycznie oklejała zastygłe świece.

– Wiem, że to ci sprawia ból – powiedział cicho – ale jeśli nie zaakceptujesz tego, czym jest Fin, kim jest naprawdę, i nie zaczniesz wierzyć w niego i w jego lojalność, wszyscy na tym ucierpimy.

– Staram się. Radzę sobie ze zranionymi uczuciami, na ogół, ale zaufanie jest dużo trudniejsze.

– On poświęciłby dla ciebie życie.

– Nie mów tak – warknęła. – Myślisz, że tego właśnie bym chciała? Chcę tylko zrobić to, co powinnam, i zrobię. Zrobię. Masz rację, to on powinien szukać i znaleźć. Masz rację. I na tym na razie poprzestańmy.

– Dobrze, poprzestaniemy. – Connor uśmiechnął się, żeby ją uspokoić. – Chcesz mierzyć jej czas?

– Nie ma pośpiechu. – Branna wzruszyła ramionami, czując ulgę, że mógł, że chciał, porzucić ten temat, dla jej dobra. – Niektóre zadania pozwolą jej nabrać większej pewności siebie, inne będą wymagały trochę wysiłku.

– W takim razie mam ochotę na piwo. A ty?

– Hmm. Chętnie wypiłabym kieliszek wina. Tylko nie dobieraj się do pieczeni, która jest w piekarniku.

– Pieczeń?

– Trzymaj się od niej z daleka. Użyłam zaklęcia czasu, bo nie wiedziałam, jak długo to potrwa. Przynieś butelkę i kieliszek dla Iony. Będzie mogła napić się wina, jak skończy.

Iona wbiegła do pracowni, zarumieniona z dumy, z różdżką w ręku.

– Mam ją.

– Bardzo dobrze. Połóż ją tutaj i znajdź następny przedmiot.

– Już lecę. Naklejasz etykietki. Miałam ci pomóc.

– Starczy pracy i dla ciebie. Athame.

– Racja. – Iona wzięła głęboki wdech i zaczęła od nowa.

Connor popijał piwo i bawił się z psem w przeciąganie sznura, Branna oklejała świece, a Iona biegała tam i z powrotem, znosząc przedmioty z listy.

– Jezu, ta włócznia. – Wniosła broń, udając wojownika. – Jej odnalezienie zajęło mi dwa razy więcej czasu niż poszukiwania całej reszty.

Niezupełnie, pomyślała Branna, ale rzeczywiście długo trwało.

– Widziałam ją i pień, o który była oparta, ale nie mogłam określić, jakie to drzewo. Szukałam chwilę w ogrodzie, potem użyłam czaru pomocniczego.

– Słuszna decyzja. Popracujemy jeszcze nad tym, żebyś z czasem widziała dokładniej.

Iona wskazała głową przedmioty rozłożone na blacie.

– Wszystkie są naprawdę piękne. No dobrze, jeszcze tylko dwa.

Poszukiwanie tarczy trwało tak długo, że już miała zacząć szukać kociołka, ale Branna wyraźnie zaznaczyła, że musi odnajdować przedmioty po kolei, więc oczyściła umysł – co stanowiło nie lada wyzwanie, kiedy w jej głowie kłębiło się tyle myśli – po czym odświeżyła czar.

W końcu znalazła tarczę – o mój Boże, cóż to było za dzieło sztuki – wiszącą w pachnącej ziołami szklarni.

– Dobrze jej poszło – ocenił Connor, głaszcząc psa stopą. – Wziąwszy pod uwagę trudne okoliczności.

– To prawda i rzeczywiście są trudne. A pójdzie jej jeszcze lepiej, kiedy okoliczności się pogorszą.

– Niezłomna optymistka Branna.

– Niezłomna realistka. – Zamknęła pudełko ze świecami, gotowymi do zabrania, i zaczęła ustawiać na półkach te, które zostały.

– Znalazłam. – Iona wniosła kociołek. – Nad twoim pokojem, Branna, na małym strychu, o którym w ogóle nie miałam pojęcia.

– Prawie go nie używamy. A zatem masz już wszystko.

– Tak, wszystko w komplecie. – Iona przesunęła kociołek do reszty odnalezionych przedmiotów. – Każda rzecz jest taka piękna i oryginalna.

– Rzeczywiście. To narzędzia, ale nie widzę żadnego powodu, dla którego nie miałyby być nie tylko praktyczne i użyteczne, ale też piękne. Należą do ciebie.

– Słucham? – Iona wpatrywała się w nią szeroko otwartymi oczami.

– Są twoje. – Branna nalała kuzynce kieliszek wina i jej podała. – Connor i ja wybraliśmy je dla ciebie z tego, co dostaliśmy albo znaleźliśmy sami, kiedy do nas przyjechałaś.

– Ale… – Zaskoczona nie mogła znaleźć słów, które tak często wypływały z jej ust bez zastanowienia.

– Każda czarownica potrzebuje własnych narzędzi – ciągnęła Branna. – A te są najważniejsze. Z czasem sama znajdziesz i wybierzesz pozostałe.

– Najlepiej radzisz sobie z ogniem. – Podszedł do nich Connor. – Dlatego to są twoje symbole. A triquetra oznacza troje w tobie i nas troje. Różowy kryształ na różdżce, ponieważ twoja moc pochodzi z instynktu, z brzucha, a potem unosi się do serca. Krwawnik na mieczu doda ci siły. Na tarczy są kamienie chroniące ciało i umysł. Hematytowe ostrze włóczni wzmaga pewność siebie. – Connor popukał w nie palcem. – I miedziany pentagram, ulubiony symbol Sorchy.

– Nie wiem, co powiedzieć.

– Miecz i tarcza były przekazywane z pokolenia na pokolenie – dodała Branna. – Kubek znalazłam w moim ulubionym sklepie, a Connor przyniósł pentagram. Taka mieszanka nowego i starego.

Łzy, którym nie pozwoliła popłynąć wczoraj wieczorem, trysnęły teraz, prosto z serca. Z wdzięczności.

– Jestem wam wdzięczna bardziej, niż potrafię to wyrazić. Dajecie mi tak dużo, za dużo.

– Wcale nie – zaprzeczyła Branna. – Musisz być przygotowana na to, co nadchodzi.

– Wiem. Miecz. – Ostrożnie wyjęła go z pochwy. – Nie potrafię się nim posługiwać.

– Nauczysz się. Niektóre umiejętności odkryjesz w sobie.

– Niektóre – zgodził się Connor. – Poza tym Fin może cię uczyć, Meara też. Cholernie dobrze włada mieczem. Branna albo ja pomożemy ci z włócznią, ale myślę, że sama dopasuje się do twojej dłoni.

– Ale dopiero jak już wszystko oczyścisz i naładujesz mocą – dodała Branna. – To twoje zadanie. Myślę, że teraz możemy zjeść kolację. Przyda się nam przerwa i coś na ząb. Potem się tym zajmiesz.

– Będę o nie dbała jak o najcenniejszy skarb. Dziękuję. Dziękuję – powtórzyła Iona, biorąc najpierw Brannę, a potem Connora za rękę, łącząc całą trójkę. – Odmieniliście moje życie pod tak wieloma względami.

– Jesteś częścią naszego życia. Chodźcie jeść. Przewidując twój sukces, przygotowałam wyjątkową kolację. Weź swoje wino, nawet go nie ruszyłaś.

– Pewnego dnia odpłacę wam za wszystko, co dla mnie zrobiliście.

– To nie jest i nie może być kwestią odpłaty.

– Masz rację, źle się wyraziłam. Odwzajemnię. Pewnego dnia znajdę sposób, żeby się wam odwzajemnić.

Zaczęła od nakrycia stołu i zabroniła Connorowi choćby zbliżyć się do zlewu po kolacji, kuzyn wcale nie protestował. Jej nastrój, doskonały po spotkaniu z babcią i otrzymaniu tak cennych prezentów, jeszcze się polepszył, kiedy spróbowała przysmaków Branny.

– Boże, jakie to smaczne! Wiem, jestem głodna, ale to jest po prostu wspaniałe. Słowo daję, powinnaś otworzyć własną restaurację.

– Akurat tego nie mam w planach, ani teraz, ani nigdy. Jedzenie jest niezbędne jak narzędzia i również nie widzę powodu, dla którego nie miałoby być smaczne.

– Tak bardzo chciałabym umieć gotować. Koniecznie muszę zacząć się uczyć.

– Jeszcze będziesz miała na to czas, a na razie bardziej są ci potrzebne inne umiejętności. Connor, Frannie ze sklepu mówiła mi, że Fergus Ryan upił się w sztok, a potem wszedł do domu Sheili Dougherty, myśląc, że wchodzi do siebie, a potem rozebrał się do rosołu i padł na kanapie w salonie. Gdzie rano znalazła go niezbyt uradowana jego widokiem

363

Sheila Dougherty, która ma siedemdziesiąt osiem lat i jest złośliwa jak grzechotnik. Wiesz coś o tym?

– Wiem, że Fergus ma podbite oko i wielkiego guza na potylicy od laski pani Dougherty. I że udało mu się tylko złapać jedną ręką buty, drugą osłaniał głowę, kiedy próbował się bronić. W końcu się poddał i wybiegł na dwór, a starsza pani gnała za nim, ciskając przekleństwa i wszystko, co wpadło jej pod rękę.

– Tak myślałam, że coś wiesz. – Branna wzięła kieliszek. – Opowiadaj.

I tak rozmowa zeszła na lokalne plotki, nowinki i interesy. Wspólny posiłek, myślała Iona, sprzątając miski i talerze. Rzadko miała okazję zasiadać w dzieciństwie do wspólnej rodzinnej kolacji, przez co jeszcze bardziej jej takich chwil brakowało.

Dlatego będzie traktowała te momenty jak największy skarb, tak jak narzędzia.

A na razie rozkoszowała się ciszą, ponieważ Branna i Connor poszli na górę, zająć się swoimi sprawami. Czekało ją jeszcze sporo pracy. A jutro naładuje mocą swoje nowe narzędzia.

To był doskonały dzień, pogratulowała sama sobie. Poszła do pracy, spojrzała w twarz Boyle'owi i przetrwała dzień, nie przynosząc sobie wstydu.

To najważniejsze.

I pofrunęła do kuchni babci, jej osobisty gwóźdź programu.

Ćwiczyła czar poszukiwania i dostała bezcenną nagrodę.

A na ukoronowanie dnia zjadła z kuzynami kolację, wśród plotek i śmiechu.

A jutro zmierzy się ze wszystkim, co ono przyniesie.

Żeby zacząć się odwzajemniać, wyczyściła kuchnię na błysk. Kiedy Branna tu wejdzie, pomyślała, patrząc dookoła zmrużonymi oczami, po prostu oślepnie.

Usatysfakcjonowana ruszyła w stronę pracowni, by wykonać ostatnie zadanie tego dnia, kiedy zatrzymało ją pukanie do drzwi.

Innego dnia perspektywa czyjejś wizyty by ją ucieszyła, ale dziś naprawdę chciała już się zająć swoimi narzędziami. Pewnie to jeden z kumpli Connora lub któraś z potencjalnych przyjaciółek, uznała. Jeszcze nie spotkała nikogo, kto nie kochałby Connora, nie szukał jego towarzystwa do zabawy lub ramienia, gdy chciał się wypłakać.

Kiedy otworzyła drzwi, jej powitalny uśmiech zbladł, ponieważ na progu stał Boyle z wielkim bukietem wiosennych kwiatów.

– Och. – Tylko na tyle było ją stać.

Wyglądał tak seksownie, tak pociągająco, z tą wielką, pokrytą bliznami dłonią, zaciśniętą na łodygach, lekko zarumienioną twarzą i oczami pełnymi zawstydzenia i determinacji.

Przestąpił z nogi na nogę i Iona prawie skapitulowała.

– Przepraszam. Muszę ci powiedzieć, jak bardzo mi przykro. To dla ciebie.

– Jakie piękne. – Byłoby lepiej, o wiele lepiej dla niej, gdyby na tym poprzestali. Ale nie mogła zatrzasnąć mu drzwi przed nosem, skoro przyszedł do niej z bukietem i szczerymi przeprosinami. – Dziękuję – powiedziała i wzięła kwiaty. – Naprawdę są piękne.

– Czy pomogą mi wejść na minutę lub dwie?

– Tak. Pewnie. Muszę od razu włożyć je do wody. – Poszła pierwsza do kuchni, używając wszystkich znanych sobie sztuczek, aby uspokoić umysł i serce.

– Ależ tu lśni – zauważył.

– Zaczęłam się rewanżować. – Znalazła spory wazon w kolorze mchu, kuchenne nożyczki do łodyg i odżywkę do kwiatów, zrobioną przez Brannę, i zabrała się do pracy.

– Przepraszam, Iona, że sprawiłem ci przykrość, że cię zraniłem. Ani przez chwilę tego nie chciałem.

– Wiem. – Kwiaty, takie piękne, i ich intensywny zapach, pomogły jej osiągnąć równowagę. – Nie jestem na ciebie zła, Boyle. Już nie.

– Powinnaś być. Zasłużyłem na to.

– Może. Ale tak do końca się nie myliłeś, kiedy zwierzałeś się Finowi. Rzeczywiście popychałam cię w określonym kierunku i wchodziłam ci w drogę.

– Nie jestem mężczyzną, którego można popychać, jeśli tego nie chce. Iona…

– Spodobałam ci się. Wykorzystałam to. Nigdy nie używałam magii.

– Wiem. Wiem. – Przegarnął palcami włosy, próbując znaleźć odpowiednie słowa. – Nie jestem przyzwyczajony do tych wszystkich uczuć, które się we mnie kłębią. Na moment straciłem grunt pod nogami, a ty weszłaś akurat na chwilę przed tym, zanim go odzyskałem. Proszę, daj mi szansę, żebym mógł to naprawić.

– To nie chodzi o to, w każdym razie nie tylko.

Wzajemność i równowaga, pomyślała. Nie osiągnie ich, jeśli nie będzie uczciwa wobec siebie i wobec niego.

– Wszystkie związane z tobą uczucia zalały mnie tak szybko, że po prostu popłynęłam z prądem. Złapałam się ich kurczowo i nie chciałam puścić, nie chciałam, żeby którekolwiek mi się wymknęło. Zawsze pragnęłam to wszystko mieć, potrzebowałam tego jak powietrza. Dlatego weszłam ci w drogę, weszłam ci do łóżka i ani przez chwilę się nie zastanowiłam, że coś może pójść źle.

– Nic nie musi pójść źle. Nic nie poszło – powiedział i ujął ją za ramiona.

– Ale dobrze też nie jest. – Ostrożnie przesunęła się o krok, żeby Boyle jej nie dotykał. – Masz ochotę na piwo? Nawet cię nie zapytałam, czy…

– Nie chcę żadnego cholernego piwa. Chcę ciebie.

Uniosła na niego oczy, te błękitne oczy piękne nawet wtedy, gdy malował się w nich smutek.

– Ale nie chcesz mnie chcieć. Taka jest prawda. A ja nie mogę tego zaakceptować, zadowolić się tym, tak jak zawsze. To nie zaczęło się wczoraj, Boyle. Moi rodzice nigdy tak naprawdę mnie nie dostrzegali, było im obojętne, jestem czy mnie nie ma. A co gorsza, nawet nie zauważali, że zdaję sobie z tego sprawę.

– Przykro mi to mówić, ponieważ chodzi o twoją mamę i twojego tatę, ale wydaje mi się, Iona, że twoi rodzice to straszne dupki.

Roześmiała się cicho.

– Chyba trochę tak. Myślę, że kochają mnie o tyle, o ile potrafią, ale nie dlatego, że chcą. A chłopcy i mężczyźni, w których próbowałam się zakochać? Przez krótki czas też się starali, ale nigdy nie chcieli mnie wystarczająco ani nie chcieli mnie wystarczająco chcieć i wszystko rozchodziło się po kościach, a ja się zastanawiałam, co ze mną jest nie tak. Dlaczego ktoś nie może pokochać mnie bez zastrzeżeń, bez wyjść awaryjnych? I co jeszcze gorsze, czy nie jestem chwilowym zastępstwem, zanim pojawi się ktoś lepszy?

Czy przy nim też tak się czuła? Czy on także się do tego przyczynił?

– Nic nie jest z tobą nie tak i nie jesteś żadnym zastępstwem.

– Staram się w to uwierzyć, ale nie uda mi się, dopóki nie przestanę godzić się na mniej. I to mój problem, moja sprawa. Może tak naprawdę do końca tego nie widziałam, dopóki nie rzuciłeś mi tego w twarz. Metaforycznie – dodała ze swobodnym uśmiechem; naprawdę nie sądziła, że ją na ten uśmiech stać.

Ponieważ Boyle wciąż widział jej twarz – taką, jaką miała wtedy, kiedy stała w stajni, czuł się, jakby ją uderzył.

– Och, Chryste, Iona, dałbym wszystko, żeby móc cofnąć tamte słowa, wepchnąć je sobie z powrotem do gardła, choćbym się miał nimi udusić.

– Nie. Nie. – Na chwilę ujęła jego dłonie i ścisnęła. – Sama muszę się pozbierać. I tym razem rozwiązać problem do samego końca. Ponieważ przedtem, Boyle, przyjęłabym wszystko, co zechciałbyś mi dać. Odwróciłabym to według własnego uznania i przekonała samą siebie, że jest tak, jak powinno. Ale to nie byłoby to. Nie mogę być szczęśliwa, tak naprawdę, bezgranicznie szczęśliwa, godząc się na mniej, niż potrzebuję. A jeśli sama nie będę szczęśliwa, nie mogę uszczęśliwić nikogo innego.

– Powiedz mi, czego potrzebujesz, a ja ci to dam.

– To nie działa w ten sposób. – Boże, kochała go jeszcze bardziej za to, że się starał, że chciał spróbować. – Może to jednak magia. To, dzięki czemu kochamy, potrzebujemy i pragniemy tylko jednej osoby, nikogo innego. Ja chcę tej magii. I nie godzę się na mniej. Przez ciebie. Dlatego w pewien sposób jestem ci wdzięczna.

– Och, tak, może teraz ty powinnaś mi podziękować i dać mi kwiaty.

– Pokazałeś mi, że jestem warta więcej, niż myślałam, i za to jestem ci wdzięczna. To ja się śpieszyłam i ja ponoszę odpowiedzialność za porażkę. Wszystko działo się zbyt szybko, było zbyt intensywne. Nic dziwnego, że poczułeś się osaczony.

– Ja nigdy nie poczułem się... Nie mam pojęcia, dlaczego tak mówiłem.

– Dojdziesz do tego. A na razie kwiaty są piękne i twoje przeprosiny też. – Postawiła wazon na stole. – Chociaż, po namyśle, właściwie mogę ci powiedzieć, czego potrzebuję.

– Zrobię wszystko.

– Chcę nadal pracować dla ciebie i Fina, nie tylko dlatego, że muszę zarobić na życie, ale dlatego, że jestem w tym dobra. I ponieważ kocham tę pracę, a chcę robić to, co kocham.

– To nie podlega żadnej dyskusji. Mówiłem ci.

– I chcę się z tobą przyjaźnić. Nie chcę, żebyśmy czuli się niezręcznie w swoim towarzystwie. To ważne. Nie mogłabym pracować dla ciebie ani z tobą, gdybyśmy chowali do siebie urazę czy żywili inne trudne uczucia. Wtedy musiałabym odejść z pracy, żeby nam obojgu oszczędzić przykrości, przez co byłabym wściekła i smutna.

– Ja nie chowam żadnej urazy. Nie mogę obiecać, że nie będę żywił trudnych uczuć, bo właśnie takie są, poplątane, i zupełnie nie potrafię sobie z nimi poradzić. Gdybyś tylko...

– Nie tym razem. – Nie z tobą, pomyślała, ponieważ z nim już nigdy nie odzyskałabym siebie w całości. – Ja cię nie oceniam. Sama jestem odpowiedzialna za własne uczucia, a ty za swoje. Dojdziesz z nimi do ładu – powtórzyła. – Ale oboje mamy pracę, która jest dla nas ważna, i wspólnych przyjaciół. I co najważniejsze, mamy wspólnego wroga i cel. Nie będziemy mogli zrobić tego, co musimy, jeśli zabraknie nam solidnych podstaw.

– A od kiedy zrobiłaś się taka cholernie logiczna? – mruknął.

– Może uczę się od Branny. Ona tak wiele dla mnie zrobiła, pokazała mi więcej, niż kiedykolwiek mogłam sobie wyobrazić. Mam swoje dziedzictwo i zamierzam być mu wierna. Będę za nie walczyć. I zamierzam być wierna sobie.

– A zatem mamy razem pracować, walczyć i być przyjaciółmi? To wszystko?

Uśmiechnęła się do niego.

– Dla wielu ludzi to bardzo wiele. I nie odmawiam ci seksu w ramach kary.

– Nie miałem na myśli… chociaż, jak o tym wspomniałaś, to rzeczywiście trochę tak wygląda. To nie był tylko seks, Iona. Nie myśl w ten sposób.

– Nie, nie był. Ale w tej kwestii też się pospieszyłam. Skoczyłam, jak to ja, na główkę na głęboką wodę.

– Podobał mi się twój skok. Ale jeśli tego właśnie potrzebujesz, zostaniemy przyjaciółmi. – Na razie, dodał w myślach.

– To dobrze. Chcesz teraz to piwo?

Prawie już przyjął propozycję, żeby zyskać trochę więcej czasu, a może nieco rozmyć ostrą linię, którą narysowała między nimi. Ale Iona już mu powiedziała, czego od niego potrzebuje, i on jej to da.

– Lepiej już pójdę. Wygląda na to, że mam wiele spraw do przemyślenia.

– Równie dobrze możesz zacząć od razu.

– Sam wyjdę i do zobaczenia rano. – Ruszył do drzwi, ale odwrócił się i popatrzył na nią. Była taka jasna i śliczna, gdy tak stała obok tych kolorowych kwiatów.

– Zasługujesz na wszystko, Iona, i ani odrobinę mniej.

Kiedy zamknęły się za nim drzwi frontowe, Iona zamknęła oczy. Tak trudno było jej trwać w swoim postanowieniu, robić i mówić to, co właściwę, gdy tak bardzo bolało ją serce. Kiedy jej serce pragnęło zadowolić się tym, co niepełne.

– Nie z nim – szepnęła. – Może z każdym innym, ale nie z nim. Ponieważ... on jest tym jedynym.

Postanowiła, że zostawi bukiet na stole, aby wszyscy mogli się nim cieszyć. Jednak zanim poszła do pracowni, by oczyścić narzędzia, znalazła smukły, wąski wazon i włożyła do niego trzy kwiaty – magiczna liczba – które zaniosła do swojego pokoju, by móc patrzeć na nie przed zaśnięciem. I zobaczyć je, gdy się rano obudzi.

ROZDZIAŁ DZIEWIĘTNASTY

Wiosna przyszła do Mayo przez zielone lasy i puszyste wzgórza. Przyniosła ze sobą miękki, ale uporczywy deszcz. Dzikie kwiaty wysuwały się z ziemi i otwierały, aby pić, ogrody rozkwitały feerią barw. Na polach beczały jagnięta, kaczki gromadziły się na jeziorach, a lasy wypełniał śpiew ptaków.

Iona wraz z kuzynami siała kwiaty, warzywa i zioła, skrobała błoto z butów, spędzała długie godziny w stajni i jeszcze dłuższe na szlifowaniu swojego daru.

Przyszło i minęło Beltane, ze słupami majowymi i pieśniami, a letnie przesilenie zbliżało się wielkimi krokami.

Dni stawały się coraz dłuższe. Iona często wstawała przed świtem i pracowała długo w noc, wykorzystując energię, która ją napędzała.

W deszczu i błocie uczyła się władać mieczem.

Chociaż nigdy sobie nie wyobrażała, że naprawdę będzie musiała walczyła na miecze, lubiła czuć ciężar broni w ręku i podobało jej się, że – mała acz silna – potrafiła zadawać i blokować ciosy.

Oczywiście nigdy nie znajdzie się w lidze Meary. Jej przyjaciółka, z włosami splecionymi w warkocz i mieczem w dłoni, jeszcze bardziej przypominała wojowniczą księżniczkę. Ale Iona też się uczyła – uników, pracy nóg, manewrów.

Za cienką zasłoną, wyczarowaną przez Brannę, Iona atakowała i broniła się przed ciosami Meary, która niezmordowanie spychała ją w tył. Miecze śpiewały, Meara wykrzykiwała obelgi i instrukcje, a Branna siedziała na ogrodowej ławce jak egzotyczna pani domu i spokojnie obierała ziemniaki na kolację.

– Przyłóż się trochę do tego!

– Przykładam się! – Zirytowana Iona, którą naprawdę zaczynało boleć ramię, przeniosła ciężar ciała na drugą nogę i spróbowała zaatakować.

– Atakuj mnie, do jasnej Anielki! Mogłabym podcinać ci ręce i nogi jak Czarnemu Rycerzowi w *Montym Pythonie*.

– To tylko rany cielesne. – Ionę złapał nagły chichot, który ją rozproszył, a Meara natarła na nią jak demon.

– Uważajcie na… – Branna westchnęła z żalem, kiedy Iona potknęła się i upadła tyłkiem prosto w wielką kępę niebieskiej lobelii. – No trudno.

– Au. Przepraszam.

– Całkiem nieźle opanowałaś podstawy. – Meara schowała miecz do pochwy i podała dłoń Ionie, żeby pomóc jej wstać. – I przyjmujesz porażki jak kobieta. Jesteś dosyć szybka i zwinna, dość wytrzymała, ale nie masz charakteru zabójcy, dlatego zawsze znajdą się lepsi od ciebie.

Iona roztarła obolałą pupę.

– Nigdy nie planowałam zabójstwa.

– Plany się zmieniają – zauważyła Branna. – A teraz napraw te kwiaty, skoro to twój zadek je zniszczył.

– Już. – Iona odwróciła się do lobelii i zaczęła zastanawiać.

– Nie. – Branna pstryknęła palcami. – Nie zatrzymuj się, żeby pomyśleć, tylko działaj.

– Chciałam złapać oddech.

– Możesz nie mieć na to czasu. Miecz, magia i umysł, by połączyć je razem. Działaj.

Iona wyciągnęła dłonie, słuchając bardziej instynktu niż rozumu. A pogniecione kwiaty wstały.

– Troszkę je podrasowałam przy okazji.

– Właśnie widzę. – Branna z bladym uśmiechem schowała obieraczkę.

– Marzę o prysznicu i piwie. Nie, o piwie najpierw.

– Zrobimy jeszcze jedną rundę i wtedy dostaniesz piwo – orzekła Meara. – Teraz idź na całość. Branna ci nie mówiła, że zaczarowała ostrza? Są równie tępe jak nasza nauczycielka biologii z podstawówki. Pamiętasz ją, Branna?

– Niestety, tak. Panna Kenny, która potrafiła rozsadzić przyjaciółki za jedno nieżyczliwe spojrzenie i nudziła tak potwornie, że aż topił ci się mózg.

– Słyszałam, że przeprowadziła się do Donegal i wyszła za sprzedawcę ryb.

– Współczuję mu. – Branna wzięła miskę ziemniaków i wiadro z obierkami. – Zabiorę to i przyniosę piwo, kiedy będziecie się cięły na plasterki.

Ociągając się, ponieważ naprawdę musiała złapać oddech, Iona oglądała swój miecz.

– Tak naprawdę chyba nie sądzisz, że będziemy musieli w ten sposób walczyć z Cabhanem?

– Nigdy nie wiadomo, prawda? A ponieważ ja nie mam tego co wy, to może być moja jedyna broń, kiedy nadejdzie czas.

– W ogóle nie wyglądasz, jakbyś się bała.

– Znam tę legendę przez całe życie, a krwawe szczegóły usłyszałam, kiedy spotkałam Brannę, czyli wieki temu. To po pierwsze. A po drugie... – Meara rozejrzała się dookoła, przesunęła wzrokiem po młodych roślinach, po zeszłorocznych pnączach, które płożyły się i wiły po ziemi i lasach za ogrodem, majaczących w półmroku deszczowego wieczoru.

– To nie wydaje się rzeczywiste, prawda? Że w dzień przesilenia spróbujemy położyć temu kres wszelkimi środkami, jakie będą nam dostępne. Krwią i magią, mieczem i kłami. To nie jest prawdziwe życie, tylko opowieść. A jednak jest. Chyba jeszcze nie do końca to do mnie dociera. Poza tym, kiedy nadejdzie czas, będę z ludźmi, którym ufam najbardziej na świecie. Dlatego nie czuję strachu. Jeszcze nie.

– Chciałabym mieć to już za sobą. Czasami wieczorem myślę: Och, żeby to stało się już jutro, żeby było za nami, a potem rano dziękuję Bogu, że to jeszcze nie dzisiaj, że mam jeszcze jeden dzień. Nie, żeby ćwiczyć, uczyć się, ale...

– Żeby żyć.

– Żyć, być tutaj. Jeździć na Alastarze, pracować, spędzać czas z Branną i Connorem, z tobą i...

– Boyle'em.

Iona wzruszyła ramionami i prawie udało jej się zachować beztroski ton.

– Lubię spędzać z nim czas. Myślę, że naprawdę dobrze poradziliśmy sobie z tą sytuacją. Przyjaźń okazała się najlepszym rozwiązaniem.

– Och, co za bzdury. Oczywiście, jesteście przyjaciółmi, ale to nigdy wam nie wystarczy. Wy dwoje wytwarzacie tak gęstą atmosferę, pełną seksu, pożądania i emocji, że nie mam pojęcia, jakim cudem którekolwiek z nas jeszcze coś widzi w tej mgle.

– Ja nic nie wytwarzam.

– Ależ oczywiście, że tak. Nie sądzę, aby zakochana kobieta mogła coś na to poradzić. Zresztą on nie pozostaje ci dłużny. – Meara wyrzuciła ręce w powietrze na myśl, że kolejni ludzie, na których jej zależało, nie mogli po prostu sięgnąć po to, czego pragnęli najbardziej. – Iona, ten facet przyniósł ci wielki bukiet, a chyba jedynymi kobietami, które wcześniej dostawały od niego kwiaty, były jego mama i babcia. I czyż mała lodówka nie jest pełna twoich ulubionych napojów?

– W sumie, skoro o tym wspomniałaś…

– A jak myślisz, kto o to zadbał? A kto nie dalej jak wczoraj przyniósł ci grillowaną kanapkę, kiedy nie miałaś czasu na przerwę na lunch?

– Zrobiłby to samo dla każdego.

Meara przewróciła oczami.

– Ale zrobił dla ciebie. I może nie słyszałam na własne uszy, jak kilka dni temu powiedział ci w pubie, że ładnie wyglądasz w tym niebieskim swetrze? A kto zadbał, żebyś nie siedziała tam w przeciągu?

– Ja… nie zauważyłam.

– Ponieważ bardzo się starasz niczego nie zauważać. Całkowicie poświęcasz się pracy i nauce, żeby nie mieć czasu na myślenie o nim, ponieważ ci to sprawia ból. A jednocześnie kompletnie oślepłaś i nie chcesz widzieć, że ten facet cię podrywa. On za tobą szaleje.

– Nieprawda. – Serce, nad którym tak długo pracowała, lekko zadrżało. – A może prawda?

– Zacznij zwracać na to uwagę – poradziła jej Meara. – A teraz zaatakuj mnie tak, jakbyś naprawdę chciała zrobić mi krzywdę. – Dobyła miecza. – Masz zasłużyć na to swoje piwo.

Następnego dnia Iona zaczęła zwracać uwagę, choć tylko trochę. Wiedziała, że często pozwala, by nadzieja zwyciężyła nad zdrowym rozsądkiem. Cała logika, rozum i instynkt samozachowawczy mogły zniknąć – i zwykle tak się działo – jak dym w jasnym świetle nadziei.

Nie tym razem, ostrzegła samą siebie. Stawka jest zbyt wysoka. Ale może zwrócić uwagę, tylko trochę, jeśli będzie na co.

Boyle przyprowadził jej Alastara i trudno było tego nie zauważyć. Wolała jechać na koniu, niż go przewozić w przyczepie, której nie cierpiał.

– Pomyślałem, że możesz go dzisiaj potrzebować, skoro masz w grafiku trzy wycieczki.

– Zawsze go potrzebuję. – Przytuliła policzek do pyska ogiera i spojrzała z ukosa na Boyle'a. – Dziękuję, że o tym pomyślałeś.

– Och, to żaden kłopot, a jemu przyda się trochę ruchu. Zamierzam wziąć na jutro dwa konie, więc będę wracał do stajni na Cezarze, jeśli ty chcesz wrócić na nim. Potem mogę odwieźć cię do domu, jeśli zechcesz.

– Bardzo chętnie.

W jego głosie nie było słychać nic oprócz przyjaźni, pomyślała, tak jak ustalili. A mimo to…

– Zaprowadzę go na padok, zanim pojawi się pierwsza grupa.

Wzięła wodze i odruchowo rozmasowała obolałe ramię.

– Coś ci się stało?

– Słucham? Nie. To tylko otarcie. Od miecza – dodała trochę zalotnie, markując cios. – Meara jest brutalna.

– Ma dziewczyna zapał. Dlaczego sobie tego nie wyleczyłaś? Albo nie poprosiłaś Connora?

– Ponieważ przypomina mi to, żebym nie opuszczała gardy.

Odprowadziła konia, surowo zabraniając sobie oglądania się na Boyle'a. Ale czuła na sobie jego spojrzenie. I czyż nie byłoby interesujące pozwolić, by zajaśniał choć mały promyczek nadziei?

Boyle nie szczędził jej pracy, więc miała zajęcie – dla rąk i umysłu – aż do późnego popołudnia, kiedy znowu zakłócił jej równowagę, przynosząc butelkę coli, którą lubiła.

– Dzięki.

– Uznałem, że powinnaś zwilżyć sobie gardło. Pewnie wyschło ci na wiór po tych wszystkich uwagach, jakie wykrzykiwałaś do uczennicy.

– Ona jest bardzo młoda. – Iona z wdzięcznością wypiła duży łyk. – I lubi jeździć, tylko nie bardzo chce się przykładać do nauki. Myślę, że najbardziej podobają jej się stroje do jazdy i to, jak wygląda na koniu.

– Jej rodzice się rozwodzą.

– Och, to musi być dla niej trudne. Ma dopiero osiem lat.

– Z tego, co słyszałem, na ten rozwód zbierało się już od dłuższego czasu. I wygląda na to, że rodzice w ramach rekompensaty rozpieszczają tę małą i jej brata. Ją drogimi butami i strojami do jazdy konnej, a jego grami wideo i sportowymi ciuchami.

– To się nie uda.

– Nie, raczej nie. Zastanawiałem się, czy miałabyś chwilę, żeby zerknąć na naszą Pyrę. Nic dzisiaj nie tknęła. Pomyślałem, że mogłabyś na nią spojrzeć, zanim zadzwonię po weterynarza.

– Już idę. Nie pracowałam z nią dzisiaj – powiedziała, schodząc z areny. – A rano widziałam ją tylko przelotnie.

Poszła z Boyle'em do boksów i zatrzymała się przed Pyrą.

Klacz spojrzała na nią ze smutkiem, nerwowo przestępując z nogi na nogę.

– Nie czujesz się dziś zbyt dobrze, co? – zamruczała Iona, otwierając drzwiczki. – Zobaczmy, co ci jest.

W odpowiedzi Pyra kopnęła się w brzuch.

– Tu cię boli, tak? – Bardzo delikatnie przesunęła dłońmi po jej bokach i brzuchu.

Zamknęła oczy, uspokoiła umysł i pozwoliła sobie widzieć, czuć.

– Na szczęście to nie kolka. I nie wrzody żołądka. Ale coś ci dokucza, prawda, kochanie? I nie możesz robić tego, co lubisz najbardziej. Jeść.

– Nie mogłem nawet skusić jej ziemniakiem, a to jej przysmak.

– Nie poci się – zauważyła Iona. – Tarzała się po ziemi?

– Nie. Po prostu prawie nic nie zjadła.

– Niestrawność. – Przypadłość, którą Boyle mógł bez trudu zdiagnozować sam, uznała. Jednak teraz byli tu razem w boksie, blisko siebie, muskając się od czasu do czasu ramionami, gdy głaskali konia. – Mogłabym ją wyleczyć, jeśli mi pozwolisz.

– Oczywiście, a co więcej, ona ci na to pozwoli. Nie przepada za weterynarzem. A jeżeli to tylko niestrawność, to zawsze możemy podać jej leki, chociaż za tym też nie przepada.

– Zobaczmy, czy uda się tego uniknąć. Czy możesz potrzymać jej łeb?

Boyle wziął klacz za uzdę, a Iona ukucnęła i zaczęła przesuwać dłońmi po brzuchu Pyry.

– Boli cię – powiedziała cicho. – Tak trudno zrozumieć ból. Jadłaś za szybko, to wszystko. Jedz wolniej i ciesz się posiłkiem. A teraz spokojnie, spokojnie.

Przez chwilę czuła pieczenie w żołądku, gdy usuwała ból Pyry, ale klacz wyraźnie się rozluźniła pod jej dłońmi i parsknęła z ulgą.

– O, widzisz, już lepiej. I założę się, że już myślisz o jedzeniu.

Wstała i zobaczyła, że Boyle się w nią wpatruje.

– Kiedy to robisz, lśnisz cała – powiedział. – To niesamowite.

– I dziwne, bo teraz mogę to robić z takim spokojem. A po tak małej dawce nawet nie jestem głodna. Nie zaszkodzi dodać jej trochę homeopatycznego leku do paszy, tak na wszelki wypadek.

– Oczywiście, zajmę się tym i dziękuję. Wiesz, że Pyra jest jedną z naszych ulubienic. – Nadal stał przy łbie klaczy, blokując wyjście z boksu. – I jak się czujesz, Iona?

– Och, doskonale. A ty?

– Bardzo dobrze. Chociaż, jak sama wiesz, wiosną mam więcej pracy.

– A potem nadejdzie lato.

– A potem nadejdzie lato. Znowu mamy wszyscy się spotkać za jakieś dwa dni, żeby o tym porozmawiać. Zastanawiałem się, czy w związku z tym mógłbym coś dla ciebie zrobić? Gdybyś potrzebowała trochę wolnego, żeby... zająć się tym, co robisz w domu, poświęcić temu więcej czasu.

– Praca w stajni pozwala mi pozostać przy zdrowych zmysłach. Zachować równowagę. Codzienna rutyna i świadomość, że będę chciała tu wrócić, kiedy wszystko się skończy.

– Gdybyś kiedykolwiek potrzebowała urlopu, tylko mi powiedz.

– Powiem.

– Mogę postawić ci piwo za poradę weterynaryjną... jako przyjaciel – dodał. – Po pracy, jeśli będziesz miała ochotę.

Każdemu by to zaproponował, upomniała samą siebie Iona. Ale...

– Bardzo chętnie, ale Branna będzie na mnie czekać. Jest równie wymagająca jak Meara. Przesilenie zbliża się wielkimi krokami.

– Tak, nie zostało wiele czasu. To ci ciąży.

– Ciąży mi niepewność, to, że nie wiem, co dokładnie będę musiała zrobić, do czego jestem przeznaczona. Zarówno Branna, jak i Connor stanowczo zabronili mi zbliżać się do ruin przed przesileniem. Wydaje im się, że za pierwszym razem zaczerpnę stamtąd najwięcej, i nie chcą tego zmarnować.

– Powiedziałabyś mi, gdybyś... miała jeszcze jakieś sny albo spotkała się z nim?

– Nic się nie działo. To też mi ciąży. On nas obserwuje, czuję to. Ale z oddali. – Zadrżała i roztarła ramiona.

– Nie chciałem popsuć ci humoru.

– To nie twoja wina. To przez to czekanie.

– Czekanie – powtórzył, kiwając powoli głową. – Nigdy nie jest łatwe. Iona, chciałbym... – Mick przerwał mu, stukając podkutymi butami po cemencie.

– Tu jesteś. Chciałem zapytać, czy... – Przeniósł wzrok z Iony na Boyle'a i sięzarumienił. – Przepraszam. Przeszkadzam wam.

– Nie, nie przeszkadzasz. – Boyle zaszurał nogami i odwrócił się ku niemu. – Właśnie skończyliśmy z Pyrą.

– Dam jej lekarstwo i wypiszę dawkę – zaproponowała Iona.

– Dzięki.

Została sama i oparła się o konia.

– On zaczyna rozmowy – zdała sobie sprawę. – Nigdy wcześniej tego nie robił, ale zaczyna rozmowy, odkąd... I kupił mi colę. – Wyszła z boksu, wzięła butelkę, którą zostawiła na korytarzu, i wypiła łyk. – Do diaska, Pyra, on chyba się do mnie zaleca. I zupełnie nie mam pojęcia, jak sobie z tym poradzić. Nigdy wcześniej nikt mnie nie podrywał.

Z westchnieniem popatrzyła na butelkę, którą trzymała w dłoni. Wystarczyła jedna cola, pomyślała, by poruszyć moje serce. Czyżbym była aż tak łatwowierna? I co dalej?

Po prostu... zobaczysz, co się będzie dalej działo, poradziła samej sobie i poszła po lekarstwo dla Pyry.

Tak naprawdę nic się nie działo – rozmowy, drobne przysługi, niezobowiązujące propozycje pomocy. Boyle nie próbował niczego więcej. I bardzo dobrze, uznała Iona, pomagając Brannie przy kolacji dla całej szóstki. Przecież dokładnie to miała na myśli wtedy, kiedy przyszedł z kwiatami, żeby ją przeprosić.

Chociaż raz w życiu zamierzała zachować się rozsądnie i rozważnie popatrzeć we wszystkie strony, zanim skoczy.

– Myślisz tak głośno, że zaraz rozboli mnie głowa – poskarżyła się Branna.

– Przepraszam. Przepraszam, ale nie mogę przestać. No dobrze, już włączam pauzę. Nigdy nie robiłam ziemniaków pod pierzynką. Nawet nie próbowałam takich z pudełka.

– Nie wspominaj w tej kuchni o ziemniakach z pudełka.

– Wymknęło mi się. Dobrze to robię?

– Kładź po prostu warstwa po warstwie, jak ci pokazałam. – Branna mieszała zalewę, którą chciała polać szynkę piekącą się w piekarniku.

– Wyszukany posiłek jak na naradę wojenną.

– Miałam nastrój. Pewnie teraz już długo mi się to nie przydarzy i cały tydzień będziemy jedli zimną szynkę.

Iona skrupulatnie posypała mąką kolejną warstwę ziemniaków w plasterkach.

– Myślałam o Boyle'u.

– Doprawdy? Nigdy bym nie zgadła.

Za jej plecami Iona przewróciła oczami, dodała soli i pieprzu i wyjęła masło.

– Skąd mam wiedzieć? Jak mogę być pewna, ciągle się nad tym zastanawiam. Czy jemu po prostu brakuje seksu i może pod pewnym względem też towarzystwa? Albo czuje się winny, ponieważ mnie zranił, i stara się być miły, żeby mi to wynagrodzić, zachowuje się po przyjacielsku, bo go o to prosiłam? A jeżeli zależy mu na mnie bardziej, niż mi się wydawało?

– Nie powinnaś się mnie radzić w kwestiach serca. Niektórzy mówią, że w ogóle go nie mam.

– Nikt, kto cię zna, nie mógłby tak powiedzieć.

A jednak niektórzy tak mówili i czasami Branna żałowała, że nie mieli racji.

– Nie znam się na mężczyznach, Iona. Za każdym razem, kiedy myślę, że już ich rozgryzłam, robią coś tak nieprzewidywalnego, że znowu znajduję się w punkcie wyjścia. Rozumiem mojego brata, ale brat to zupełnie inna sprawa.

– Miłość nie powinna być trudna.

– I tu się mylisz, moim zdaniem. Miłość powinna być najtrudniejsza na świecie, wtedy ludzie nie dawaliby jej ani nie odbierali z taką łatwością.

Podeszła, żeby sprawdzić postępy Iony.

– No cóż, zajęło ci to trochę czasu, bo kładłaś każdy plasterek z taką precyzją, jakby to był materiał wybuchowy. Ale skończyłaś. Polej teraz ziemniaki gorącym mlekiem.

– Tak po wierzchu?

– Tak, i nie dozuj kropla po kropli. Wlej mleko do środka, zakryj naczynie pokrywką, wstaw do piekarnika. Ten etap oszacowałam na pół godziny.

– Już się robi. – I jakby rzeczywiście zapiekanka miała wybuchnąć, Iona wydała westchnienie ulgi, kiedy wstawiła ją do pieca obok szynki.

– Wiesz, że one obie nie powinny tam się zmieścić.

– Ale się mieszczą, bo ja tak chcę. Myślę, że teraz przygotujemy zieloną fasolkę, którą zamroziłam w zeszłym roku, a potem… Ktoś przyjechał – powiedziała, usłyszawszy warkot samochodów. – Zobaczmy, kto to i jak możemy zapędzić go do roboty.

– Jestem za. Wiesz – ciągnęła Iona, idąc z Branną do drzwi wejściowych – wydaje mi się, że powinnam nauczyć się gotować jeden naprawdę dobry posiłek, znaleźć jedną potrawę i zrobić z niej swoje popisowe danie. „Och, Iona zrobiła swój szponder". Nawet nie bardzo wiem, co to „szponder", ale mógłby się stać moim popisowym daniem.

– Doskonały plan.

Branna otworzyła drzwi. Przed domem stała Meara obok swojej furgonetki, Fin wysiadał ze swojej, a Connor i Boyle usiłowali się wydostać z jaskrawoczerwonego mini.

– Jaki słodki obrazek. – Roześmiana Iona podeszła bliżej. – Jakim cudem wy dwaj tam się zmieściliście?

– To stanowiło pewne wyzwanie – przyznał Connor. – Zresztą prowadzenie też, bo przez całą drogę Boyle miał kolana między uszami. Ale autko dobrze sobie radzi na drodze, silnik chodzi bez zarzutu. Tylko wielkość bardziej dla ciebie niż dla nas.

– Wsiadaj i sprawdź – zachęciła Meara.

Iona posłusznie wsiadła do samochodu, położyła dłonie na kierownicy.

– Zdecydowanie mój rozmiar. Czy to od tego przyjaciela, o którym mi mówiłeś? – spytała Connora. – Jest piękny. Naprawdę cudowny, ale nie sądzę, żeby było mnie na niego stać.

– Ale auto ci się podoba? – upewnił się Connor. – Wygląd, kolor, to, jak się w nim siedzi i tak dalej?

– A co tu mogłoby mi się nie podobać? – Oczami duszy widziała już samą siebie, jak pędzi po okolicznych drogach niczym czerwona rakieta. – Jest po prostu idealne. Myślisz, że mógłby przytrzymać go dla mnie, pozwoliłby mi zapłacić część teraz, a resztę potem?

– Być może, ale auto jest już sprzedane. – Connor zerknął na Brannę, która skinęła głową. – Wszystkiego najlepszego z okazji urodzin.

– Słucham?

– Connor z Boyle'em znaleźli samochód, a my wszyscy się na niego złożyliśmy. To twój prezent urodzinowy – wyjaśniła Branna. – Myślisz, że nie wiedzieliśmy, że masz dzisiaj urodziny?

– Ja nie… Myślałam, że mamy teraz ważniejsze sprawy… ale wy tak po prostu nie możecie… Samochód? Nie możecie!

– Już to zrobiliśmy – odparł Connor. – A o urodzinach trzeba pamiętać bez względu na wszystko. Jesteśmy kręgiem, Iona. Chyba nie sądzisz, że mogliśmy zapomnieć o twoich urodzinach.

– Ale to jest samochód.

– Który ma ponad dziesięć lat i szczerze mówiąc, w wilgotne poranki świszcze jak astmatyk. Czyli prawie codziennie – zauważył Fin. – Ale powinien ci wystarczyć.

Iona zaczęła jednocześnie śmiać się i płakać. Objęła serdecznie Connora, który stał najbliżej, a potem uściskała wszystkich po kolei.

Kiedy przytuliła się do Boyle'a, gdy objęła go mocno, on z całych sił starał się, by odwzajemnić jedynie przyjacielski uścisk, by nie wziąć ani odrobiny więcej.

– Nie wiem, co powiedzieć. Nie wiem, jak to powiedzieć. Taki cudowny prezent! Więcej niż cudowny. Tak bardzo wam dziękuję. Wam wszystkim.

– Będziesz musiała wypełnić kilka dokumentów – powiedział Fin – ale to może poczekać. A teraz chyba czas na jazdę próbną, prawda?

– Muszę się nim przejechać. Muszę go poprowadzić.

– Iona znowu roześmiała się i obróciła w koło. – Ktoś musi ze mną pojechać. Kto na ochotnika?

Wszyscy mężczyźni cofnęli się o krok jak jeden mąż.

– Tchórze – podsumowała zniesmaczona Meara. – A co ty powiesz, Branna? Zmieściłybyśmy się we dwie.

– Pewnie tak, ale mam obiad w piekarniku.

Meara tylko prychnęła.

– Cóż, ja się nie boję. Jadę z tobą, Iona.

Wsiadła do auta i poczekała, aż Iona usiądzie za kierownicą.

Iona uruchomiła silnik i przez chwilę wierciła się na siedzeniu, żeby znaleźć odpowiednią pozycję. Trzykrotnie spróbowała ruszyć – zrywała się do przodu, lecz silnik gasł – aż w końcu wystrzeliła na drogę i popędziła slalomem w siną dal.

– O mój Boże! – westchnął słabo Boyle.

– Mówiłem ci, że rzuciłem na samochód czar ochronny – przypomniał mu Connor. – Ona musi tylko trochę poćwiczyć, w końcu jest jankeską. Nasz Fin wniósł wkład w postaci kilku butelek szampana, a ponieważ to Fin, szampan jest wymyślny i francuski. Może, zanim wrócą, opróżnimy butelkę.

– Mamy do omówienia poważne sprawy – przypomniała mu Branna – o których nie powinno się dyskutować po francuskich bąbelkach.

– To jej urodziny.

– No dobrze. – Branna skapitulowała z westchnieniem. – Jedna butelka chyba nam nie zaszkodzi.

– A jednak powinnam była się bać – mruknęła Meara do Connora, kiedy wróciły, a Fin strzelił pierwszym korkiem. – Ona jest fatalnym kierowcą.

– Potrzebuje tylko praktyki.

– Niech bogowie sprawią, abyś miał rację, bo myślałam, że nas wykończy na pierwszym kilometrze. Mimo wszystko warto było. Ona zupełnie się tego nie spodziewała. Nie tylko prezentu, ale i całej reszty.

– Mamy też tort.

– Ani przez chwilę w to nie wątpiłam. – Poddając się nastrojowi chwili, uścisnęła go mocno.

Connor objął ją, zanim zdążyła się odsunąć, i wykonał taneczny krok. Meara roześmiała się i zrobiła to samo, po czym sięgnęła po kieliszek, który podał jej Fin.

– To na pewno mi się przyda.

– Pozwólcie mi wznieść toast – ogłosiła Iona. – Wymyśliłam już, co chciałabym wam powiedzieć, ponieważ zwykłe „dziękuję" w tej sytuacji nie wystarczy. Wy wszyscy jesteście moi i to dar, który zawsze będę cenić. Każde z was jest dla mnie przyjacielem i członkiem rodziny, bardziej prawdziwym, niż kiedykolwiek mogłam sobie wymarzyć. Dlatego wypijmy za nas, wszystkich razem.

Upiła łyk.

– Och Boże, jaki pyszny!

– Doskonały toast przy doskonałym szampanie. – Branna otworzyła szafkę i wyjęła z niej zapakowany prezent. – A to od twojej babci. Prosiła, żebym ci to dała.

– Och, babciu! – Wniebowzięta Iona odstawiła kieliszek na bok, otworzyła pudełko i wyjęła sweter w bajecznych odcieniach błękitu. – Na pewno sama go zrobiła

– szepnęła, przytulając policzek do wełny. – Jaki miękki. Zrobiła go dla mnie.

Znalazła urodzinową kartkę i otworzyła.

Dla mojej Iony. W każdy ścieg wplotłam miłość i nadzieję. Noś go, kiedy będziesz chciała czuć się pewna siebie i silna. Z życzeniami szczęścia na dziś i na zawsze.

Kocham Cię.

Babcia

– Ona nigdy nie zapomina.

– Włóż go – zachęciła ją Meara. – Nigdy nie widziałam piękniejszego swetra.

– Świetny pomysł. Zaraz wracam.

– A jak wrócisz, zaczniemy – powiedziała Branna. – Zanim jedzenie będzie gotowe, zdążymy porozmawiać o przesileniu i naszych planach. Skończymy z tym wszystkim raz na zawsze – dodała – i w następne urodziny Iony będzie już tylko przyjaźń, jedzenie i wino. I to prezent dla nas wszystkich.

– Dobrze powiedziane – mruknął Fin. – Włóż sweter, on przybliży do nas twoją babcię. My z Branną osłonimy dom, aby żadne oko, żadne ucho, żaden umysł poza naszymi nie wiedział, co tu dziś wieczorem robimy, mówimy i myślimy.

Rozdział dwudziesty

Wykorzystali światło, nie ciemność, aby osłonić dom i wszystko, co się w nim znajdowało. Jeżeli Cabhan postanowił ich obserwować – jako cień, człowiek czy wilk – zobaczy jedynie światło i kolory, usłyszy tylko muzykę i śmiech.

To go znudzi, wyjaśniła Branna, albo zirytuje. Pomyśli, że kiedy on knuje spisek, oni się tylko bawią.

– W najdłuższy dzień, o wschodzie księżyca, stworzymy krąg na ziemi, na której żyła i umarła Sorcha – mówiła otulona ciepłym światłem świec.

Zapachy jedzenia, cichy trzask ognia, miarowy oddech śpiącego pod stołem psa – wszystko to tworzyło zwyczajne tło dla rozmowy o niezwyczajnych sprawach.

I o to właśnie chodziło, pomyślała Iona.

– To Fin musi go poszukać, zwabić. Krew do krwi.

– Ty nadal we mnie wątpisz.

Branna pokręciła głową.

– Nie wątpię. No może odrobinę – przyznała. – Ale nie na tyle, żeby się wycofać. Rozumiem, że to, czego musimy dokonać, nie może i nie powinno się odbyć bez ciebie. Czy to nie wystarczy?

– Będzie musiało, prawda?

Ich oczy spotkały się na bardzo długą chwilę. Iona czuła tysiące słów, miriady niewypowiedzianych emocji, przepływające między nimi. Tylko między nimi.

– Sprowadzę go – powiedział Fin, przerywając magiczną chwilę.

– Meara i Boyle pod żadnym pozorem nie mogą wyjść poza krąg. Nie tylko po to, żeby chronić siebie – Branna zwróciła się do nich – ale też żeby wzmocnić jego działanie. I Fin też nie może go opuścić.

– Do diabła...

– Fin, nie wolno ci – przerwał mu Boyle. – Kiedy zostaniesz w kręgu, Cabhan nie będzie mógł użyć tego, co nosisz w sobie, ani przeciwko tobie, ani przeciw nam. A twoja moc uchroni krąg przed jakimkolwiek uszczerbkiem.

– Czworo z nas na zewnątrz będzie silniejsze niż troje.

Branna spojrzała na niego i uniosła dłonie, wnętrzem do góry, a płomienie świec rozbłysły.

– Troje to my. W nas płynie jej krew i to nasze zadanie.

– Zostanę w kręgu – zgodził się Fin – o ile lub dopóki nie uznam, że będę bardziej skuteczny na zewnątrz. Nic więcej nie mogę wam obiecać.

– No dobrze – zgodził się Connor, przenosząc spojrzenie z niego na siostrę. – W takim razie umowa stoi.

Branna zaczęła coś mówić, ale umilkła i westchnęła.

– Umowa stoi.

– Musimy zabrać naszych przewodników – przypomniała Iona.

– Tak. – Branna wyciągnęła spod swetra amulet, przesunęła kciukiem po wyrytym na nim psie, do złudzenia przypominającym Kathela. – Koń, pies, sokół. Oraz broń i narzędzia. Od dłuższego czasu pracuję nad pewnym zaklęciem i myślę, że to jest to, ale zadziała tylko wtedy, jeśli zwabimy naszego przeciwnika w odpowiednie miejsce w odpowiednim czasie. I tak będziemy potrzebowali jego krwi, żeby przypieczętować ten czar.

– Jaki to czar? – chciał wiedzieć Fin.

– Taki, nad którym pracuję od dłuższego czasu – powtórzyła Branna. – Wykorzystałam fragmenty zaklęć Sorchy i innych, dodałam trochę do siebie.

– Przećwiczyłaś go?

Po jej twarzy przemknął cień irytacji.

– To zbyt ryzykowne. Jeśli Cabhan się o nim dowie, na pewno go zablokuje. Rzucę go po raz pierwszy i jedyny na ziemi Sorchy. Musisz mi zaufać, uwierzyć, że wiem, co robię.

– Tobie trzeba ufać – powiedział zgryźliwie Fin.

– Do jasnej cholery. – Branna odepchnęła się od stołu, ale Iona uniosła dłoń.

– Poczekaj chwilę. Jaki to rodzaj czaru? Wypędzający, odgradzający, pokonujący? Który?

– Pokonujący, oparty na świetle i ogniu, przypieczętowany magią krwi.

– Światło zwycięża ciemność. Ogień oczyszcza. A krew jest rdzeniem wszystkiego.

Branna się uśmiechnęła.

– Szybko się uczysz. Jednak wszystko może pójść na marne, jeśli nie zrobimy tego w odpowiednim miejscu i czasie. Wszystko pójdzie na marne, jeśli my wszyscy, cała szóstka, nie staniemy razem, w zgodzie, w tym czasie i miejscu.

– W takim razie staniemy. – Iona uniosła ręce i popatrzyła na zebranych przy stole. – To oczywiste, że będziemy tam. Ty zrobisz wszystko, aby go zniszczyć – zwróciła się do Fina. – Dla Branny, dla siebie, dla nas. W tej kolejności. A Branna zrobi wszystko, żeby zerwać każdą więź, jaka może cię z nim łączyć, żebyś wreszcie się uwolnił. Connor i Meara staną tam w imię miłości i przyjaźni, w imię tego, co dobre i prawe, bez względu na koszty. Boyle będzie walczył, bo taki już jest. Musisz tylko powiedzieć, kiedy i gdzie, a on tam będzie. I ponieważ, bez względu na to, co się wydarzyło między mną a nim, nigdy by nie chciał, aby cokolwiek mi się stało. A ja nigdy bym nie chciała, aby cokolwiek stało się jemu. W imię miłości i przyjaźni, dla rodziny i przyjaciół, staniemy razem w odpowiednim czasie, odpowiednim miejscu i będziemy walczyć ramię w ramię, jedno obok drugiego. Jedno za drugie.

Po chwili ciszy Fin wziął kieliszek z szampanem, którego dotychczas nie tknął, i uniósł w stronę Iony.

– No dobrze, *deirfiúr bheag*. Będziemy twoją parszywą dwunastką. – Obrócił się do Branny. – Zaufanie – powiedział.

– Zaufanie. – Uniosła swój kieliszek i stuknęła w jego; rozległ się cichy dźwięk i błysnęło światło, które zaraz zgasło.

– Skoro to ustaliliśmy, to przejdźmy do szczegółów. – Connor pochylił się do przodu. – Krok po kroku.

Kiedy Branna przedstawiała im cały plan, gdy plan ten poprawiali, dyskutowali i spierali się, Boyle milczał. Nic nie mówił, ponieważ gdy patrzył na Ionę, jak wygłaszała swoją mowę, wszystko stało się dla niego jasne.

Teraz musi tylko poczekać na odpowiedni moment, żeby jej o tym powiedzieć.

Maj przeszedł w czerwiec, a Iona odliczała dni i starała się przeżywać w pełni każdy z nich. Cieszyła się błękitnym niebem, kiedy je widziała, witała z radością deszcz, gdy padał. Powtarzała sobie, że cokolwiek się wydarzy tego najdłuższego dnia, ona miała już te tygodnie, miesiące, tych ludzi wokół siebie, dzięki czemu jej życie, nawet przez ten krótki czas, było bogatsze niż kiedykolwiek przedtem.

Otrzymała wielki dar i nauczyła się z niego korzystać, ufać mu i go szanować.

Była, i zawsze będzie, jedną z trojga. Była i zawsze będzie czarownicą z Mayo, pełną mocy i światła.

Wierzyła, że zwyciężą, jej charakter nie pozwalał Ionie myśleć inaczej, ale pamiętała też, że dar, który otrzymała, wymagał szacunku, ostrożności i troski.

Przed samym świętem przesilenia napisała długi list do babci, staromodnie, piórem na papierze. Wydało jej się ważne, żeby poświęcić czas i włożyć w to pewien wysiłek. Pisała o miłości do babci, kuzynów, przyjaciół, do Boyle'a i o błędach, które popełniła.

Napisała o tym, jak odnalazła siebie i swoje miejsce na ziemi, co dla niej oznaczał przyjazd do Irlandii. I że tu pozostała.

Prosiła tylko o jedno. Gdyby coś jej się stało, babcia miała odnaleźć amulet, zabrać go i Alastara i przekazać następnym.

Ponieważ jeśli ona przegra, z pewnością przyjdą następni. Co do tego także nie miała żadnych wątpliwości.

Nieważne, jak długo to potrwa, światło zwycięży ciemność.

Na dzień przed przesileniem zeszła wcześnie rano do kuchni z listem w tylnej kieszeni spodni. Próbowała już swoich sił w pełnym angielskim śniadaniu i chociaż uważała, że nigdy nie będzie wybitną kucharką, nie oznaczało to, że powinna przestać próbować.

Connor wszedł do kuchni i pociągnął nosem.

– Gotujesz?

– Pomyślałam, że jutro będziemy zajęci, więc dzisiaj zrobię nam porządne śniadanie i oszczędzę Brannie trochę czasu. Znowu siedziała do późna, prawda?

– Przez ostatni tydzień prawie nie spała, była głucha na wszelkie prośby i groźby.

– Wieczorami słyszę jej muzykę i od razu zasypiam. Puszcza ją celowo.

– Twierdzi, że lepiej jej się myśli, kiedy my dwoje nie myślimy. – Zwędził kiełbaskę z talerza. – Martwisz się.

– Chyba tak, przecież teraz to już kwestia nie dni, lecz godzin. Dlaczego ty się nie martwisz?

– Zadanie, które mamy wykonać, zostało nam przeznaczone. Jeśli coś ci jest pisane, to jaki sens się tym martwić?

Iona wsparła się o niego na chwilę, szukając otuchy.

– Uspokajasz mnie tak samo jak muzyka Branny.

– Jestem pełen wiary. W ciebie. – Objął ją ramieniem. – W Brannę, w siebie. I w całą resztę. Wykonamy to, co nam pisane, najlepiej, jak potrafimy. Nikt nie mógłby zrobić więcej.

– Masz rację pod każdym względem. – Odsunęła się i nałożyła mu pełen talerz jedzenia. – Czuję, że on się tu czai, a ty? Czuję go na obrzeżach moich snów, jak próbuje dostać się do środka. Prawie mu się udaje i gdzieś w głębi zdaję sobie sprawę, że sama mu na to pozwalam. A potem słyszę muzykę Branny i budzę się rano.

Iona wzięła drugi talerz i nałożyła ponad połowę porcji, jaką dała Connorowi.

– Zostawię to dla Branny w ciepłym piekarniku.

Kiedy się odwróciła, Connor objął ją mocno. Jest takim wspaniałym pocieszycielem, pomyślała.

– No już, przestań się zamartwiać. On nigdy nie miał do czynienia z takim przeciwnikiem jak nas troje i tych troje, którzy są z nami.

– Znowu masz rację. Jedzmy, a potem pojadę do pracy okrężną drogą, żeby oswajać się z samochodem.

– Dotarłabyś do stadniny dwa razy szybciej, gdybyś poszła ze mną na piechotę.

– Prawda, ale wtedy nie ćwiczyłabym prowadzenia auta.

– Ani nie mogłaby zajrzeć do hotelu i poprosić, żeby następnego dnia wysłali jej list.

Iona przeczesywała wzrokiem okolicę w poszukiwaniu jakichkolwiek śladów mgły, czarnego wilka lub czegokolwiek, co zaalarmowałoby jej instynkt lub zmysły, ale dojechała do zamku Ashford bez żadnych incydentów i wypadków. Naprawdę, bez względu na to, co twierdziła Meara, uważała, że doskonale radzi sobie z nowym autem, drogami i jazdą po lewej stronie.

Tak jak z pełnym napięcia oczekiwaniem w ciągu ostatnich dni, z tą ciszą przed burzą.

Może puls jej przyśpieszał za każdym razem, gdy wyglądała przez okno, obserwując las, drogę i wzgórza. Może czuła sztywność spowodowaną stresem, w plecach i ramionach, za każdym razem, gdy prowadziła grupę turystów przez gęsty las, pełen zielonych cieni.

Ale nadal wyglądała przez okno i nadal prowadziła wycieczki konne, a to, powiedziała do siebie, parkując przed stadniną, liczyło się najbardziej.

Ponieważ przyjechała pierwsza, otworzyła drzwi i odwróciła się, żeby zapalić światło.

I zobaczyła, że na środku areny stoi wilk.

Drzwi zatrzasnęły się za nią z hukiem, lampy zgasły. Przez jedną straszną chwilę widziała jedynie trzy lśniące czerwienią punkty: oczy wilka i jego kamień mocy.

Czerwień rozmyła się, gdy drapieżnik zaatakował.

Iona wyrzuciła przed siebie rękę – blokada, tarcza. Wilk uderzył w nią z taką siłą, że poczuła, jak zadrżała ziemia. Poczuła też, jak jej tarcza zaczyna pękać niczym szkło.

Patrzyła, jak cień w postaci wilka szykuje się do kolejnego skoku.

Usłyszała pełne strachu rżenie koni i natychmiast podjęła decyzję.

Kiedy przeciwnik zaatakował, cofnęła tarczę i odskoczyła w lewo. Rozpędzona bestia poleciała do przodu i uderzyła w drzwi niczym kula armatnia, otwierając je na oścież. Teraz nadeszła kolej Iony, by atakować.

Wybiegła na zewnątrz, rzucając tarczę za siebie. On nie wróci do środka, nie skrzywdzi koni. Iona zaparła się mocno nogami i przygotowała do obrony, chociaż wilk cofnął się o kilka kroków. Stanął na dwóch nogach i przeistoczył się w człowieka.

– Szybka jesteś i nawet dosyć sprytna. – Tak jak we śnie, jego głos przypomniał zimne ręce, wędrujące po jej skórze.

A jednak w pewien sposób był uwodzicielski. – Ale młoda, zarówno, pod względem lat, jak i mocy.

– Wystarczająco dojrzała pod obydwoma względami.

Uśmiechnął się do niej i poczuła obrzydzenie, choć jednocześnie coś w niej drgnęło.

– Mógłbym cię zabić spojrzeniem.

– Na razie ci się to nie udało.

– Nie zależy mi na twojej śmierci, Ognista Iono. Daj mi tylko to, co przyszło do ciebie tak późno, co nadal jest w tobie młode i świeże. – Nie spuszczał z niej spojrzenia czarnych, głębokich jak studnie oczu i zbliżał się, przemawiając jedwabistym głosem. – Chcę tylko mocy, której jeszcze nie rozumiesz, a ciebie oszczędzę. Oszczędzę was wszystkich.

Serce Iony łomotało zbyt mocno, zbyt szybko, ale czuła, jak moc zbiera się w jej brzuchu, i wiedziała, że ma wiarę, a wiara to siła.

– To wszystko? Naprawdę? Ach… nie. – Usłyszała nad głową krzyk sokoła i uśmiechnęła się. – Nadchodzi towarzystwo.

– Ty będziesz ich śmiercią. Twoje ręce spłyną ich krwią. Spójrz. Ujrzyj to. Wiedz.

Iona popatrzyła na swoje ręce, splamione czerwienią. Kapała z nich krew, spływała na ziemię, gdzie zbierała się w kałużę. Widok i ciepło tej krwi sprawiły, że prawdziwy strach przeszył jej ciało, jej serce.

Kiedy podniosła wzrok, Cabhan zniknął. A Boyle na Alastarze gnał ku niej jak szaleniec.

– Nic mi nie jest – zawołała, lecz jej głos zabrzmiał zbyt słabo, ugięły się pod nią kolana. – Wszystko w porządku.

Pies stanął obok niej dokładnie w chwili, gdy Boyle ze-skoczył z konia.

– Co się stało?

Chciał złapać ją za ręce, ale Iona odruchowo cofnęła dłonie. Po czym ze zdumieniem i ulgą zobaczyła, że są czyste.

– On tu był, ale już zniknął. – Przytuliła się do konia, żeby go uspokoić, ale też by znaleźć w nim oparcie. Sokół usiadł na siodle Alastara równie płynnie jak na gałęzi, a Kathel stał spokojnie obok niej.

Wszyscy pośpieszyli jej na pomoc, pomyślała Iona. Koń, sokół, pies.

I Boyle.

– Skąd się tu wziąłeś?

– Właśnie siodłałem Alastara, kiedy wydał cholerny okrzyk bojowy i rzucił się w stronę ogrodzenia. Ledwo zdążyłem na niego wskoczyć, a pognał jak wiatr. Niech cię obejrzę. – Obrócił Ionę dookoła. – Nic ci się nie stało? Jesteś pewna?

– Nie. To znaczy tak, jestem pewna. Alastar mnie usłyszał. – Położyła dłoń na szyi konia. – Wszystkie mnie usłyszały – szepnęła, podczas gdy sokół nie spuszczał z niej wzroku, a Kathel zamerdał ogonem. Nagle przed stajnią pojawiła się furgonetka Connora. Kierowca zahamował, wyrzucając żwir spod kół.

– On... – Przerwała, bo na parking wpadł samochód Fina, a potem Meary. – Wszyscy mnie usłyszeli. On nie miał na to wpływu. Nie mógł powstrzymać sygnału.

– Co się stało, do ciężkiej, jasnej cholery? – chciał wiedzieć Boyle.

– Opowiem ci. Opowiem wam wszystkim – zwróciła się do całej piątki – ale najpierw musimy zajrzeć do koni. Nie wyrządził im krzywdy, wiedziałabym, gdyby było inaczej, ale są przerażone.

Wzięła ze sobą Alastara, chciała mieć go blisko, kiedy wróci do stajni.

Oczyszczą krąg, pomyślała, Branna o to zadba.

Uspokoiła konie, jednego po drugim, jednocześnie uspokajając samą siebie. Gdy przyszli stajenni, by zabrać się do porannych obowiązków, siedziała z pozostałymi w maleńkim biurze Boyle'a i mówiła, co się wydarzyło.

– On wykorzystuje jako broń seksualność, na najbardziej instynktownym poziomie – tłumaczyła. – W ogóle tym razem był silniejszy. Może potrafi w jakiś sposób kumulować moc. Nie wiem, ale moja tarcza pękła od jego ciosu. Nie zatrzymała go.

– Więc ją cofnęłaś i pozwoliłaś mu własnym impetem przelecieć przez drzwi. Sprytnie – pochwalił Fin.

– On też tak powiedział. Zaraz przed tym, jak obiecał, że ocali nas wszystkich, jeśli oddam mu swoją moc.

– Kłamał – wtrąciła Branna.

– Wiem o tym. Wiem. Ale wasza krew na moich rękach. – Zacisnęła dłonie, próbując opanować ich drżenie. – Wydawała się taka prawdziwa. On wie, że nadal jestem najsłabszym ogniwem.

– Myli się i ty także, jeśli w to wierzysz. – Boyle miał za mało miejsca, by chodzić ze złości tam i z powrotem, więc zacisnął dłonie w pięści. – Nie ma w tobie ani cienia słabości.

– On chciał mnie przestraszyć i skusić. Jedno i drugie mu się udało.

– A co ty zrobiłaś?

Iona pokiwała głową.

– Próbowałam zebrać przeciw niemu swoją moc i mam nadzieję, że robiłabym to dalej, nawet gdybyście wszyscy tak szybko nie przyjechali. Chodzi mi jednak o to, że nadal jestem jego głównym celem. Wierzy, że jeśli zdobędzie to, co mam, będzie mógł dobrać się do was wszystkich.

– Wykorzystamy to. Wykorzystamy – powtórzył Fin, zanim Boyle zdążył zaprotestować. – Odrobinę zmienimy plan i Iona wyda mu się tak bezbronna, że zaatakuje ją w miejscu i czasie, jakie sami wybierzemy, i wreszcie będziemy mogli z nim skończyć.

– To trochę bardziej skomplikowane... – zaczęła Branna.

– A od kiedy to komplikacje cię odstraszają?

– Bardziej niebezpieczne – uściślił Connor.

– Skoro mamy to zrobić, to zróbmy. – Meara wzruszyła ramionami. – Dzisiaj się okazało, że nawet przyjście rano do pracy jest dla Iony ryzykowne. Dlaczego miałaby żyć w ten sposób? Albo ktokolwiek z nas?

– Następnym razem może skrzywdzić konie – dodała Iona. – Żeby mnie osłabić, odwrócić moją moc. Nie mogłabym z tym żyć. Jakie poprawki musimy wprowadzić do planu?

– Fin proponuje, żebyś jutro poszła do ruin sama.

Iona spojrzała na Boyle'a i dostrzegła w jego oczach wściekłość.

– Będę przynętą. Ale przynętą z wiedzą i mocą. I otoczoną bardzo silnym kręgiem.

Zanim zdążył zakląć, Branna położyła mu rękę na ramieniu.

– Ona nigdy nie zostanie sama, ani przez chwilę. Masz na to słowo moje i nas wszystkich. – Zastanowiła się chwilę. – Moglibyśmy to zrobić. Myślę, że mam pewien pomysł.

– Popracujesz dziś ze mną nad tym? – spytał Fin.

Branna popatrzyła na niego, tocząc wewnętrzną walkę.

– Tak, dla Iony. Dla kręgu.

– Zacznijmy zaraz. Trzymaj się blisko nas – zwrócił się do Iony, przesuwając palcem po jej policzku. – Do jutra staraj się nie być sama, dobrze, siostrzyczko?

– Postaram się.

To nie było trudne, zwłaszcza gdy Boyle albo Meara bez przerwy krążyli wokół niej.

Boyle odwołał ją z wycieczek – ku niezadowoleniu Iony – i wysłał do pracy w stajni.

Tak więc czesała konie, karmiła je, czyściła boksy, naprawiała sprzęt, polerowała buty.

I tak mijała godzina za godziną.

Odprowadziła Alastara do głównej stajni – Boyle eskortował ją na Pyrze – na ostatnią lekcję, jaką miała w planie tego dnia.

Jutro o tej porze, pomyślała, będę zajęta ostatnimi przygotowaniami. I wykona kolejny krok w drodze do przeznaczenia.

– Zwyciężymy – powiedziała do Boyle'a.

– Niemądrze być zarozumiałym.

– Nie jestem zarozumiała ani zbyt pewna siebie. – Przypomniała sobie słowa Connora i to, co poczuła wcześniej. – Mam wiarę, a wiara to siła.

– Nie podoba mi się, że jesteś główną atrakcją programu.

– Na pewno nie miałam tego w planach, ale skoro już tak ma być, zrobię, co w mojej mocy, żeby to on wyszedł na zarozumialca. Pomyśl o tym.

– Myślałem, o innych sprawach też.

Zsiadł z konia i odczekał, aż Iona zrobi to samo.

– Chciałbym coś ci pokazać.

Wszedł do stajni. Zanim jeden ze stajennych zdążył coś powiedzieć, Boyle machnął ręką i kciukiem wskazał mu drzwi, po czym poprowadził Ionę do siodlarni, pachnącej skórą i oliwką.

– Zobacz.

Podążyła wzrokiem za jego ręką i aż zamruczała na widok lśniącego siodła, spoczywającego na stojaku.

– Jest nowe, prawda? – Podeszła do siodła, przesunęła dłonią po łagodnie wygiętej, gładkiej, czarnej skórze. – Pięknie wykonane i tylko popatrz, jak lśnią te strzemiona! To ręczna robota, prawda? Jest...

– Twoje.

– Co? Moje?

– Zostało zrobione specjalnie dla ciebie i Alastara. Dla was dwojga.

– Ale...

– No cóż, nie miałem pojęcia, że oni kupią ci samochód, i to miał być prezent na twoje urodziny.

Gdyby ofiarował jej piracki kufer, pełen złota i biżuterii, byłaby mniej zdumiona.

– Ty... Kazałeś zrobić je dla mnie? Na moje urodziny?

Boyle zmarszczył brwi.

– Amazonka z twoim talentem powinna mieć własne siodło, i to porządne.

Kiedy Iona nic nie powiedziała, wziął siodło i je odwrócił.

– Widzisz, tutaj jest twoje imię.

Delikatnie przesunęła palcami po literach. Po prostu „Iona". Tylko jej imię, a obok symbol płomieni, imię „Alastar" i triquetra.

– Znam jednego faceta, który tym się zajmuje – ciągnął Boyle, zbity z tropu jej przedłużającym się milczeniem. – I... cóż, wydawało mi się, że ten prezent powinien ci się spodobać.

– To najpiękniejszy prezent, jaki kiedykolwiek dostałam.

– Własne siodło sprzedałaś.

– Tak. – Dopiero teraz na niego spojrzała. – Żeby przyjechać tutaj.

– Dlatego... teraz będziesz miała nowe. I uznałem, że powinnaś je dostać przed jutrem, że razem z Alastarem powinniście jutro go użyć. – Boyle odwrócił z powrotem siodło, a Iona położyła rękę na jego dłoniach.

– To o wiele więcej niż tylko nowe siodło. Dla mnie znaczy o wiele więcej. – Uniosła się na palce i musnęła ustami najpierw jeden jego policzek, potem drugi, a na koniec wargi. – Dziękuję.

– Bardzo proszę i jeszcze raz wszystkiego najlepszego z okazji urodzin. Mam kilka spraw do załatwienia. Fin będzie miał na ciebie oko, mówił, że on i Branna już skończyli na dzisiaj.

– Dobrze. Dziękuję, Boyle.

– Już to mówiłaś.

Pozwoliła mu odejść. Musiała przygotować się do lekcji. I podjąć pewne decyzje.

Kiedy jej uczennica wyszła, Iona podeszła do Fina i lekko westchnęła.

– Nie dałam jej dziś wszystkiego z siebie.

– Założę się, że ona ma na ten temat odmienne zdanie. A jeśli nawet jesteś dziś trochę rozkojarzona, to masz ku temu powód.

– Pewnie tak. – Zerknęła w stronę mieszkania nad garażem. – A jak wam poszło?

– Zrobiliśmy to, co zaplanowaliśmy, nawet bez większych kłótni, co samo w sobie już jest sukcesem. Mogę podrzucić cię do stajni, jeśli chcesz zabrać samochód, a potem pojadę za tobą do domu, żeby się upewnić, że dotarłaś cała i zdrowa.

– Och, dziękuję, ale… chciałabym… muszę porozmawiać z Boyle'em. Myślę, że on może odwieźć mnie do domu.

– W porządku. – Fin uśmiechnął się i podszedł do Alastara. – Zajmę się naszym ogierem.

– Nie musisz…

– Zrobię to z przyjemnością. Wydaje mi się, że my dwaj też mamy do pogadania.

– Rozmawiasz z nim, z innymi końmi też. Tak jak ja.

– To prawda.

– I z sokołami, z twoim, z Connora i z innymi ptakami. Z Kathelem, nawet z Robalem. Ze wszystkimi zwierzętami.

Fin wzruszył ramionami, jednocześnie elegancko i smutno.

– Wszystkie należą do mnie i żadne z nich nie jest moje. Ja nie mam przewodnika, tak jak wy, z żadnym z nich nie łączy mnie tak bliski związek. Ale cóż, dobrze się rozumiemy. A teraz idź, powiedz Boyle'owi, co masz mu do powiedzenia.

– Jutro…

– Będziesz promieniała jaśniej niż kiedykolwiek.
– Uniósł jej podbródek i spojrzał w oczy. – Wierzę w to. Idź
do Boyle'a. Będę w pobliżu, gdybyś mnie potrzebowała.

Iona odeszła dwa kroki, po czym się odwróciła.

– Ona cię kocha.

Fin pogłaskał Alastara po karku.

– Wiem o tym.

– To trudniejsze, wiedzieć, że ktoś cię kocha i nie móc
pozwolić, by miłość była tylko miłością, prawda?

– Tak. Trudniejsze niż wszystko inne.

Iona skinęła głową, po czym weszła do domu i ruszyła
po schodach na górę. Pod drzwiami Boyle'a wyprostowała
się i zapukała.

Kiedy otworzył, stała już z uśmiechem przyklejonym
do twarzy.

– Cześć. Mogę chwilę z tobą porozmawiać?

– Oczywiście. Coś się stało?

– Nie. Może. To zależy. Chciałabym… – Zamknęła oczy
i uniosła dłonie, odwrócone wnętrzem do góry.

Boyle dostrzegł jakieś lśnienie, subtelną zmianę światła, ruch powietrza.

– On jest skupiony na mnie – powiedziała Iona.
– Dlatego może znaleźć jakiś sposób, żeby nas słyszeć i widzieć, nawet jak jesteśmy w środku. Nie chcę, żeby słyszał,
o czym rozmawiamy.

– Rozumiem. Ach, napijesz się herbaty? A może piwa?

– Właściwie to nie miałabym nic przeciwko szklaneczce whisky.

– Nic prostszego. – Wyjął z szafki butelkę i dwie niskie
szklanki. – Chodzi o jutro?

– Pod pewnym względem. Naprawdę myślę tak, jak powiedziałam wcześniej. Wierzę, że wygramy. Wierzę, że jest nam to dane, że takie jest nasze przeznaczenie. I wiem, jakie to uczucie mieć krew na rękach. Wiem albo wierzę, że dobro i światło zatriumfują nad złem i ciemnością. Ale nie bez ofiar. Zwycięstwo ma swoją cenę, czasami bardzo wysoką.

– Byłabyś głupia, gdybyś się nie bała.

Iona wzięła od niego szklankę.

– Nie jestem głupia – powiedziała i wypiła whisky jednym haustem. – Nie wiemy, co się wydarzy jutro ani jaką przyjdzie nam zapłacić cenę. Dlatego wydaje mi się ważne, żebyśmy dzisiaj uchwycili się dobra, które mamy, i światła. Dziś wieczór chcę być z tobą.

Boyle cofnął się o krok.

– Iona.

– Wiem, że proszę cię o wiele, zwłaszcza że całkiem niedawno mówiłam coś zupełnie odwrotnego. Dałeś mi słowo i dotrzymałeś go. Teraz proszę cię, abyś podarował mi dzisiejszą noc. Chcę, żebyś mnie dotykał, tulił. Zanim nadejdzie jutro, chcę czuć. Potrzebuję cię dziś w nocy. Mam nadzieję, że ty potrzebujesz mnie.

– Ani na chwilę nie przestałem myśleć o tym, żeby cię dotknąć. – Odstawił szklankę na bok. – Ani na moment nie przestałem chcieć z tobą być.

– Bez względu na to, co się wydarzy, oboje będziemy mieli dzisiejszą noc. Dzięki temu będziemy silniejsi. Nie łamiesz obietnicy, jeśli to ja cię proszę. Czy weźmiesz mnie do łóżka? I pozwolisz mi zostać do rana?

Tak wiele chciał jej powiedzieć, słowa same cisnęły mu się na usta, ale czy ona w nie uwierzy, jeśli usłyszy to tu i teraz?

Słowa mogą poczekać, pomyślał, do świtu, który nadejdzie po najdłuższym dniu. Wtedy Iona uwierzy w to, co on już wie.

Dlatego zamiast mówić, podszedł do niej. I chociaż własne dłonie wydawały mu się wielkie i niezdarne, ujął w nie twarz Iony i pocałował ją w usta.

Przytuliła się do niego mocno, na jej wargach zapłonął żar.

– Dzięki Bogu! Dzięki Bogu, że mnie nie wyrzuciłeś. Ja...

– Cicho – szepnął i pocałował ją jeszcze raz, miękko, delikatnie niczym rozchylający się kwiat.

Mieli czas do rana, pomyślał. Te wszystkie długie godziny, być może ostatnie. A on zrobi coś, o co nigdy by się nie podejrzewał. Będzie smakował, doceniał każdą minutę. Pokaże Ionie, jak bardzo jest cenna.

– Chodź ze mną. – Wziął ją za rękę i poprowadził do sypialni. Podszedł do okien i zaciągnął rolety, aż pokój zatonął w półmroku.

– Zaraz wracam – powiedział i zostawił ją samą.

Miał gdzieś świece. Trzymał je raczej na wypadek awarii, ale świeca to świeca, prawda?

Może i nie był romantyczny z natury, ale wiedział, na czym polega romantyzm.

Znalazł trzy świece, przyniósł do sypialni, po czym poklepał się po kieszeniach w poszukiwaniu zapałek.

– Znajdę tylko jakiś ogień i...

Iona przecięła palcem powietrze i świece zapłonęły.

– Możemy zrobić to tak.

– Nie jestem pewna, co robimy, ale zaczynam się denerwować.

– I dobrze. – Wrócił do niej, przesunął dłońmi od jej ramion do nadgarstków i z powrotem. – Nie mam nic przeciwko temu. Chciałbym poczuć, jak drżysz – szepnął, rozpinając jej koszulę. – Chcę patrzeć w twoje oczy i widzieć, że nie możesz się powstrzymać. Że, zdenerwowana czy nie, pragniesz, abym cię dalej dotykał.

– Pragnę. – Uniosła ręce i rozpięła guzik jego koszuli, ale ją powstrzymał.

– Chcę, abyś dziś w nocy przyjęła to, co ci dam. Po prostu bierz, pozwól mi dawać. Tęskniłem za miękkością twojego ciała – ciągnął, zsuwając jej koszulę z ramion. – Tęskniłem za ciepłem twojej skóry pod palcami.

Zatoczył kciukami koła wokół jej sutków, po czym delikatnie muskał dłońmi jej piersi, aż zaczęła drżeć.

Przesuwał rękami po jej ciele, całował jej usta – wszystko powoli, jak we śnie, zwolniło nawet jego serce, bijące tuż obok jej.

– Bierz to, co daję. – Pchnął ją lekko do tyłu i głaszcząc, pieszcząc, położył na łóżku. I patrzył na nią w świetle świec, gdy ściągał jej buty, odstawiał na bok.

– Chodź, połóż się ze mną.

– Powoli, wszystko w swoim czasie.

Rozpiął guzik jej dżinsów, rozsunął zamek. Powoli. I podążył ustami za dłońmi.

Co on z nią robił? W jednej chwili musiała trzymać się kurczowo pościeli, a w następnej stawała się miękka niczym woda. Rozbierał ją tak powoli, w słodkiej torturze, centymetr po centymetrze. A mimo to rozkosz była ogromna. Żar pozbawiał ją siły, Iona nie miała jej nawet tyle, by unieść ramiona.

Wszystko inne zniknęło poza dotykiem jego dłoni, ust, poza dźwiękiem jego głosu, jego zapachem. Pozostał tylko on, on, on...

Raz, drugi, trzeci, doprowadził ją do rozedrganej krawędzi, przytrzymał na skraju, gotową, desperacko pragnącą skoku, tylko po to, by znowu ją cofnąć, aż jej oddech zaczął się rwać z pożądania, aż błagała bez słów o jeszcze.

Po czym ustami, językiem, bezlitośnie cierpliwym, zrzucił ją stamtąd.

To nie był skok, ale upadek – zapierający dech w piersiach, niemający końca, wirowanie zmysłów i doznań. Świat kręcił się jak szalony.

– Och Boże, Boże. Proszę.

– O co prosisz?

– Nie przestawaj.

Jego wargi na jej piersiach, brzuchu, udach. Jego język, ślizgający się po niej, wślizgujący w nią, aż znowu zaczęła spadać tylko po to, by znów pragnąć kolejnej wspinaczki.

Boyle nie zdawał sobie sprawy, że chciał ją widzieć tak zupełnie bezradną, tak jak nie miał pojęcia, co z nim uczyni świadomość, że to on doprowadził ją do takiego stanu. Chciał tylko patrzeć, jak Iona jaśnieje – nie mogła wiedzieć, że lśniła niczym płomień świecy – czuć, jak jej ciało unosi się, by przyjąć to, co oferował, czuć, jak znowu opada, gdy to chwytała. Nie znał takiej rozkoszy, wcześniej nawet nie potrafił jej sobie wyobrazić.

I pożądanie wypełniło każdą jego komórkę – umysł, ciało i duszę.

– Spójrz teraz na mnie, Iona. Czy możesz teraz na mnie popatrzeć?

Otworzyła oczy, spojrzała na niego w blasku świec. I nie ujrzała nic, poza nim.

Wspięli się znowu, złączeni spojrzeniem i ciałem. Wspinali się, dopóki – mogłaby przysiąc – powietrze nie zaczęło się rozrzedzać. I opadli razem, a jej oczy zalśniły łzami.

Rozdział

dwudziesty pierwszy

To dzisiaj, pomyślał Boyle, pijąc brutalnie mocną kawę przy kuchennym oknie.

Nie mógł tego zatrzymać ani powstrzymać Iony. I gdzieś w głębi duszy wiedział, a nawet to akceptował, że on, ona, oni wszyscy przez całe życie przygotowywali się do owego dnia.

Zawsze trudno mu było wyobrazić sobie, jakiej sile jego najbliżsi przyjaciele będą musieli stawić czoło pewnego dnia – dzisiaj – ale z Ioną okazało się to jeszcze trudniejsze.

On zrobi absolutnie wszystko, co w jego mocy, żeby przeszła przez to bezpiecznie, żeby pomóc jej i pozostałym położyć temu kres.

A potem?

Kiedy najdłuższy dzień dobiegnie końca, on, Boyle, będzie miał jeszcze mnóstwo do zrobienia, o ile tylko uda mu się wymyślić, jak ma to zrobić.

Tylko czyż w ogóle mógł myśleć o czymkolwiek, skoro nadchodzący dzień miał być pełen magii i przemocy, walki i przeznaczenia? Zmagań na życie i śmierć.

Jego życie, pomyślał, byłoby o wiele prostsze, gdyby Iona nigdy się w nim nie pojawiła.

Wtedy poczuł jej obecność. Odwrócił się i zobaczył ją w drzwiach sypialni. Krótkie włosy nadal miała wilgotne po prysznicu, a oczy jeszcze trochę nieprzytomne od snu przed poranną kawą.

I wiedział bez cienia wątpliwości, że to, co prostsze, zupełnie go nie interesowało.

– Powinniśmy porozmawiać? – zapytała go.

– Pewnie tak, ale czeka nas taki dziwny dzień.

– To prawda. Porozmawiamy później.

Boyle skinął głową.

– Jak już będzie po wszystkim. Jutro będę miał ci dużo do powiedzenia. – Zajmij się czymś, polecił sam sobie w myślach. Rusz się. – Napijesz się kawy, prawda?

– Oczywiście. – Ale nie nalała jej sobie sama, jak robiła to wcześniej.

Boyle wiedział, że to przez niego znowu czuła się tu gościem. Słowa same chciały wypłynąć, ale powstrzymał je i nie zamierzał ich wypuścić, dopóki ten długi, dziwny dzień nie dobiegnie końca.

Dlatego wyjął kubek i sam nalał Ionie kawy.

– Dzięki. Zejdę na dół i spędzę trochę czasu z Alastarem. Masz coś przeciwko temu, żebym pojechała dzisiaj na nim do domu i zostawiła go tam, dopóki nie nadejdzie czas?

– Nie, oczywiście, że nie. W końcu należy do ciebie. Pojadę z tobą.

– Wydaje mi się, że Fin ze mną wróci. Musimy we czwórkę ustalić ostatnie szczegóły.

– Dobrze, ale nie jedź sama. – Ostrożnie dotknął jej ramienia. – Boisz się?

– Nie. Nie boję się. Myślałam, że będę pobudzona, pełna energii połączonej z odrobiną lęku, ale nic z tego nie czuję, nie wiem dlaczego. Jestem wręcz nierozsądnie spokojna. To dla tego dnia pracowałam, ćwiczyłam, uczyłam się. Ten dzień został wyznaczony tamtej nocy, gdy Sorcha poświęciła samą siebie.

– Dokończymy to, co zaczęła. A potem…

Kiedy nie skończył, Iona wypiła łyk kawy.

– A potem będziemy uczciwie pracować i prowadzić dobre życie. To wystarczy.

– Twoja praca i życie są tutaj.

– Tak. – Przynajmniej co do tego nie miała żadnych wątpliwości. – Tu jest moje miejsce.

– Zrobię nam śniadanie.

– Dziękuję, ale wydaje mi się, że powinnam być trochę głodna i… lekka, przynajmniej na razie. Będę na dole z Alastarem, zanim nadejdzie czas powrotu do domu.

– Odstawiła na bok kawę, której prawie nie tknęła.

– Potrzebowałam cię zeszłej nocy i byłeś przy mnie. Nigdy tego nie zapomnę. – Ruszyła szybko do drzwi. – Zobaczymy się na godzinę przed wschodem księżyca.

I wyszła, zostawiając Boyle'a sam na sam z własnymi myślami.

Iona szczotkowała Alastara powoli, dokładnie, tak aby jego sierść lśniła niczym cyna. Z niezmąconym spokojem rozczesywała najdrobniejsze kołtuny w jego grzywie i ogonie.

Dzisiaj był koniem bojowym i wierzyła, że on również przygotowywał się do tego dnia przez całe życie.

– Nie przegramy. – Podeszła do niego od strony łba, ujęła jego pysk w dłonie i spojrzała głęboko w ciemne oczy ogiera. – Będziemy chronić siebie nawzajem i dokonamy tego, co jest nam pisane.

Wybrała koc – czerwony jak krew – po czym wzięła siodło, które dostała od Boyle'a.

Kiedy je umocowała, czuła, jak bardzo Alastar jest zadowolony i dumny. Poczuła jego odwagę i sama z niej zaczerpnęła.

– W tym prezencie jest magia, ponieważ kazał zrobić to siodło specjalnie z myślą o nas i są na nim wyryte nasze imiona.

Postanowiła, że wplecie mu w grzywę zaklęcia. Kiedy wrócą do domu, wybierze te na siłę, odwagę i dla ochrony i sama też schowa je pod swetrem, który zrobiła dla niej babcia. Kolejny prezent.

– Pora jechać.

Przez chwilę zastanawiała się, czy kiedykolwiek wróci do tego boksu, po czym odsunęła na bok wszystkie wątpliwości i wyprowadziła konia ze stajni.

Przed stajnią czekał na nią Fin ze smukłym czarnym koniem o imieniu Baru.

– Długo tu stoisz?

– Niedługo. Mamy dużo czasu. Poza tym założę się, że Branna jeszcze się nawet dobrze nie obudziła. Widzę, że Boyle dał ci siodło.

– Jest cudowne. Wiedziałeś?

– Trudno zachować tajemnice, kiedy pracuje się i mieszka tak blisko siebie. – Fin splótł palce w koszyczek, żeby pomóc jej wsiąść.

– Wyglądacie we dwójkę jak z obrazka – powiedział, gdy usadowiła się na Alastarze.

– Jesteśmy gotowi na wszystko, co nas czeka.

– To widać. – Wskoczył na Baru i razem ruszyli wąską ścieżką.

W zamkniętej na klucz pracowni, chroniona tarczą Iona słuchała planu – krok po kroku zapamiętywała, jakich ma użyć czarów, co robić i jakie wypowiedzieć słowa.

– Milczysz – zauważył Fin. – Nie masz żadnych pytań?

– Wszystkie odpowiedzi czekają na ziemi Sorchy. Jestem gotowa, by tam pojechać i zrobić to, co do mnie należy.

– To skomplikowany czar – upomniała ją Branna. – Każdy element musi do siebie pasować.

– Poradzę sobie. I tak jak mówiłaś, nie będę sama. Będziecie tam ty, Boyle i Meara, o czym on – jeśli dobrze się sprawię – nie będzie wiedział, nie będzie was widział, co da nam przewagę. A wtedy wy wyjdziecie stąd, stąd i stąd – pokazała na narysowanej przez Brannę mapie. – To go rozproszy, zbije z pantałyku i odwróci jego uwagę ode mnie. Wszyscy pozbawieni magii zostają w kręgu, Fin też. Będziesz im potrzebny, żeby krąg ochronny nie utracił mocy – dodała, kiedy w jego oczach błysnęła złość. – I my też. My troje będziemy potrzebowali tego czasu, kiedy on spróbuje się do was dostać, żeby go zabić. Położyć temu kres.

– Mówisz z takim cholernym spokojem – mruknął Connor.

– Wiem. To dziwne. Po co mam się martwić, skoro takie jest moje przeznaczenie? Ale i tak powinnam wyłazić ze skóry, a ja czuję się… na miejscu. Może zacznę szaleć, jak już będzie po wszystkim. Wtedy pewnie zacznę gadać jak katarynka, aż będziecie chcieli mnie ogłuszyć, ale teraz jestem gotowa.

– Jeśli jesteś taka gotowa, to powtórz jeszcze raz wszystkie kroki, od samego początku – poleciła Branna.

– Dobrze. Spotykamy się tutaj na godzinę przed wschodem księżyca.

Iona przeszła wszystkie etapy planu, wyobrażając sobie każdy krok, ruch i słowo.

– A kiedy Cabhan zamieni się w popiół – zakończyła – odbędziemy finalny rytuał i poświęcimy ziemię. A potem przyjdzie pora na tańce i drinki na koszt firmy.

Widząc minę Branny, Iona wzięła kuzynkę za rękę.

– Traktuję to bardzo poważnie. Wiem, co muszę zrobić. Jestem skupiona. Ufam tobie i wam wszystkim. Teraz wy musicie zaufać mnie.

– Po prostu chciałabym mieć więcej czasu.

– Ale nie mamy już czasu. – Iona wstała, aby to zademonstrować. – Chcę się przebrać i wziąć wszystko, co niezbędne, ze swojego pokoju. Zaraz będę gotowa.

Kiedy wyszła, Connor również wstał.

– Przydałby mi się teraz jej spokój, ale mam tak strasznie dużo energii. Pójdę zajrzeć do naszych sokołów, Fin, i do koni.

Gdy zamknęły się za nim drzwi, Branna wstała i znowu wstawiła wodę, chociaż wątpiła, aby nawet cały galon herbaty mógł uspokoić jej obawy.

– Myślisz, że prosimy Ionę o zbyt wiele? – spytał Fin.

– Nie mam pojęcia i dlatego się martwię. – Gryzła się tym nieustannie, w dzień i w nocy. – Gdybym spróbowała podejrzeć, a on dostrzegłby choć skrawek, wszystko byłoby stracone. Dlatego nie patrzę. Nie podoba mi się, że cała odpowiedzialność spoczywa na jej barkach, chociaż wiem, że nie moglibyśmy wybrać lepiej.

– Prosiła nas o zaufanie, więc jej zaufajmy.

– Ty nie sądzisz, że to dla niej zbyt wiele?

– Nie mam pojęcia – powtórzył jej słowa – i dlatego też się martwię.

Branna zajęła się parzeniem herbaty.

– Bardzo się o nią troszczysz.

– Tak, to prawda. Ze względu na nią samą, ponieważ jest czarująca, pełna światła i ma... takie czyste serce. Ale też dlatego, że mój przyjaciel ją kocha, nawet jeśli wszystko spieprzył.

– Rzeczywiście spieprzył. A mimo to ona spędziła u niego noc.

– Iona wybacza łatwiej niż inni. – Fin wstał i podszedł do niej. – Mamy sobie tyle do wyjaśnienia, Branna. Czy wybaczysz mi wreszcie, kiedy to wszystko dobiegnie końca?

– Nie mogę teraz o tym myśleć. Robię to, co muszę. Myślisz, że to dla mnie łatwe, być obok ciebie, pracować u twego boku, widywać się z tobą dzień po dniu?

– Mogłoby być. Kiedyś to wszystko dawało ci szczęście.

– Kiedy byliśmy dziećmi.

– To, co mieliśmy, czym dla siebie byliśmy, nie było dziecinne.

– Prosisz mnie o zbyt wiele. – Przypominał jej, zbyt wyraźnie, o prostej radości, jaką niosła miłość. – Prosisz o więcej, niż mogę ci dać.

– Nie będę już cię o nic prosił. Skończyłem z tym. Ty nie sięgasz po szczęście, nawet go nie szukasz.

– Może nie.

– Czego w takim razie chcesz?

– Spełnienia. Myślę, że spełnienie mi wystarczy.

– Kiedyś chciałaś więcej. Pragnęłaś szczęścia.

Kiedyś tak. Goniła za nim na oślep.

– A to pragnienie i gonitwa sprawiały mi większy ból, niż mogłam znieść. Daj spokój, Finbar, tylko nas ranisz. Dziś wieczorem czeka nas ważne zadanie. I nic innego się nie liczy.

– Jeśli w to wierzysz, nigdy nie będziesz do końca sobą. A to naprawdę sprawia mi ból.

Wyszedł. I właśnie tego Branna potrzebowała.

Fin się myli, powiedziała do siebie. Ona nigdy do końca nie będzie sobą, nigdy nie będzie tak naprawdę wolna, tak długo, jak długo będzie go kochać.

A to jej sprawiało ból.

Zebrali się na godzinę przed wschodem księżyca. Branna zapaliła rytualne świece, wrzuciła kryształy do ognia, z którego uniósł się błękitny dym.

Wzięła srebrny kubek, przekazywany w rodzinie od pokoleń, i weszła do kręgu, który stworzyli.

– Z tego kielicha wszyscy pijemy, z ręki do ręki go podajemy, by nasza szóstka scaliła się w wierze i winem poparła zawarte przymierze. Sześć serc, sześć umysłów w jedności, by pomóc dziś odnieść zwycięstwo jasności. Niech każdy umoczy usta w kielichu i moc do walki wzywa po cichu.

Kubek obiegł krąg trzykrotnie, po czym Branna postawiła go na środku.

– Mocy światła, silna i jasna, chroń nas przed mrokiem i przed jego wzrokiem.

Z kubka wystrzelił biały płomień.

– Niech będzie ślepe jego spojrzenie, dopóki magii tej nie odmienię. Niechaj nie widzi sercem ni umysłem, dopóki ten mój czar nie pryśnie. Na me wezwanie niech tak się stanie.

Opuściła ręce.

– Dopóki ten ogień się pali, jesteśmy cieniami. On zobaczy tylko ciebie, Iona, i to dopiero jak rozbijesz buteleczkę. Poczekaj – dodała, wciskając fiolkę w dłoń Iony. – Odczekaj, aż znajdziesz się na ziemi Sorchy.

– Poczekam. Nie martw się. – Iona wsunęła buteleczkę do kieszeni. – Znajdź go – poprosiła Fina.

– Już szukam. Zwabię go tam.

Wyjął kryształowa kulę, przejrzystą jak woda, położył na dłoni.

Kiedy zaczął mówić po irlandzku, kula zajaśniała i uniosła się centymetr nad jego palcami. A potem zaczęła się obracać, najpierw powoli, a potem szybciej, coraz szybciej, aż jej kontury rozmazały się w pędzie.

– Poszukuje, krew przywołuje krew, znak wzywa znak – tłumaczyła Ionie cicho Branna. – Wykorzystuje to, kim jest, co ich łączy, aby szukać, tropić. On...

Oczy Fina zaczęły jaśnieć równie nieziemskim światłem, jak kula.

– Nie tak głęboko! On nie może...

Connor złapał siostrę za ramię, zanim Branna zdążyła powstrzymać Fina.

– On wie, co robi.

Przez chwilę jednak w jego oczach błysnęło coś mrocznego. A potem zgasło.

– Mam go. – Jego twarz przypominała maskę; zamknął palce na kuli. – Przyjdzie.

– Gdzie teraz jest? – chciał wiedzieć Boyle.

– Niedaleko. Dałem mu twój zapach – zwrócił się Fin do Iony. – Pójdzie za nim i za tobą.

– W takim razie poprowadzę go tam, gdzie chcemy.

– Będziemy tuż za tobą. – Meara złapała ją za rękę. – Każde z nas.

– Wiem. – Iona oddychała miarowo, starając się zachować spokój. – Wierzę.

Dotknęła palcami rękojeści miecza, który miała przy pasie, spojrzała na każdego z zebranych po kolei i pomyślała, jakie to szczęście, że ma ich wszystkich, że ma swój dar, że ma cel.

– Nie zawiodę was – powiedziała i ruszyła do drzwi.

– Jasna cholera. – Boyle dogonił ją dwoma susami, obrócił gwałtownie i pocałował z całą mocą, jaką w sobie miał.

– Weź to z sobą – polecił, zanim ją puścił.

– Wezmę. – Iona uśmiechnęła się, po czym wyszła w miękkie światło najdłuższego dnia.

Alastar czekał przed domem, uderzając kopytem w ziemię.

Tak, pomyślała, jesteśmy gotowi, ty i ja.

Złapała konia za grzywę i wskoczyła na siodło. Na chwilę zacisnęła palce na amulecie, żeby poczuć jego pulsowanie.

Jestem gotowa, powtórzyła w myślach i pozwoliła Alastarowi prowadzić.

Im szybciej, tym lepiej. Pozostali przybędą tak szybko, jak będą mogli, ale im szybciej ona dotrze na miejsce, tym mniej czasu pozostawi Cabhanowi na snucie planów, na obmyślanie działania.

Wiatr gwizdał jej w uszach. Ziemia drżała. A oni unieśli się w powietrze.

Gdy dotarli do zwalonego drzewa ze ścianą dzikiego wina, Iona dobyła miecza.

– Jestem Iona, Czarownica z Ciemności. Jestem z jej krwi. Jestem jedną z trojga i to jest moje prawo.

Machnęła mieczem. Ściana pnączy opadła z brzękiem tłuczonego szkła, a Iona przejechała na drugą stronę.

Jak we śnie, który miała tamtej nocy w Ashford, pomyślała. Jechała sama przez głęboki las, przez powietrze o wiele bardziej nieruchome, niż być powinno, w półmroku, mimo świecącego słońca.

Zobaczyła przed sobą ruiny, ukryte pośród pnączy i krzewów, jakby wyrastały prosto z drzew. Podeszła do nich i do kamienia z wyrytym imieniem Sorchy.

Teraz jej skóra zaczęła wibrować, jednak nie ze zdenerwowania – z czego dopiero po chwili zdała sobie sprawę – ale od mocy. Energii. Alastar zadrżał pod nią i wydał pełen triumfu dźwięk.

– Tak, byliśmy tu wcześniej. Stąd pochodzi nasza krew. W tym miejscu narodziła się nasza moc. – Zsiadła z konia i położyła wodze na siodle, wiedząc, że ogier pozostanie blisko niej.

Wyjęła z kieszeni buteleczkę i zmiażdżyła ją obcasem.

Teraz się zacznie.

Z torby przytroczonej do siodła najpierw wyjęła kwiaty. Skromne, dzikie fiołki i piersiówkę, pełną krwistoczerwonego wina.

– Dla matki mojej matki i jej przodków, dla wszystkich, którzy żyli i umarli, którzy nosili dar, z jego radościami i smutkami, i dla Teagan, która jest moja, i Czarownicy z Ciemności, która ją zrodziła.

Położyła kwiaty przy kamieniu, rozlała obok wino.

Wypowiadając w myślach zaklęcie, czerpiąc moc z brzucha, wyjęła z torby cztery białe świece i rozstawiła je na ziemi na czterech stronach świata, po czym umieściła między nimi kryształy.

Gdy je kładła, Alastar parsknął ostrzegawczo. Iona dostrzegła pierwsze smugi mgły pełznące po ziemi.

Jesteśmy z tobą, powiedział głos Connora w jej uchu. Dokończ krąg.

Wyjęła athame, wskazała na północ i pierwsza świeca zapłonęła.

– Myślisz, że możesz mnie powstrzymać? – zapytał z rozbawieniem Cabhan. – Przychodzisz tu, gdzie ja władam, i bawisz się w tę swoją żałosną białą magię.

– Ty tu nie władasz.

Zapłonęła druga świeca.

– Patrz. – Uniósł wysoko ramiona, a kamień na jego szyi rozjarzył się światłem jednocześnie ciemnym i oślepiającym. – Wiedz.

Coś się zmieniło. Ziemia przechyliła się pod jej stopami, gdy próbowała dokończyć rytuał. Powietrze zaczęło wirować, wirować, aż Ionie też zakręciło się w głowie. Trzecia świeca zapłonęła, ale ona opadła na kolana, walcząc z potwornym wrażeniem, że spada z klifu.

Pędy dzikiego wina opadły z ruin, a ściany chaty zaczęły piąć się ku niebu, kamień po kamieniu.

Noc zapadła tak szybko, jakby ktoś opuścił na świat mroczną kurtynę.

– Mój świat. Mój czas. – Ionie wydawało się, że z Cabhana unoszą się cienie, czerwony kamień pulsował niczym ciemne serce. – A tutaj ty należysz do mnie.

– Nie należę. – Z trudem podźwignęła się na nogi, chwytając się Alastara, który stanął dęba. – Jestem Sorchy.

– Chciała zabić mnie, a sama dokonała żywota. To ona śpi w ciemności, ja w niej żyję. Daj mi to, co masz, co ci ciąży, co tak wiele od ciebie wymaga, tak wiele ci odbiera. Daj mi moc, która tak bardzo do ciebie nie pasuje. Albo wezmę ją sam, a razem z nią twoją duszę.

Iona zapaliła ostatnią świecę. Gdyby mogli przyjechać, to już by tu byli, pomyślała. Ale nie słyszała ich przez huk w uszach, nie czuła przez smród mgły.

Nie wycofa się, powiedziała do siebie. I nigdy się nie podda.

Wyciągnęła miecz.

– Chcesz mojej mocy? To chodź i ją sobie weź.

Roześmiał się, a szczera radość dodała jego twarzy potwornego piękna.

– Miecz mnie nie powstrzyma.

– Może cię zranić, więc spróbujmy. – Pchnęła moc w miecz, aż zaczął płonąć. – I założę się, że będziesz się palił.

Cabhan wyciągnął rękę i nie ruszając się z miejsca, przewrócił Ionę na ziemię. Wściekła, próbowała wstać, a Alastar znowu stanął dęba, głośno wymachując kopytami w powietrzu.

Przez ułamek sekundy na twarzy Cabhana malowały się szok i ból, zaraz jednak opadł na czworaki i przemienił się w wilka.

Rzucił się na ogiera, celując w jego bok.

– Nie! – Iona zerwała się jak błyskawica i zaatakowała.

Jej miecz przeciął ze świstem powietrze, ale wilk odskoczył, po czym natarł na nią całym ciałem z taką siłą, że
poleciała na plecy, gubiąc miecz.

Wilk pochylił się nad nią, kłapiąc szczękami. I znowu
stał się człowiekiem.

– Spalę go na popiół – ostrzegł Cabhan. – Trzymaj cha-
betę na wodzy albo go podpalę.

– Przestań! Alastar, przestań!

Chociaż koń usłuchał, czuła gotującą się w nim wściekłość. I czuła, jak amulet, który miała pod swetrem, wibro-
wał między nią a jej przeciwnikiem.

Cabhan przysunął twarz do jej twarzy i ściągając wargi,
obnażył zęby.

Po czym uśmiechnął się znowu przerażająco, patrząc
jej prosto w oczy.

– Sorcha zdradziła mnie pocałunkiem. W ten sam sposób ja wezmę to, co masz w sobie.

– Nie dam ci.

– Ależ dasz.

Ból był nie do zniesienia. Iona zaczęła krzyczeć i nie
mogła przestać. Świat zalała czerwień, jakby wszystko dookoła stanęło w płomieniach. Usłyszała wrzask Alastara
i rozkazała mu w myślach: biegnij, biegnij, biegnij. Jeśli
nie mogła ocalić siebie, to chociaż niech zdoła uratować
jego, modliła się.

Ale na pewno się nie podda. Nie odda ciemności swojego światła.

– Pocałunek. Daj mi tylko jeden pocałunek, a ból znik-
nie, ciężar opadnie.

Gdzieś w głębi nieprzytomnego umysłu Iona zdała sobie sprawę, że on sam nie może wziąć jej mocy. Może ją zabić, ale nie może wziąć tego, co dostała. Ona musi mu to dać.

Jednak zamiast skapitulować, znalazła drżącą ręką athame.

Zaszlochała; łez też nie mogła powstrzymać, ale pomimo drżenia i płaczu udało jej się wypowiedzieć dwa słowa:

– Chcę krwi.

I wbiła mu sztylet w bok.

Zawył, bardziej z wściekłości niż z bólu, i skoczył do góry, uniósł Ionę nad ziemię, trzymając ją mocno za gardło.

– Jesteś niczym! Blady, słaby człowieczek. Wycisnę z ciebie życie i moc wraz z nim.

Kopała, próbując wezwać ogień, wiatr, powódź, ale oczy jej zachodziły mgłą, płuca paliły.

Usłyszała kolejny ryk i poleciała w powietrze, po czym uderzyła o twardy grunt z taką siłą, że zadrżały w niej wszystkie kości, ale odzyskała ostrość widzenia.

I zobaczyła Boyle'a, z twarzą jak maska zemsty, walącego pięściami w głowę Cabhana.

A za każdym ciosem pod jego pięścią strzelał płomień.

– Przestań. – Nie mogła wydusić z siebie nic poza charczeniem, nawet gdy dłonie Boyle'a zaczęły płonąć.

Udało jej się unieść na kolana i chwiejąc się, próbowała utrzymać równowagę.

Boyle upadł, a zza niego wyskoczył wilk, gotujący się do ataku.

Wtem na polanę wypadł pies, kłapiąc wielkimi kłami. Sokół zanurkował i wbił pazury w bok wilka.

Czyjeś ramię otoczyło Ionę w pasie, ktoś podniósł ją na nogi, podał rękę.

– Dasz radę? – krzyknęła Branna.

– Tak. – Nawet to krótkie słowo zraniło jej gardło niczym ułamek szkła.

Mgła jeszcze bardziej zgęstniała albo to jej oczy odmawiały posłuszeństwa, bo widziała tylko niewyraźne kształty, błysk ognia.

– My jesteśmy trójką, Czarownicą z Ciemności i stajemy na tym miejscu złączeni w jedności. Zanim upłynie najdłuższy dzień, nasze światło pokona wszelki cień. Na tej ziemi, w tej godzinie, łączymy nasze dłonie i naszą siłę, niech ciemność zginie. Krew do krwi, wzywamy tych, co byli tu przed nami, ogień do ognia, niech ich moc napływa falami. Wspomóżcie nas, nim nadejdzie noc, my uwalniamy waszą moc. Na nasze wezwanie niech tak się stanie.

Oślepiające światło, kotłujący się żar i wiatr, który skręcał to wszystko w powietrzną trąbę.

– Jeszcze raz! – krzyknęła Branna.

Trzy razy po trzy. I gdy rzucali czar, gdy Iona mocno ściskała dłonie tamtych dwojga, poczuła, że sama jest ogniem. Że składa się z żaru, płomienia i lodowato zimnej nienawiści, buzującej w jego rdzeniu.

Wypchnęła z siebie całą moc i mgła zaczęła rzednąć. Zobaczyła krew, dym i Mearę z Finem na obrzeżach kręgu, z mieczami w dłoniach. I Boyle'a klęczącego na ziemi, bladego jak śmierć, z popalonymi, poranionymi rękami.

Obok siedział Kathel, a Alastar, z krwawiącymi ranami, trącał Boyle'a głową w bok. Na gałęziach, zwieszających się nad chatą, przycupnęły dwa sokoły.

– Boyle! – Iona rzuciła się naprzód i opadła na ziemię obok niego. – Twoje dłonie! Twoje dłonie!

– Nic mi nie będzie. Krwawisz. I twoje gardło…

– Twoje dłonie – powtórzyła. – Connor, pomóż mi.

– Ja się nim zajmę. Zostaw go, jesteś ranna i tylko będziesz mi przeszkadzać.

– Chodź tu, siostrzyczko, pomogę ci. – Fin ukucnął, jakby chciał wziąć Ionę na ręce.

– Ja się nią zajmę. – Branna mocno chwyciła ją za ramię. – Pomóż Connorowi przy Boyle'u, on przyjął na siebie najgorszy atak.

– Jego dłonie płonęły. – Ionie tak się zakręciło w głowie, że osunęła się na ziemię. – Jego ręce…

– Connor i Fin go wyleczą, zobaczysz. Spokojnie, Iona. Meara, chcę mieć jego krew. Znajdź jakieś naczynie na krew i na popiół. Spójrz na mnie teraz, kochana, Iona, popatrz na mnie. Będzie trochę bolało.

– Ciebie też.

– Tylko trochę.

Bolało bardziej niż trochę, ale wkrótce poczuła ulgę jak chłodny, kojący kompres na gardle, jak ciepłe dłonie na jej żebrach, gdzie miała najwięcej siniaków.

– Już lepiej. Już mnie nie boli. Boyle!

– Cii. Nic nie mów. To potrwa trochę dłużej, ale nic mu nie będzie. Zobacz sama, a ja dokończę.

Iona spojrzała przez łzy na ręce Boyle'a, nadal poobcierane, ale już bez poparzeń i blizn. A on sam miał twarz szarą jak popiół, od leczenia i bólu.

– Czy mogę im pomóc?

– Poradzą sobie. Została mi tylko twoja kostka. Nie jest złamana, ale brzydko wykręcona.

– Nie byłam wystarczająco silna.

– Cii.

– Alastar. On zranił Alastara. Zagroził, że spali go żywcem.

– Ma tylko kilka ranek, nic więcej. Może ty się nim zajmiesz? Zaopiekuj się swoim koniem.

– Tak. Tak. On mnie potrzebuje.

Z trudem stanęła na nogi i podeszła chwiejnie do konia.

– Jesteś taki dzielny. Tak bardzo cię przepraszam.

Łykając łzy, położyła ręce na pierwszej ranie.

– Wzięłam z twojej torby dwie fiolki. – Meara podała je Brannie. – W jednej jest krew, a w drugiej popiół. Czułam się trochę jak patolog sądowy. – Wydała z siebie drżące westchnienie. – O Boże, Branna.

– Nie będziemy mówić o tym tutaj. Musimy wracać do domu.

– A możemy?

– Ja nas tu sprowadziłam i ja nas wyprowadzę.

– Dokąd on uciekł, ten pieprzony sukinsyn?

– Nie wiem. Zraniliśmy go, stracił mnóstwo krwi, ale nadal żyje. Widziałam, jak się wymknął, ukryty we mgle. Nasz ogień solidnie go przypalił, jednak go nie zniszczył. Nie zakończyliśmy tego tak, jak chcieliśmy. Zabieram was do domu! – zawołała. – Jesteście gotowi?

– Chryste, tak. – Fin objął Boyle'a ramieniem i pomógł mu wstać.

– Już mi lepiej. Pomóżcie jej zabrać nas do domu, obaj.

Odpychając obu mężczyzn, Boyle podszedł do Iony.

– Pokaż mi się.

– Nic mi nie jest. Branna się mną zajęła. Alastar. Nie mogę usunąć tej blizny.

Boyle popatrzył na białą strzałę na szarym boku ogiera.

– To blizna wojenna, będzie ją nosił z dumą. Wracamy do domu. Wskakuj. I ani mi się waż – dodał, kiedy z jej oczu popłynęły łzy. – Nawet nie próbuj płakać.

– Jeszcze nie teraz. – Pochyliła się i objęła konia za szyję, a ziemia przechyliła się, powietrze zaczęło wirować.

W milczeniu opuścili polanę i ruiny.

EPILOG

Iona z wdzięcznością przyjęła szklankę whisky i skuliła się na kanapie w salonie. W kominku trzaskał ogień, ale ten płomień niósł ukojenie zamiast strachu i bólu.

– Przepraszam, nie byłam wystarczająco silna. Nie byłam dość dobra. On dosłownie powalił mnie na łopatki.

– Co za bzdury. – Connor wypił trochę whisky. – Co za cholerne, niedorzeczne brednie.

– Dobrze powiedziane – pochwaliła go Branna. – To ja przepraszam. Każdy krok mieliśmy tak doskonale opracowany, dopięty każdy szczegół. Poza jednym. Nawet przez chwilę nie przypuszczałam, że on może przemknąć się w czasie z własnej woli, bez wezwania. Nie wiedziałam, że może to zrobić tak szybko i kiedy my byliśmy tak blisko.

– Był błyskawiczny. – Fin pokręcił głową. – Nawet nie widziałem, że się zbliża. Wykazał się ogromnym sprytem, przygotował to miejsce tak, że jego moc płonęła tam silniej, niż się spodziewaliśmy.

– A my nie mogliśmy się dostać do Iony. Była tam sama.

– Boyle wziął ją za rękę, uścisnął.

– Ale pojawiliście się wszyscy.

– Nie tak szybko, jak bym chciał. Nie wystarczyło wiedzieć gdzie, ale jeszcze kiedy. Nie znaleźlibyśmy cię, gdybyś tak głośno nie wołała. Miałaś wiarę, dokładnie tak, jak powiedziałaś, i wołałaś nas mocnym głosem. Zamknęłaś krąg, nawet w takim stanie, w jakim byłaś, uwolniłaś moc i dzięki temu mogliśmy cię znaleźć. I prawie go zabiliśmy.

Branna zamknęła na chwilę oczy.

– Prawie. Boże, byliśmy tak blisko.

– To nie twoja wina – przekonywał Ionę Connor – ani nikogo z nas, skoro już o tym mowa. Prawda, nie zabiliśmy go, ale wciągnęliśmy w walkę i poważnie zraniliśmy. Nie zapomni bólu, jaki mu dziś sprawiliśmy.

– W związku z czym następnym razem przygotuje się lepiej. – Meara uniosła dłonie. – Taka jest prawda i trzeba to głośno powiedzieć, żebyśmy znowu nie wpadli w taką samą pułapkę.

– W porządku, ale… masz poparzone ręce.

Meara zerknęła na swoje nadgarstki i dłonie.

– Parę blizn. A ty?

– Wyleczyliśmy się nawzajem z Finem. Dlaczego nic nie powiedziałaś? Jesteś uparta jak osioł. – Connor wstał i złapał ją za ręce.

– Zdarzyły mi się gorsze poparzenia, jak robiłam śniadania.

– Ból nie jest nam do niczego potrzebny. Ty też się poparzyłaś? – zapytał siostrę.

– Ani jednego pieprzonego draśnięcia. Mamy jego krew i popiół, w który zamieniło się jego ciało. Wykorzystamy je przeciwko niemu. Musimy tylko pomyśleć, w jaki sposób tego użyjemy przeciw niemu następnym razem. Wtedy już nie spotkamy się na jego ziemi. Postaramy się o to.

Iona nie pytała jak. Siedząc z tymi, których kochała, z dłonią w dłoni Boyle'a, czuła, jak wraca jej wiara.

– On nie mógł sam tego wziąć – powiedziała z namysłem, dotykając amuletu. – Nawet kiedy byłam prawie zupełnie bezbronna, kiedy stał się panem sytuacji, nie mógł mi odebrać mocy. Musiałabym dać mu ją sama. Mógł mnie zabić, ale nie mógł wziąć tego, co w sobie noszę. To go wkurzyło.

– I bardzo dobrze.

Iona się uśmiechnęła.

– Cholernie dobrze. Dźgnęłam go athame.

– Naprawdę? – Fin wstał, podszedł do niej i pocałował ją mocno w usta. – Zuch dziewczyna. Broń światła przeciwko ciemności. Może dlatego zostawił nam tyle krwi.

– Przyda nam się na następny raz. A teraz zrobię coś do jedzenia. Jeszcze nie wiem co, ale zjemy dziś porządny posiłek. I została jeszcze butelka francuskiego szampana. Co prawda nie zakończyliśmy tego ostatecznie, ale moim zdaniem wygraliśmy pierwszą bitwę, więc mamy co świętować. Możecie mi pomóc. Wy dwoje zostańcie – poleciła Ionie i Boyle'owi. – Przyjęliście na siebie najgorszy atak, więc teraz posiedźcie sobie ze szklaneczką whisky przy ogniu.

– Jeszcze nie skończyłem z tym upartym, oślim zadkiem.

Meara rąbnęła Connora w ramię.

– Zajmij się własnym zadkiem.

– Dlaczego, skoro twój jest nie tylko uparty, ale i kształtny?

– Do kuchni, powiedziałam. – Branna przewróciła oczami i patrząc na Connora, usiłowała dać mu znak.

– Dobrze, dobrze, i tak umieram z głodu.

Wyszedł, ciągnąc za sobą Mearę.

– Zajrzę do koni, żebyś była o nie spokojna – zaproponował Fin.

Iona uśmiechnęła się do niego.

– Dziękuję. Nic im nie jest, ale nie zaszkodzi sprawdzić.

Odchyliła głowę na oparcie i zamknęła oczy.

– Byłam ogniem – powiedziała miękko. – Nie tylko go wznieciłam, ale nim byłam. To było jednocześnie przerażające i wspaniałe.

– Owszem. Patrzyliśmy z Connorem i Branną na ciebie, jak płonęłaś niczym pochodnia białym światłem. To było przerażające i wspaniałe.

– A jednak nie wystarczyło. Tak bardzo chciałam, żeby to się skończyło, dzisiaj, teraz.

– Czasami rzeczy nie dzieją się tak szybko, jak byśmy tego chcieli. – Boyle ścisnął dłoń Iony, po czym skapitulował i przytulił ją do policzka. – Co nie oznacza, że się nie wydarzą.

– To prawda. I Branna ma rację. To my przechyliliśmy szalę na naszą stronę. I jak wyskoczyliście z tej mgły, ty i Alastar! Jesteście moimi bohaterami.

– Ponieważ zdaję sobie sprawę, jak bardzo go cenisz, wiem, że jestem w doskonałym towarzystwie.

– Kiedy zamknę oczy, widzę twoje dłonie. Jak płoną. Wielkie, pokryte bliznami dłonie. Tak jej drogie.

– Myślałem, że nie zdążymy do ciebie dotrzeć. – Boyle mówił bardzo powoli, niezwykle starannie dobierając słowa. – Bałem się, że nie przybędziemy na czas, o ile w ogóle nam się to uda, i że być może już nigdy cię nie zobaczę. Nie miałem twojej wiary. Chcę, żebyś wiedziała,

434

że teraz ją mam. Więc można powiedzieć, że ty również jesteś moją bohaterką.

Iona na chwilę oparła głowę na jego ramieniu.

– I myślę, jeśli wziąć pod uwagę wszystkie okoliczności...

Wypiła łyk whisky.

– Jakie okoliczności?

– Wziąwszy pod uwagę wszystkie okoliczności i to, że na razie skończyliśmy i nie wiemy, co nas jeszcze czeka, ale wziąwszy to pod uwagę i całą resztę, myślę, że pod każdym względem byłoby najlepiej, gdybyś wyszła za mnie za mąż.

Opuściła szklankę i spojrzała na niego szeroko otwartymi oczami.

– Przepraszam, że co?

– Pamiętam o wszystkim, co powiedziałaś po tym, jak się zachowałem, cóż, jak skończony kretyn, i robiłem to, co chciałaś, w każdym razie bardzo się starałem. Ale myślę, że najwyższa pora, abyśmy dali sobie z tym spokój i, biorąc wszystko pod uwagę, wzięli ślub.

– Ślub. – Czyżby bitwa, siniaki, płomienie uszkodziły jej mózg? – Ślub, taki do małżeństwa?

– To wydaje się sensowne. Sama powiedziałaś, że do siebie pasujemy. I... łączy nas miłość do koni.

– Nie możemy zapomnieć o koniach.

– To ważne – mruknął. – Kochasz mnie. Sama powiedziałaś, że mnie kochasz, a jesteś kobietą, która nie kłamie w kwestii uczuć.

– To prawda.

– Pasujemy do siebie i mamy konie. Kochasz mnie, ja ciebie też, więc się pobierzemy.

Iona doszła do wniosku, że jej umysł jednak działa bez zarzutu.

435

– Co ty mnie też?

– Jezu. – Musiał na chwilę wstać i obejść pokój dookoła. Żeby zyskać trochę czasu, dorzucił torfu do ognia. – Nigdy nie mówiłem tego żadnej kobiecie, która nie była moją matką czy inną krewną. Nie rzucam takich słów na prawo i lewo.

Miał potargane włosy, czego Iona wcześniej nie zauważyła, tak jak krwi na koszuli i tego, jak z uporem zaciskał szczęki.

Jednak bardzo wyraźnie widziała uczucie w jego oczach.

– Wierzę ci.

– Niektóre słowa znaczą więcej niż inne i to właśnie jedno z takich słów.

– Jakie dokładnie jest to słowo?

– Miłość. Wiem, czym jest miłość, ponieważ to ty, do cholery, ją we mnie wzbudziłaś i ty mi ją dałaś. I dzięki tobie już nigdy nie będę taki sam. Nigdy nie poczuję jej do nikogo innego.

– Jejku.

– Kocham cię, OK? – wyrzucił z siebie, jakby szykował się do bójki, co Ionę zupełnie rozbroiło. – Powiedziałem to jasno i wyraźnie. – Zmarszczył brwi, wyrzucił ręce w górę. – Kocham cię. I… chcę cię kochać. Chcę czuć do ciebie to, co czuję, ponieważ bez tego byłbym tylko na pół żywy. I chcę się z tobą ożenić, żyć z tobą, założyć z tobą rodzinę. Jednak w tej chwili chcę, żebyś przestała kazać mi babrać się w uczuciach i powiedziała wprost, czy ci to pasuje, czy nie.

Wpatrywała się w niego bez słowa, ponieważ tak bardzo pragnęła, aby ta chwila z jej każdym najdrobniejszym szczegółem została wyryta na zawsze w jej pamięci.

– To najbardziej romantyczne słowa, jakie usłyszałam w życiu.

– Och, do diabła z tym. Chcesz słuchać pięknych słówek? Może mam wyciągnąć z kieszeni tomik poezji?

– Nie, nie, nie. – Iona wstała ze śmiechem i czuła się silniejsza, bardziej pewna niż kiedykolwiek w życiu. – Mówiłam serio. Dla mnie to jest romantyzm. Gdybyś tylko mógł powtórzyć to jeszcze raz. Te dwa słowa, które znaczą więcej niż inne.

– Kocham cię, Iono Sheehan. Kocham cię. Daj mi swoją pieprzoną odpowiedź.

– Tak, od chwili, kiedy tylko otworzyłeś usta. Ale chciałam to wszystko usłyszeć. Tak, od momentu, gdy tylko mnie zapytałeś.

Boyle zamrugał powoli, po czym zmrużył oczy.

– Tak? Powiedziałaś „tak"?

– Kocham cię. Niczego nie pragnę bardziej na świecie, niż wyjść za ciebie za mąż.

– Tak?

– Tak.

– Cóż, świetnie. Doskonale. Boże! – Rzucił się ku niej, ona ku niemu i spotkali się w połowie drogi. – Boże. Dzięki Bogu. Nie wiem, jak długo jeszcze bym bez ciebie wytrzymał.

– Już nigdy się tego nie dowiesz. – Poddała się jego pocałunkom i obietnicom, które niosły. – Już nigdy nie będziesz musiał wytrzymywać beze mnie. – Przytuliła się do niego najmocniej, jak potrafiła. – Odnieśliśmy dzisiaj zwycięstwo, pod tak wieloma względami. Zwyciężyliśmy w sposób, którego on nigdy nie zrozumie. Mamy miłość. On nie ma pojęcia, co to znaczy. Mamy miłość.

– Żenię się z czarownicą. – Porwał ją w ramiona i okręcił się dookoła. – Jestem najszczęśliwszym człowiekiem na ziemi.

– Och, naprawdę, naprawdę jesteś. Kiedy?

– Kiedy?

– Kiedy się pobieramy?

– Jutro mi pasuje.

Iona roześmiała się wniebowzięta.

– Nie tak szybko. I kto tu mówi o skakaniu na główkę! Potrzebuję pięknej sukni i chcę, żeby przyjechała babcia. I jeszcze nie poznałam twojej rodziny.

– Większość znajduje się w tym domu.

– To prawda. Nie będziemy zwlekać zbyt długo, ale wystarczająco, by zrobić to należycie.

– Muszę kupić ci pierścionek. Chłopaki mieli rację, muszę ci kupić jakąś błyskotkę.

– Bez dwóch zdań.

– I masz rację, musimy trochę poczekać. Przynajmniej na tyle długo, żebym zdążył zarezerwować termin w opactwie Ballintubber.

– W… – Iona po prostu nie posiadała się z radości. – Tam się ze mną ożenisz?

– Tego właśnie pragnęłaś, prawda? I na Boga, wygląda na to, że ja też. Chcę cię poślubić w tym pradawnym, świętym miejscu. To jest nam przeznaczone.

Schwycił ją za ręce, uniósł je do ust, po czym roześmiał się głośno.

– Ty będziesz moja, a ja twój. Tego właśnie chcę.

Iona przytuliła policzek do jego serca. Miłość, pomyślała, dawana z własnej woli, przyjmowana z radością.

Nie istniała silniejsza magia.

– Tego właśnie chcę – szepnęła, po czym uśmiechnęła się, słysząc rżenie Alastara. – On wie, że jestem szczęśliwa. – Odchyliła głowę. – Chodźmy powiedzieć wszystkim i otworzyć szampana.

Wino, muzyka i światło, pomyślała. Przeszli przez ogień, odepchnęli ciemność na jeszcze jeden dzień.

A teraz, w ten najdłuższy dzień, w którym światło nie chciało ustąpić miejsca mrokowi, ona czuła się kochana. Wreszcie.

Głęboko w lesie, w innym czasie, zaskowyczał wilk. A ten, który był w nim, zaklął. I korzystając ze swej magii czarnej jak noc, powoli zaczął się leczyć.

I obmyślać nowy plan.